The Tudors

The Tudors

De koning, de koningin en de maîtresse

Een roman op basis van het eerste seizoen van *The Tudors*

Bedacht door Michael Hirst
Geschreven door Anne Gracie

Karakter Uitgevers B.V.

Oorspronkelijke titel: *The Tudors: The King, the Queen, and the Mistress*

Published by arrangement with Simon Spotlight Entertainment, an imprint of Simon & Schuster.

Vertaling: Carolien Metaal
Opmaak binnenwerk: ZetSpiegel, Best
Omslag: Select Interface

ISBN 978 90 6112 337 8
NUR 340

Dankwoord

De werkelijke schepper van dit boek is Michael Hirst. Zo'n veelomvattend verhaal als dat van Henry Tudor en Anne Boleyn samenpersen in een paar uur meeslepende televisie vraagt enorm veel talent. Van Michael Hirst kwamen de visie, het verhaal, de personages en hun woorden: alle eer behoort hem toe.
Ik dank mijn agente, Nancy Yost, en Terra Chalberg, Tricia Boczkowski, Emily Westlake en Cara Bedick van Simon & Schuster.

Hoofdstuk 1

Whitehall Palace, Londen
'Er komt vast oorlog, hebt u het gehoord?'
Thomas Tallis keek op. De man had het tegen hem. 'Nee, dat wist ik niet.' Hij was in gedachten bezig geweest met het uitwerken van een nieuwe melodie – voor een werk dat nog niet geschreven was.
'De Fransen... Ze hebben de Graaf van Devon vermoord.'
'Ah.' Tallis keek onzeker om zich heen.
'Niet hier, man, in Italië!'
'Ah.' Hij knikte, nog steeds in het duister.
'De Graaf van Devon, de Engelse ambassadeur, Edward Courtenay – de oom van de koning! Vermoord! In koelen bloede en op klaarlichte dag.'
'O ja?' Tallis knikte en lette nu op.
'De koning kan een dergelijke belediging niet onbeantwoord laten. Er moet wel oorlog komen! Wat betekent dat mijn verzoekschrift *nooit* in behandeling zal worden genomen.'
Tallis grijnsde meelevend. Roddel was alles wat de petitionarissen en klaplopers hadden... kliekjes van het echte hof, waar de echte beslissingen werden genomen.
'Wij arme mensen moeten op zoek naar de uitstraling van grote mannen,' had een oudere petitionaris tegen hem gezegd toen Tallis net aan het hof was gearriveerd. 'Het is ons lot, net als het het lot van de mot is om op zoek te gaan naar de vlam.' De man had langdurig op zijn arm staan kloppen. 'Maar let goed op de mot, jongeheer Tallis; als we er te dichtbij komen, lopen we het risico onze vleugels te verbranden.'
Tallis had het indertijd zeer wijs gevonden. Maar zijn vleugels vormden nu geen probleem. Wél zijn maag. Het echte voedsel was daar, aan het hof. De klaplopers aten de kliekjes van het hof, alleen was Thomas er niet zo bedreven in zich op tijd naar binnen te werken, dus had hij vaak honger.
Noch was hij voldoende bedreven in het trekken van de aandacht van de secretaris van de koning, Mijnheer Pace. Tallis legde een hand op zijn wambuis en voelde de aanbevelingsbrief van de deken kraken. Als er inderdaad

oorlog kwam, zouden ze geen tijd hebben om een obscure musicus op te merken, vermoedde hij.
De deur naast hem ging op een kier open, net ver genoeg om Tallis iemand te horen zeggen: 'Zijne Majesteit is voornemens de bijeenkomst van vanmiddag kort te houden. Hij wil gaan tennissen.' Het was Richard Pace, de privésecretaris van de koning. Tallis spitste zijn oren.
'Waar is de koning?'
Mijnheer Pace antwoordde: 'Hij is vertrokken naar zijn huis in Jericho.'
Tallis hoorde een afkeurend gemompel en vervolgens: 'Hoe is het met hem?'
'In verband waarmee...?'
De oudere man kon zijn ongeduld nauwelijks bedwingen en zei: 'In verband met Italië. Met wat de Fransen in Italië aan het doen zijn. Welk ander verband is er?'
'Zijne Majesteit dringt aan op geduld.'
'Ja, maar u bent zijn secretaris. U ziet hem elke dag.'
'Hij is gek van verdriet. Bijna ontroostbaar.' Het was even stil. 'Het is tenslotte zijn oom die ze vermoord hebben!' De deuren gingen open.
'Daar is hij!' Er ging een haastig gesis door de menigte toen de lange, zelfverzekerde gestalte van Richard Pace, secretaris van Zijne Majesteit Koning Henry VIII, verscheen. Achter hem stond een oudere man in eenvoudige zwarte kleren. Het was de beroemde humanist Thomas More, een van de oudste raadslieden van de koning.
Eén kostbare, hoopvolle seconde slaagde Tallis erin de aandacht van Pace te trekken. Hij hield zijn hand stevig tegen zijn aanbevelingsbrieven gedrukt, maar de schreeuwende menigte petitionarissen drong naar voren en Tallis – én het moment – verdwenen in de massa.
'Sir, sir! Sir!' riepen mannen die zwaaiend met papieren zijn aandacht probeerden te trekken. Maar Richard Pace baande zich moeiteloos een weg door hen heen en liep de privévertrekken van de koning in. De soldaten van de koninklijke garde, gewapend met lange strijdbijlen, sloegen de eiken deuren achter hem dicht. Tallis' maag knorde.

'Mijne Excellenties!' Henry, Koning van Engeland, richtte zich tot een tiental leden van zijn raad in zijn privévertrekken. 'Wij komen bijeen om zaken van groot belang te bespreken.' De raadsleden stonden in een halve cirkel rond de zittende koning. Zij waren de vooraanstaande heren van Engeland, de hoofden van de rijkste en meest adellijke families in het koninkrijk.
Naast de koning stond Kardinaal Wolsey, die alles in de gaten hield. In-

formatie was macht. Als afstammeling van een veehandelaar en slager – en dus niet afkomstig uit een adellijke familie (hoewel niemand dat recht in zijn gezicht durfde te zeggen) – was hij nu een van de rijkste en machtigste mannen in het land, en dat allemaal dankzij zijn eigen inspanningen.
De koning vervolgde: 'De koning van Frankrijk heeft de wereld zijn agressie getoond. Zijn legers hebben al vijf of zes stadstaten in Italië veroverd. Hij vormt een bedreiging voor elke christelijke natie in Europa... en toch krijgt hij de paus zover hem tot Verdediger van het Geloof uit te roepen!'
Hij zweeg om zijn woorden te laten bezinken.
'Daar komt nog bij dat hij, om te bewijzen dat niemand hem aankan, onze ambassadeur in Urbino – mijn oom! – in koelen bloede heeft laten vermoorden.'
De groep mannen knikte instemmend.
'Mijne Excellenties, ik persoonlijk vind dat al deze acties een oorlog rechtvaardigen,' besloot Henry.
De reactie van zijn gehoor was unaniem. '*Aye!*'
'Dat doen ze zeker!'
'Voldoende en gerechtvaardigde gronden, Sire!'
De koning wendde zich tot de Hertog van Buckingham, die zich niet bij de rest van het spreekkoor had aangesloten. 'Wat vindt u, Buckingham?'
Als er iemand op de zoon van een slager leek, dacht Wolsey, dan was het Engelands meest vooraanstaande edelman Buckingham wel, met zijn pafferige, rode gezicht. Buckingham, die qua bloedverwantschap meer aanspraak op de troon kon maken dan de koning.
Wolsey wierp een blik op Buckinghams opzichtige voorkomen. Het was toch zeker dwaas om kledij te dragen die kostbaarder en met meer edelstenen getooid was dan die van de koning. Henry wilde de beste zijn. In alles. Maar ja, dacht Wolsey, dat wilde Zijne Excellentie de Hertog van Buckingham ook.
Eindelijk sprak Buckingham. 'Uwe Majesteit heeft absoluut alle reden om een oorlog uit te roepen. Sterker nog, ik heb u al een jaar geleden gewaarschuwd voor de Franse ambities – maar er was voor Uwe Majesteit blijkbaar een persoonlijke tragedie als deze nodig om mij op mijn woord te geloven!'
Henry fronste bij deze openlijke kritiek. Hij wendde zich tot een andere vertrouweling: de Hertog van Norfolk, het hoofd van de machtige familie Howard. 'Norfolk? Wat vindt u?'
Norfolk knikte vol enthousiasme. 'Ik ben het ermee eens. We moeten Frankrijk met alle beschikbare middelen aanvallen. De koning van Engeland heeft van oudsher recht op de Franse troon, die onrechtmatig in be-

zit is genomen door de Valois. Het wordt tijd dat we hen eruit schoppen!'
Hierop klonk gelach. Er was meer instemmend hoofdgeknik. Henry, stiekem in zijn nopjes, liet zijn blik langzaam langs zijn raadsleden dwalen. Hij hield stil bij Thomas More, die iets aan het opschrijven was. Of net deed alsof, dacht Wolsey.
Uiteindelijk vroeg de koning: 'Wat vindt u, Wolsey?'
'Ik sluit me aan bij Uwe Majesteit. Het zijn inderdaad gerechtvaardigde gronden.'
De koning glimlachte en sloeg zijn handen ineen. 'Goed! Dat is dan geregeld. Wij zullen ten strijde trekken tegen Frankrijk. Uwe Eminentie zal alle noodzakelijke regelingen treffen.'
Wolsey boog zijn hoofd. 'Majesteit.'
Henry stond op. 'En nu kan ik – eindelijk – naar mijn tenniswedstrijd.' Iedereen boog terwijl de koning zich de kamer uit haastte. Aan zijn huppelende manier van lopen was te zien dat hij in gedachten al bij de wedstrijd was.
Bij het verlaten van de kamer viel het gezelschap uiteen in de gebruikelijke, onderling fluisterende groepjes. Wolsey bewoog zich niet. More verzamelde zijn papieren en wachtte tot iedereen vertrokken was. Toen keek hij Wolsey met een bezorgde blik aan. 'Denkt u echt dat we een oorlog moeten beginnen?'
'Ik denk dat we moeten proberen te doen wat de koning wil dat we doen,' antwoordde Wolsey.
'Maar als de koning nu niet weet wat voor hem het beste is?'
'Dan moeten we hem helpen een beslissing te nemen.'

'Ha!' De tennisbal sloeg tegen de zwartgeverfde achtermuur en was niet meer te retourneren. Vanaf de drukbevolkte tribune steeg een applaus op. Henry lachte en genoot van het applaus. Hij wist dat hij er goed uitzag als hij tenniste. De dames konden hun ogen nauwelijks van zijn sterke bovenbenen en gespierde armen afhouden.
Zoals gebruikelijk was Henry aan de winnende hand; samen met zijn goede vriend Charles Brandon speelde hij een dubbelpartij tegen de kameraden Anthony Knivert en William Compton.
Henry had een zwak voor tennis; het was een snel, hard en agressief spel en hij blonk erin uit. Hij had de tennisbaan een paar jaar eerder laten aanleggen, samen met een kegelbaan, een hanenmat en een fazantenveld. Zijn plezieruitrekken, noemde hij ze – perfect voor als het buiten te nat of te koud was om te gaan jagen, voor de valkenjacht of een steekspel.
'En wat bracht u naar uw huis in Jericho gisteravond?' mompelde Brandon

toen hij achter Henry positie koos voor de volgende service. 'Moet ik dat eigenlijk wel vragen? Ik neem aan om uw verdriet te verzachten?' Hij sloeg een bal terug en voegde er, bijna een slag missend, aan toe: 'En bevalt Lady Blount?'

'Ze "bevalt" uitstekend, hoewel ze zich opvreet van ergernis.'

'Waarom?'

'Haar man is jaloers. Hij heeft gedreigd haar naar een nonnenklooster te sturen.'

'Een nonnenklooster?' Brandon vloekte binnensmonds. 'Eeuwig zonde!'

'Dat zou het inderdaad zijn – als ik het toestond,' zei de koning. 'Spelen!'

Ze speelden nog een paar punten voordat Henry pauzeerde om met een zakdoek het zweet van zijn voorhoofd te vegen. Hij wierp een vorsende blik op de toeschouwers. 'Dat knappe blondje achter Norfolk,' zei hij tegen Brandon. 'Ik heb haar nog niet eerder gezien.'

Brandon volgde zijn blik. 'Lady Jane Howard. Norfolk heeft haar onlangs aan de hofhouding toegevoegd, als hofdame van Hare Majesteit. Klaar?'

Henry knikte en ze speelden verder. 'Hebt u haar al gehad?' vroeg Henry.

Brandon grinnikte. 'Ze heeft de meest prachtige, volle borsten... en ze zucht als je die kust.'

Lachend retourneerde Henry de service met een winnende slag. 'Game voor ons, denk ik, Anthony.'

Knivert maakte een schertsende buiging. 'Uwe Majesteit weet dat we u gewoon laten winnen!'

'Nou, ik doe anders wel mijn uiterste best,' hijgde Compton. Henry grinnikte. 'Spelen!'

'Daar is iemand die ík nou wel eens zou willen proberen,' mompelde Brandon even later. 'Kijk daar: middelste rij, in het blauw. Ziet u haar? Ziet u dat verfijnde, maagdelijke gezichtje?'

Henry knikte. Inderdaad een lekker hapje. 'Wie is zij?'

Brandon gaf een mep tegen de bal – die was niet te retourneren en werd wederom begroet met applaus. Hij grijnsde naar Henry. 'Buckinghams dochter.'

Henry keek even omhoog naar het mooie gezichtje van het meisje dat naast haar trotse en zelfvoldane vader zat en zich er niet van bewust was dat de koning en diens beste vriend over haar praatten. 'Honderd kronen dat het u niet lukt.'

'Afgesproken,' zei Brandon. 'Spelen!'

Een rijtuig reed door de boogvormige poort in het vijf verdiepingen tellende roodstenen poorthuis dat werd geflankeerd door achthoekige torens, en kwam tot stilstand op de enorme binnenplaats. De bezoekers stapten uit en keken geïmponeerd om zich heen. Hampton Court Palace, de woning van Kardinaal Wolsey, was een van de mooiste huizen in Engeland. Met naar verluidt meer dan tweehonderd met zijden behangen bedden, die voortdurend in gereedheid werden gehouden voor gasten, en meer dan vijfhonderd personeelsleden was het een indrukwekkende bezienswaardigheid. De ramen met verticale stijlen glommen in het zonlicht, en de muren met kantelen en torentjes van rode baksteen werden omringd door sierlijke tuinen.

De secretaris van Kardinaal Wolsey ging de gasten voor naar binnen en leidde hen door een doolhof van kamers behangen met kostbare schilderijen en wandtapijten.

Wolsey ontving hen in een magnifieke, met boeken gevulde ruimte: een decor van welstand en geraffineerd vertoon. Voor hem niet de ingetogen burgerkledij van Thomas More. Kardinaal Wolsey droeg, zoals altijd, een scharlakenrode soutane van kostbare, zware stof – met zijde gevoerd fluweel vandaag – en om zijn hals zijn zware gouden ambtsketting bezaaid met edelstenen, met daaraan een kruis dat tot halverwege zijn borst reikte.

'Zijne Excellentie de Franse ambassadeur en Bisschop Bonnivet,' kondigde de secretaris aan.

Wolsey verrees vanachter een bureau met stapels zakelijke en officiële papieren. 'Welkom, heren.' Hij stak zijn hand uit en beide voorname gasten kusten die om beurten.

'Hetgeen gebeurd is in Urbino – het afslachten van onze ambassadeur – is uiterst ongelukkig.' Hij zweeg even. 'Vooral voor mij.' Wolsey keek de Franse ambassadeur met een fixerende blik aan. 'Uwe Excellentie is zeer goed op de hoogte van mijn sentimenten aangaande uw land. Ik heb me lang en consequent ingezet voor Franse belangen. Maar hoe ga ik dit nu verklaren?'

De ambassadeur trok een vaag verontschuldigend pruilmondje. 'In alle oprechtheid: het is niet in opdracht van mijn meester geschied. En degenen die deze misdaad hebben begaan zijn al gestraft.'

'Nee. U moet begrijpen dat we dat punt al gepasseerd zijn,' ging Wolsey verder. 'Koning Henry is een jonge man. Hij heeft de strijdlust van een jonge man – getuige zijn liefde voor het steekspel. Hij zou niets liever willen dan aan het hoofd van een groot leger het Engelse grondgebied in Frankrijk heroveren. Het zal moeilijk zijn hem tot bedaren te brengen.'

De ambassadeur maakte een zelfvoldaan gebaar. 'Laten we dan inderdaad oorlog voeren.'

Wolsey keek hem aan. 'Met alle respect, Uwe Excellentie, dat meent u niet.

U bent al in oorlog met de keizer. Dan zou u nu op twee fronten moeten strijden – terwijl uw koning nu al, in het geheim, klaagt over een tekort aan geld en voorraden.'
De Fransen wisselden een blik van verstandhouding. Dat Wolsey op de hoogte was van dergelijke geheime informatie was een schok voor hen, zag hij, terwijl hij zijn voldoening verborg. Dachten ze nou echt dat hij onnozel was?
Eindelijk nam Bisschop Bonnivet het woord. 'Mag ik Uwe Eminentie vragen waarom u me hier vandaag heeft uitgenodigd? Ik ben tenslotte een man Gods, geen diplomaat.'
Wolsey zei minzaam: 'Maar ook ik ben een man Gods. Ik denk dat geloof diplomatie kan aandrijven. Ik heb u hier uitgenodigd omdat ik uw advies wilde.'
Bonnivet keer verbaasd. Dat mocht ook wel, dacht Wolsey. De bisschop stamelde terwijl hij de juiste woorden probeerde te vinden. 'Tja... ik vind... ik vind dat alles wat menselijkerwijs mogelijk is gedaan moet worden om een oorlog tussen onze landen te voorkomen.' Hij wierp een snelle blik op de ambassadeur en ging, overtuigder, snel verder. 'Het zou Engeland geen goed doen om betrokken te raken bij onze Europese schermutselingen. Veel beter kan het erboven gaan staan. Waarom zich erin mengen als dat niet nodig is? Ik weet zeker dat Uwe Eminentie manieren kent om de... uw Leeuw tot bedaren te brengen,' besloot hij met een innemende glimlach.
Wolsey boog zijn hoofd. Natuurlijk kon hij dat, maar daar ging het niet om. Waarom zou hij? Dat was de vraag die zij zich moesten stellen. Henry bracht je niet zomaar wat aan zijn verstand. Als hij zich eenmaal iets – wat dan ook – in zijn hoofd had gehaald, was het bijna onmogelijk hem daarvan af te brengen. Een verstandig man, een ambitieus man, zou dat alleen doen als alle middelen waren overwogen. En als Wolsey iets was, dan was het wel verstandig. En zeer ambitieus.
Wolsey kwam ter zake. 'Excellentie, ik ga geen eisen stellen. Hierin staan de hoofdlijnen van een nieuw vredesverdrag.' Wolsey duwde een bundel papieren over de tafel. 'Haal diep adem voordat u het openmaakt.'
De ambassadeur stak zijn hand uit naar de papieren. 'Mag ik?'
Wolsey legde een hand op de zijne en voorkwam daarmee dat hij het document opende. 'Nee. Ik wil dat u vertrekt en het zorgvuldig leest. Ik denk dat dit een nieuw element aan de wereld van de diplomatie toevoegt. Als uw koning dit – in principe – aanvaardt, kan hij zonder enig gezichtsverlies tekenen. Integendeel, hij kan zich verheugen. Mijn meester kan zich verheugen. We kunnen ons allen... verheugen.'

Het was stil in de kamer.
De ambassadeur raakte het document aarzelend aan, alsof het een gifbeker was, en keek toen naar Wolsey. 'Wat wil Uwe Eminentie er in dat geval voor terug?'
'Niets.'
'Niets?'
'Niets van u,' zei Wolsey veelbetekenend. Hij keek naar de bisschop. 'Wat ik wil, Uwe Excellentie... kunt alleen u mij geven.'
'Ik... ik begrijp het niet,' stamelde Bonnivet.
Wolsey glimlachte hem mysterieus toe. 'Ah, maar wanneer u erover na gaat denken, als u bidt... als u het God vraagt... weet ik zeker dat het antwoord u te binnen zal schieten.'

In de privévertrekken van de koning werd het diner geserveerd aan Koning Henry en Koningin Katherine. Elke schaal werd door dienaren binnengebracht, gecontroleerd op vergif door de officiële proever en vervolgens overhandigd aan heren van het geheime kabinet, die hem op hun beurt weer doorgaven aan de edelen die de koning en koningin bedienden. Vandaag had de Hertog van Buckingham de eer de koning te mogen bedienen, terwijl Lady Blount het eten van Koningin Katherine serveerde.
De gerechten passeerden de fluiten, blokfluiten, een trombone en een harp, die op de zuilengalerij weerklonken: malse hertenbouten uit het koninklijke hertenpark, rundergebraad, fazant geglaceerd met rozenwater, konijnen van het spit en schotels met groenten, vooral artisjokken, want daar was de koning dol op.
Henry liet het zich zoals altijd goed smaken. Hij had een zeer actieve dag achter de rug. Hij wierp een zijdelingse blik naar zijn koningin. Zij prikte voornamelijk in haar eten en stuurde het meeste weg. Ooit had hij haar de mooiste vrouw van Engeland gevonden; nu zag ze er oud uit, veel ouder dan hij. Dat was nou eenmaal het probleem als een jonge man met een oudere vrouw trouwde.
Uiteraard hadden haar miskramen haar uitgeput. Zo veel kinderen, en er leefde er nog maar een.
'Hoe maakt onze dochter het?' vroeg Henry haar.
'Ze maakt het goed.' Hoewel ze al jaren in Engeland woonde, sprak ze nog steeds met een opvallend Spaans accent. Ooit had Henry dit charmant gevonden.
'Haar leraren zeggen dat ze over buitengewone talenten beschikt, vooral voor muziek.' Ze glimlachte naar hem. 'Net als haar vader. Uwe Majesteit mag trots zijn.'

Henry glimlachte terug. 'Dat ben ik ook, lieve. Dat weet u. Mary is de parel van mijn bestaan.' Hij gebaarde naar Buckingham.
'Majesteit.' Buckingham boog en presenteerde een ander gerecht: een hele gebakken tarbot met saffraansaus – Henry's lievelingsgerecht.
'Neemt u ook wat?' vroeg Henry aan zijn vrouw. Ze schudde haar hoofd.
Hij sneed door het sappige vlees en at het verfijnd met mes en vingers.
'U hebt de brieven van mijn neef niet beantwoord,' zei Katherine kalm.
Henry deed alsof hij haar niet had gehoord.
Ze hield vol: 'Waarom hebt u zijn brieven niet beantwoord?'
'Alleen omdat uw neef de koning van Spanje is; denkt hij dat ik niets beters te doen heb?'
'U weet dat hij u aanraadt een verdrag met de keizer te ondertekenen waarin u Frankrijk als een wederzijdse vijand erkent.'
Henry, die zijn mond vol vis had, antwoordde niet.
'Hij adviseert u tevens geen acht te slaan op alles wat Wolsey u vertelt, omdat Wolsey zo bevooroordeeld is wat betreft de Fransen.'
Henry snoof verontwaardigd. 'Sinds wanneer bent u een diplomaat?'
'Ik ben de dochter van mijn vader!' zei ze met opgeheven hoofd.
Henry balde zijn vuist en antwoordde op gedempte toon. 'U bent *mijn echtgenote*! U bent niet mijn minister, noch mijn kanselier, maar mijn *echtgenote*.' Er viel een stilte. Omdat ze beseften dat oren gespitst werden om de zachte, woedende woordenwisseling te horen, glimlachten ze beiden.
Katherine boog zich naar Henry toe en fluisterde: 'En ik zou graag in alle opzichten uw echtgenote zijn. Komt u mijn slaapvertrek niet nog eens bezoeken, zoals vroeger?'
Henry zweeg; zijn eetlust was opeens verdwenen. Een moment lang staarde hij naar het glazige oog van de tarbot.
'Deze vis is niet vers,' riep hij uit, en hij duwde het bord van zich af.

Toen Henry later die avond in gereedheid werd gebracht voor het bed, schoten haar woorden hem weer te binnen. Hij tilde zijn armen op, zodat een van de kamerheren zijn nachtgewaad kon dichtknopen. Een ander trok de gordijnen rond het sierlijk bewerkte hemelbed open, terwijl een derde de bedpannen verwijderde.
Een priester hield hem een met edelstenen ingelegd kruis voor. Hij kuste het, prevelde een gebed en sloeg een kruis.
Zijn blik dwaalde naar een dressoir waarop een zilveren schaal met verschillende soorten fruit stond. Een dienaar zag wat de koning wilde, haastte zich de schaal te pakken en bood hem die aan. Henry had niet echt trek,

hij was meer... rusteloos, maar hij stak afwezig zijn hand uit en merkte toen dat hij een rijpe granaatappel had uitgekozen.
Hij sneed de vrucht doormidden. Even staarde hij naar het volle, vochtige, robijnrode vruchtvlees dat bol stond van de glimmende pitten...
'Haal mijn kamerjas.'
'Jawel, Uwe Majesteit.'
Terwijl Henry met smaak de vrucht uitzoog, haalden de dienaren een kamerjas. Twee andere dienaren pakten brandende toortsen van de muren en leidden Henry naar een geheime doorgang die zijn privévertrekken verbond met die van Katherine.
Hoe lang was het geleden? Henry peinsde terwijl hij met grote passen door de gang liep. Een jaar? Langer? Het deed er niet toe. Hij had een granaatappel gekozen en dat was Katherines embleem. En hij was rijp. Als God hem gewillig was, zou hij vanavond, hoe oud zij ook was, een zoon bij haar verwekken.
Toen Henry de deur opengooide die alleen hij gebruikte, veroorzaakte dat grote opwinding bij de hofdames van de koningin. In één vloeiende beweging maakten ze een diepe reverence. Onder hen was Lady Jane Howard, die hij voor het laatst klappend bij de tenniswedstrijd had gezien.
De dames kwamen giechelend en duidelijk van de wijs gebracht weer overeind.
'Uwe Majesteit, we wis...'
'Welkom, Uwe Majesteit. De koningin had niet verwacht...'
'Waar is de koningin?' Henry richtte zich tot Lady Jane. Van dichtbij leek ze zelfs nog jonger en knapper.
'Hare Majesteit is nog steeds in gebed, Uwe Majesteit.'
Henry zweeg. Hij stond haar maar aan te staren. Haar huid was als zijde, stralend, melkwit; haar haar dik en glanzend. Uit het strakke, gladde keurslijfje prangde een stel parmantige borstjes gretig naar buiten. Vers. Jong.
Henry haalde diep adem en nam een beslissing. 'Zeg tegen Hare Majesteit dat ik als waarlijk echtgenoot kwam om haar mijn liefde en toewijding aan te bieden.' Hij draaide zich om, maar terwijl hij dat deed, wierp hij een blik naar een van zijn eigen dienaren, die het onmiddellijk begreep.
Terwijl Henry terugkeerde via zijn privédoorgang, haastte de man zich naar Lady Jane en fluisterde iets in haar oor.
Even later werd Lady Jane Henry's slaapvertrek binnen geleid. Ze kwam met neergeslagen ogen, licht blozend en zenuwachtig naar hem toe, maakte een diepe reverence en bleef zo zitten. Henry maakte een haastig gebaar en onmiddellijk trokken de dienaren zich terug in de belendende vertrekken.

Hij wendde zich tot Lady Jane en tilde haar teder overeind. 'Jane,' zei hij zacht. 'Stemt u toe?'
Haar blos werd vuriger, de melkachtige borsten kleurden prachtig roze. 'Ja, Uwe Majesteit.'
Henry streelde haar wang en trok haar dichter naar zich toe. Hij kuste haar teder, eerst op haar mond, en bewoog toen langzaam naar haar wang en haar hals. Ze boog achterover en hij scheurde de voorkant van haar jurk open. Haar stevige borsten sprongen tevoorschijn, mooi en rond. Hij boog en kuste ze om beurten.
Lady Jane boog, sloot haar ogen en zuchtte.

In de kleine, prachtige Koninginnekapel zat Koningin Katherine moederziel alleen geknield op de harde stenen vloer. Dit deed ze elke dag urenlang, biddend voor een zoon. Overal om haar heen brandden smalle waskaarsen, elk vlammetje was een symbool van hoop, van verlangen. Op het altaar voor haar stond een prachtig beeld, dat door de paus zelf gezegend was, van de Heilige Maagd met het kindje Jezus in haar armen.
De koningin staarde naar de Heilige Maagd terwijl haar lippen onhoorbaar en onophoudelijk gebeden prevelden.

In een voorzaal van het paleis bracht Thomas Tallis zichzelf in gereedheid voor de zoveelste nacht van slapeloosheid, honger en ongemak. Hij had slechts een homp droog brood en een harde kaaskorst gegeten, weggespoeld met wat zuur bier. Het lag hem zwaar op de maag.
Gesnurk, winden en dronken gebrabbel vulden de ruimte; de geluiden van mislukkelingen en klaplopers. Sommigen diep gezonken en anderen, zoals Tallis, mannen die aan het hof nooit faam en fortuin zouden vinden, mannen die nu te arm waren om zich een bed of kamer te kunnen veroorloven. Net als Tallis waren ze te trots om te vertrekken, te trots om met de staart tussen de benen terug te keren naar waar ze ook vandaan waren gekomen. Tallis drukte een verlept bosje kruiden tegen zijn neus. Dat had hij van huis meegenomen, in een vlaag van sentimentaliteit op het laatste moment in zijn wambuis gestoken. De geur was zwak, te zwak om de ongezonde lucht in de ruimte te verdringen, maar hij putte er toch troost uit.
Hij keek aan de binnenkant van zijn wambuis om te controleren of de kostbare brief daar nog veilig zat, leunde met zijn rug tegen een stenen pilaar, sloot zijn ogen voor de boze buitenwereld en probeerde te slapen.

Hoofdstuk 2

De menigte op het toernooiveld brulde. Twee enorme strijdrossen met ridders in volle wapenrusting – de een in het zwart, de ander in het zilver – stormden langs twee kanten van een liggende houten paal naar elkaar toe. De grote paarden galoppeerden sneller en sneller. De grond trilde. Beide ridders richtten hun lange houten lans op de borstplaat of helm van de tegenstander. De hovelingen en andere toeschouwers op de publieke tribune moedigden hun favoriet aan.

Koningin Katherine sloeg met een aantal van haar dames vanonder een gekleurde luifel het spektakel gade.

Krak! De lans van de zwarte ridder spatte uiteen tegen de helm van de zilveren ridder. Houtsplinters vlogen alle kanten op. De zilveren ridder stortte ter aarde.

De toeschouwers hielden hun adem in. Wachtten. De gevallen ridder lag midden op het veld en bewoog niet. Toen zagen ze langzaam bloed door het vizier van zijn helm sijpelen. Een paar mannen renden naar hem toe. Een van hen bukte en tilde het hoofd van de ridder op. Het bloed gutste uit zijn achterhoofd en vormde een plasje in het zand.

De zegevierende zwarte ridder zette zijn helm af en er ging opnieuw een gejuich op. Het was de Hertog van Buckingham. Hij boog zijn hoofd hoffelijk in de richting van de tribune en nam het applaus dat hem toekwam in ontvangst.

Er waren drie sterke mannen nodig om de gevallen ridder op te tillen. Hij kreunde toen ze hem verplaatsten. Een stalknecht schopte schoon zand over de bloedvlekken en het steekspel begon opnieuw.

Koning Henry en zijn vrienden Brandon, Knivert en Compton stonden te popelen om het strijdperk te betreden. Henry's wapenrustig was magnifiek. Als afstammeling van een lange lijn beroemde strijders was Henry een koning die zijn bloed waardig was.

Lachend en grappen makend doodden ze de tijd met het bekritiseren van hun voorgangers en het speculeren over de verschillende dames in het paviljoen van de koningin. Brandon had vooral belangstelling voor de nieuw-

ste hofdame van de koningin. Daar stond tenslotte een weddenschap op.
'Ah, eindelijk is het mijn beurt,' zei Brandon, terwijl hij een blik wierp op het paviljoen van de koningin om te zien wie daar zaten.
'Veel geluk, Charles,' zei Compton.
'Ik heb geen geluk nodig, mijn vriend. Niet zoals u.'
Compton grinnikte. 'Neem het toch maar.'
Knivert lachte en knikte met zijn hoofd in de richting van de dames. 'Hij "neemt het" hoe dan ook altijd.'
De trompetten van de herauten klonken en Brandon reed naar het podium waarop Katherine en haar dames zaten. Hij boog voor de koningin. 'Uwe Majesteit.' Toen liet hij zijn speurende blik opzettelijk even rusten op Lady Jane, om die vervolgens... vast te pinnen op Anna, de dochter van de Hertog van Buckingham.
'My lady, zou u mij de eer willen gunnen vandaag uw kleuren te mogen dragen?'
Anna knikte verlegen. Ze stond op om Brandon een stukje stof te geven dat in haar kleuren was geverfd. Zonder zijn ogen van haar af te wenden, bond Brandon het lapje om zijn lans. Toen boog hij.
Hij reed terug naar het strijdperk, waar zijn page hem zijn wapenschild en helm overhandigde. Brandon nam zijn plaats in en sloeg zijn vizier dicht. Het spleetje was net groot genoeg om zijn tegenstander te zien. Meer had hij niet nodig. Hij wachtte op het startsignaal.
Brandon voelde Anna's ogen op hem branden. Het signaal klonk. Hij gaf zijn paard de sporen en stormde naar voren.

Ver van het rumoer van het toernooiveld zat Kardinaal Wolsey te werken aan zijn bureau. Daarop lagen hoge stapels documenten.
Staatszaken konden niet wachten tot sportwedstrijden en toernooien afgelopen waren. Niet dat Wolsey van zulke dingen hield. Het steekspel was iets voor de adel.
Wolsey had hard moeten werken om te komen waar hij nu was, en hoe hoger hij klom, hoe meer werk er te doen was. Soms werd hij al voor zonsopgang wakker, om vier of vijf uur, en hij werkte dan de hele dag tot 's avonds laat door. Dat wist de koning ook, en hij waardeerde het.
Zijn secretaris klopte. 'Eminentie, Lady Blount is hier.'
Wolseys eerste reactie was irritatie. Hij had geen tijd om zich bezig te houden met de luimen van de maîtresse van de koning. Hij aarzelde. Bessie Blount was niet gek. 'Heel goed, laat haar binnenkomen.'
Lady Blount betrad de kamer en maakte een diepe reverence.
'Uwe Eminentie.'

'Wat kan ik voor u doen, Lady Blount?'
Ze aarzelde, draaide aan een ring aan haar hand. 'Ik... draag een kind, Uwe Eminentie.'
'En? Dat is geen ongebruikelijke toestand voor een vrouw.' Wolsey pakte zijn ganzenveer op.
'Het is... het is het kind van Zijne Majesteit.'
Wolsey legde de ganzenveer neer. Hij keek haar onderzoekend aan. 'Weet u dat heel zeker?'
'Ja.'
Wolsey dacht even na. 'Hebt u het al aan de koning verteld?'
Ze schudde haar hoofd.
'Goed. Ik zal Zijne Majesteit te zijner tijd op de hoogte brengen. Maar voorlopig zegt u niemand iets – *op straffe van de dood.*' Hij keek haar streng aan. 'Begrijpt u dat?'
Ze knikte.
'Wanneer u uw toestand niet langer verborgen kunt houden, zult u overgebracht worden naar een afgezonderde plek voor uw kraambed. Daar kunt u uw bastaard ter wereld brengen.'
Hij pakte de ganzenveer weer op. De audiëntie was ten einde. 'Dank u, Eminentie.'
Wolsey gaf geen antwoord. Hij werd weer geheel in beslag genomen door zijn correspondentie.
Lady Blount verliet stilletjes de kamer; toen de deur achter haar sloot, slaakte ze een zucht van verlichting. Ze had er verstandig aan gedaan om Wolseys hulp in te schakelen. Ze had iemand nodig om de belangen van haar kind te helpen beschermen. De koning had alle belangstelling voor haar verloren, en haar echtgenoot had het er alleen maar over dat hij haar ging opsluiten in een nonnenklooster.
Het was de moeite waard geweest, zei ze tegen zichzelf, ook al had het de koningin ontstemd dat ze niet naar het toernooi kwam.

Een andere ridder stortte ter aarde en weer brulde de menigte. Luid applaus weerklonk toen de man overeind werd geholpen en spottend buigend zelf het strijdperk verliet.
Henry en zijn vrienden waren bezweet, stoffig en zaten onder de korsten, maar hun bloeddorst brandde en ze wilden meer.
'Wie is de volgende?' vroeg Compton reikhalzend.
'De zwarte ridder – Buckingham,' zei Brandon.
'Wat?' riep Knivert uit. 'Hij heeft al tien wedstrijden gewonnen! Wat probeert hij te bewijzen?'

'Laat mij het tegen hem opnemen,' smeekte Compton.
'Nee,' zei Brandon. 'Dat doe ik. Ik wil de onuitstaanbare trots van die man maar wat graag krenken.'
'Uit de weg!' beval Henry, en Brandon trok zich terug om de koning het strijdperk te laten betreden.
De menigte verstomde. Dat gebeurde altijd: alleen al de verschijning van de koning van Engeland – te paard, in levenden lijve – ontlokte een hoorbare golf van opwinding.
Terwijl hij naar het podium reed, boog Compton zich naar Brandon. 'Wat is er toch tussen die twee?'
Brandon keek om zich heen of niemand hen kon afluisteren voordat hij antwoord gaf. 'Buckingham kan meer aanspraak maken op de troon dan Henry. En dat weten ze allebei.'
Henry knikte hoofs naar de koningin. 'My lady.'
Katherine glimlachte en bond haar kleuren aan zijn lans. Ondertussen ving Henry de blik van Lady Jane en zij bloosde. Hij gaf geen krimp, maar boog nogmaals voor Katherine en galoppeerde terug naar de rand van het strijdperk.
Zijn helm werd zorgvuldig op zijn hoofd geplaatst. Een dienaar overhandigde hem zijn schild. Hij sloot zijn vizier en door de twee smalle kijkgaten zag hij ineens zijn doelwit, Buckingham; een klein figuurtje in de verte. Henry's vechtersbloed ging sneller stromen.
De aanspraak van de Tudors op het koningschap was niet gebaseerd op bloedverwantschap, maar op bloedvergieten. Zijn vader had de troon veroverd op het slagveld – Bosworth Field – die in bezit genomen en vastgehouden, en zo een Tudordynastie gesticht die eeuwig zou voortbestaan. Als Buckingham dat vergeten was, zou hij het vandaag weer leren. En Henry Tudor, zoon van de overwinnaar van Bosworth Field, zou hem dat lesje bijbrengen.
Henry's paard, dat ook speciaal voor oorlogen was gefokt, voelde zijn stemming aan en snoof en steigerde ongedurig. Op het signaal gaf Henry het de sporen. Met donderend hoefgetrappel won het paard aan snelheid, sneller, sneller. De menigte brulde. Het toernooiveld vervaagde in de snelheid. Henry had al zijn aandacht gericht op dat kleine lichtvlekje waarin zijn prooi zich bevond.
Hij bewoog de punt van de lans, die mijlenver weg leek, naar beneden. Richten was moeilijk vanwege zijn lengte en gewicht, en door de bewegingen van het paard. Hij spande zijn spieren, waardoor de lans onbeweeglijk recht op zijn vijand wees.
Buckinghams paard stormde zijn kant op, door de nauwe spleetjes van de

helm werd het groter en groter. Henry tuurde langs de lans naar voren en zette zich schrap.
KRAK! Er volgde een geluidsexplosie. Een ziekmakend geluid van hout dat botste op metaal. Henry slingerde. Zijn helm galmde.
Hij wankelde, bracht zichzelf weer in evenwicht en verzamelde zijn krachten. Zijn lans was versplinterd. Henry gooide hem aan de kant. Hij keerde zijn paard om te zien wat er was gebeurd. Buckingham lag languit op de grond, smadelijk verslagen. Het volk juichte van uitzinnige vreugde.
Henry was hun koning. Door God verkozen om over Engeland te heersen. Opnieuw was een Tudor zegevierend uit de strijd gekomen.
Henry reed terug en keek onbewogen toe hoe Buckinghams pages diens helm verwijderden. Er was geen bloed. Kreunend van de inspanning slaagden ze erin hem rechtop te laten zitten. Door het stof heen keek Buckingham Henry boos aan, met stomheid geslagen door koppige woede en vernedering.
De koning wierp hem een kille, waarschuwende blik toe, keerde toen zijn paard en reed weg om te genieten van zijn triomf.

Henry leunde achterover in de koninklijke sloep en zag Engeland, zijn Engeland, aan zich voorbijtrekken. Hij zou gaan dineren met Thomas More en diens familie in Mores huis in Chelsea. Hij reisde veel liever per sloep dan dat hij de vieze en verstopte Londense straten trotseerde.
Thomas More en zijn familie stonden op hun steiger om de koning te begroeten. Henry sprong aan land en omhelsde More. 'Thomas.' Hij was gesteld op zijn oude leermeester.
Terwijl ze in de zon kuierden, vroeg Henry: 'Waarom komt u niet aan het hof wonen, Thomas?'
'U weet heel goed waarom ik dat niet wil: het is niets voor mij. Mijn juridische werk en mijn leven zijn hier. Het hof is voor mensen die ambitieuzer zijn.'
'U hebt niet veel gezegd tijdens de raadsvergadering.'
'Waarover?'
'Over de oorlog tegen Frankrijk.'
Na een korte stilte zei More: 'Als humanist verafschuw ik oorlog. Het is een bezigheid die alleen geschikt is voor beesten, maar toch door geen enkele diersoort met zo veel regelmaat wordt gepraktiseerd als door de mensheid.'
Henry fronste. 'Als humanist deel ik uw mening. Als koning ben ik gedwongen het niet met u eens te zijn.'
Er verscheen een flauw glimlachje op Mores lippen. 'Gesproken als een jurist.'

Henry lachte. 'U kunt het weten. U hebt het me geleerd!'
'Blijkbaar niet goed genoeg.'
Speels greep Henry More bij de nek. 'Bent u klaar?' Lachend bekende More dat dat zo was. Henry liet hem los en liep voor hem uit.
'Harry!' riep More, en hij haastte zich om hem in te halen. 'Nee, ik ben niet klaar. Ik vind dat u de rampzalige hoeveelheden geld die u aan oorlog uitgeeft beter aan het welzijn van uw volk kunt besteden.'
Henry keek hem aan. 'Thomas, ik zweer u, ik wil een rechtvaardig heerser zijn. Maar vertel me eens: welke *glorie* valt er te behalen met onderwijs en welzijn? Waarom kent iedereen Henry V nog? Omdat hij universiteiten begiftigde en armengestichten voor de behoeftigen liet bouwen?'
Henry maakte een krachtig gebaar. 'Nee! Omdat hij de slag bij Azincourt heeft gewonnen. Drieduizend Engelse boogschutters tegen zestigduizend Fransen! De crème de la crème van de Franse ridderstand in slechts vier uur vernietigd!' Hij keek More aan. 'Die overwinning maakte hem beroemd, Thomas. Die maakte hem *onsterfelijk*!'

Het was druk op het hof en het werd met de minuut luidruchtiger. Ze hadden zich het feestmaal goed laten smaken en de drank nog beter. De Hertogen van Buckingham en Norfolk stonden het geheel vanaf de zijkant gade te slaan. Buckingham leegde een bokaal en stak hem naar voren om bijgeschonken te worden. 'Hij heeft op niets van dit alles ook maar enig recht,' zei hij met licht lallende stem tegen Norfolk. 'Zijn vader heeft op het slagveld de kroon gegrepen; hij kon er niet echt aanspraak op maken, alleen via een bastaard van moederszijde.'
Norfolk zei op sussende toon: 'De familie van Uwe Excellentie gaat veel verder terug.'
Buckingham knikte hevig. 'Dat is zo. Ik ben een directe afstammeling van Edward II. Het is *mijn* kroon, en dit is *mijn* hof. Niet *zijn* kroon of *zijn* hof.'
Verschrikt keek Norfolk om zich heen. 'Praat wat zachter! Dat is verraad, Uwe Excellentie.'
'Maar het is toch waar, Norfolk? Het is de waarheid. En op een dag zullen we zorgen dat die uitkomt.' Hij keek naar Norfolk.
Norfolk zei niets.
Buckingham liep weg, met in zijn kielzog een kleine entourage volgelingen. Terwijl ze door het hof wandelden, maakten buigende hovelingen de weg voor hen vrij. Een enkeling boog zelfs voorover om Buckinghams hand te kussen. Hij was een indrukwekkende verschijning, het toonbeeld van een koning in spe.
Toen hij de deur van zijn privévertrekken opende, hoorde hij in de aan-

grenzende kamer de zeer luide, onmiskenbare geluiden van een stel dat met het liefdesspel bezig was.
Hij beende naar de deur en gooide die open. Daar, op zijn bed, was dat zwijn, die kameraad van lage komaf van de koning, Brandon, naakt Buckinghams eigen dochter Anna aan het rammen.
Met een kreet van woede trok Buckingham zijn zwaard.
Brandon rolde van Anna af en bevroor toen de punt van het zwaard zijn keel raakte.
'Wat heeft dit te betekenen?' snauwde Buckingham.
'Waar het op lijkt, Uwe Excellentie,' antwoordde Brandon droog.
Buckingham duwde de punt wat dieper. 'U hebt mijn dochter geschonden.'
'Nee. Nee, ze smeekte erom.' Brandon wierp hem een arrogante blik toe.
'U hebt haar onteerd!'
'Ik zweer u dat dat niet zo is, Uwe Excellentie. Iemand anders is mij voor geweest.' Er klonk gesmoord gegiechel uit het bed.
Buckingham ontplofte bijna van woede. 'Hoerenzoon!'
Brandon zei onverschillig: 'Ja, dat is waar, Uwe Excellentie.'
Gefrustreerd liet Buckingham zijn zwaard zakken. 'Eruit!'
Brandon vertrok. Buckingham liep naar het bed. Anna zat daar lijkbleek en doodsbang in elkaar gedoken te wachten; ze wist wat er zou volgen.
'Kijk me aan,' snauwde hij.
Anna keek op. Haar vader staarde haar lang, heel lang aan en sloeg haar toen zo hard hij kon in haar gezicht. Bloed spoot uit haar neus.

Met een met specerijen en kruiden doorstoken sinaasappel tegen zijn neus om zich te beschermen tegen de stank van het gepeupel, bewoog Kardinaal Wolsey zich door het paleis. Petitionarissen zwermden om hem heen. Zijn dienaren duwden hen achteruit.
Zijn kamerheer liep voor hem uit en riep: 'Maak plaats voor Zijne Excellentie. Maak plaats!'
De petitionarissen riepen: 'Eminentie, ik smeek u, lees mijn petitie!'
Staande tussen de petitionarissen keek een uitgehongerde en zich nogal ziek voelende Thomas Tallis zonder hoop toe hoe de kardinaal even stopte om te praten met Mijnheer Pace, de secretaris van de koning.
'Kan ik erop vertrouwen dat u mijn belangen goed in de gaten houdt, Mijnheer Pace?' zei Wolsey.
'Uiteraard, Uwe Eminentie. Als een adelaar.'
Wolsey trok een wenkbrauw op. 'Ik heb geen behoefte aan een adelaar, Mijnheer Pace. Die kunnen veel te hoog zweven.' Met een vinnige blik voegde hij eraan toe: 'Wees een duif; schijt op alles!'

Een snelle glimlach verscheen op Pace' gezicht. 'Ja, Eminentie.'
Wolsey liep verder. 'Waar is de koning?'
'Aan het jagen.'
'Goed. Dat houdt hem goedgehumeurd. Laat het weten als hij terugkeert.'
'Ja, Eminentie.' Pace boog en Wolsey liep weg. De petitionarissen bleven roepen. Pace' blik dwaalde emotieloos over de mannen die naar hem riepen en bleef toen hangen. Zijn blik werd beantwoord door een dunne, afgetobde, bleke jongeman.
Tallis voelde zijn hart in zijn borstkas stokken. Mijnheer Pace staarde hem recht in de ogen. Alsof hij hem herkende. Hij keek zwijgend terug toen de secretaris van de koning zijn hand ophief en wenkte.
Tallis strompelde naar voren.
Mijnheer Pace bekeek hem van top tot teen. 'U bent hier al heel lang. Wat is het dat u wilt?'
Tallis taste in zijn hemd. 'Ik... ik heb aanbevelingsbrieven, sir. Ik...' Hij haalde ze tevoorschijn en overhandigde ze.
Mijnheer Pace wierp er een blik op, fronste en bekeek ze toen van dichterbij. Hij keek op. 'Maar... deze zijn van de Deken van Canterbury Cathedral!'
'Ja, sir.'
Pace bekeek hem even en schudde toen zijn hoofd. 'Volg mij.' Zonder acht te slaan op de smekende kreten van de petitionarissen leidde hij Tallis naar de Koninklijke Kapel, waar een groep koorknapen onder leiding van een grijze oudere man aan het repeteren was. Pace stootte Tallis aan. 'Dat is de koorleider, Mijnheer William Cornish.'
Tallis knikte. De muziek was subliem; de harmonie van pure, perfecte klanken vulde de doodstille kapel met luister. Balsem voor Tallis' gekwetste ziel. Een paar minuten stonden ze te luisteren. Opeens schraapte Mijnheer Pace tot afschuw van Tallis luid zijn keel.
Geïrriteerd keek William Cornish om zich heen. Toen hij de secretaris van de koning zag, legde hij de repetitie stil en kwam naar hen toe.
'Mijnheer Pace, wat kan ik voor u doen?'
'Deze jongeman heeft aanbevelingsbrieven. Van de Deken van Canterbury Cathedral.'
William Cornish pakte de brieven en bestudeerde die. Terwijl hij las, trok hij zijn wenkbrauwen op. Ten slotte keek hij boven de brieven uit naar Tallis. 'Thomas Tallis.'
'Ja, sir.'
'En u bespeelt, staat hier, het orgel en de fluit, en kunt bovengemiddeld goed zingen.'

Tallis knikte en voelde dat hij bloosde.
'Nog iets anders?' vroeg William Cornish.
Thomas slikte. 'Ja, sir. Ik... ik componeer een beetje.'
Cornish' wenkbrauwen gingen opnieuw omhoog. 'Is dat zo? Welnu, als de deken uw talenten aanbeveelt – dan moesten we maar eens kijken...'

De maan kwam op boven Londen en zette de stad in een zilveren gloed vol schaduwen. In een aan de buitenmuur grenzend privévertrek had Henry afgesproken met Kardinaal Wolsey en Thomas More om de voorbereidingen op de oorlog te bespreken. Zelfs na een dag met zo veel lichaamsbeweging had Henry nog energie over. Kauwend op een appel struinde hij door de kamer.
'Ik neem aan dat Uwe Majesteit vandaag genoten heeft van een goede jachtpartij?' zei Wolsey.
Henry knikte vriendelijk. 'Hoe staat het met de voorbereidingen?'
'Zeer goed. Zowel uw strijdkrachten ter land als die ter zee zijn zich aan het groeperen. Voorraden en goederen worden opgeslagen. Binnen een paar weken kunt u ten strijde trekken.'
'Uitstekend! Ik wist dat ik op u kon rekenen. Wanneer hebt u me ooit in de steek gelaten?'
Wolsey boog zijn hoofd. 'Ik ben Uwe Majesteit zeer erkentelijk. Maar er is wel...' Enigszins bezorgd brak hij zijn zin af.
De koning stond stil. 'Wat is er?'
Met de houding van iemand die schoorvoetend de waarheid moet vertellen, zei Wolsey: 'Oorlogen zijn kostbaar, Uwe Majesteit. Om die te bekostigen, moet u de belastingen verhogen. Dat is niet altijd populair.'
Er viel een stilte, waarin de namen van Richard Empson en Edmund Dudley onuitgesproken in de lucht hingen. Henry's vader had een gehavend koninkrijk tot een staat van voorspoed gebracht door een programma van rigoureuze belastingen. Empson en Dudley waren de ministers die dit programma ten uitvoer hadden gebracht. Ze werden gehaat door het volk.
Een van Henry's eerste daden toen hij zijn vader op achttienjarige leeftijd opvolgde was het laten executeren van Empson en Dudley. Hij was vergeten op grond waarvan.
Het had hem immens populair gemaakt.
Wolsey ging verder: 'Maar wat nu als Uwe Majesteit meer aanzien en prestige zou kunnen verwerven met andere middelen?'
Henry wierp hem een venijnige blik toe. 'Andere middelen?'
'Vreedzame middelen.'
Henry's gezicht betrok. 'Wat? Geen veldslagen? Geen overwinningen?'

'Ik denk dat Uwe Majesteit even naar hem moet luisteren,' zei More.
Weifelend liet Henry zich op een stoel neervallen. 'Goed, gaat u verder.'
Wolsey zette het uiteen. 'Ik heb de afgelopen weken uit naam van Uwe Majesteit een aantal intensieve diplomatieke gesprekken gevoerd. Niet alleen met de Franse ambassadeur, maar ook met vertegenwoordigers van de keizer, en afgezanten van de Italiaanse staten, Portugal, Denemarken...'
'Waarom?'
'Om een verdrag tot stand te brengen.'
'Wat voor verdrag?' vroeg Henry hem allesbehalve blij.
More kwam tussenbeide. 'Een nieuw soort verdrag. Iets wat nog nooit is overwogen.'
Henry trok zijn wenkbrauwen op. 'En dat is?'
Wolsey haalde diep adem. 'Een Verdrag van Universele en Eeuwigdurende Vrede.'
Ondanks alles was Henry geïntrigeerd. 'Een Verdrag van Universele en Eeuwigdurende Vrede.' Hij stond op en begon weer te ijsberen. 'En hoe moet zoiets geëffectueerd worden?'
Wolsey antwoordde. 'In verschillende stadia. Allereerst zal er een ontmoeting plaatshebben tussen de koningen van Frankrijk en Engeland. Tijdens die bijeenkomst zal Uwe Majesteits dochter zich officieel verloven met de Franse dauphin. Na afloop ervan zult u beiden het verdrag tekenen.'
More voegde eraan toe: 'Het verdrag zal iets totaal nieuws zijn in de geschiedenis van Europa. Het verplicht alle ondertekenaars zich te houden aan het principe van collectieve veiligheid en universele vrede.'
Henry's snelle geest tolde. 'Maar hoe zou het bekrachtigd worden?'
Wolsey antwoordde: 'Zodra een van de ondertekenende landen aangevallen wordt, eisen alle anderen dat de agressor zich terugtrekt. Als deze dit weigert, zal de rest binnen een maand openlijk stelling tegen hem nemen en dat blijven doen tot de vrede hersteld is.'
'Het verdrag voorziet ook in het creëren van pan-Europese instituten,' zei More.
Henry ging sneller lopen. 'Op de een of andere manier staat dit me wel aan! Ik weet wat het is. Ik herken het...' Hij keek More aan. 'En u ook, Thomas.'
More knikte. 'Ja, Henry. Het is het toepassen van humanistische principes op internationale zaken.'
Henry wendde zich tot Wolsey. 'Uwe Eminentie verdient een felicitatie.'
Wolsey spreidde zijn armen in een gebaar van nederigheid. 'Ik zoek geen lof. Uwe Majesteit zal gezien worden als de architect van een nieuwe en moderne wereld. Voor mij is dat lonend genoeg.'

Henry omhelsde hem. 'Wees altijd, *altijd*, verzekerd van onze liefde.'
Wolsey glimlachte. Henry sloeg More vrolijk op diens rug, toen een zenuwachtige kamerheer binnenkwam.
'Ja?' vroeg Henry, ontstemd door de interruptie.
'De Hertog van Buckingham staat op een onmiddellijke audiëntie, Uwe Majesteit.'
Henry's gezicht betrok; toen gaf hij met tegenzin zijn toestemming. Wolsey boog licht en begon zich terug te trekken, maar Buckingham, die niet bereid was te wachten, duwde hem ruw aan de kant en beende de kamer in. Hij wierp Wolsey een minachtende blik toe, alsof hij oud vuil was, en richtte zich toen de kardinaal vertrokken was tot de koning.
'Uwe Excellentie,' zei Henry gereserveerd.
'Uwe Majesteit moet ervan op de hoogte worden gebracht dat ik de heer Charles Brandon in flagrante delicto heb aangetroffen met mijn dochter!'
Henry trok een wenkbrauw op. 'En u bent tussenbeide gekomen?'
Er viel een geschrokken stilte. Het gezicht van de hertog verkrampte en werd paarsbruin van ingehouden razernij. 'Mijnheer Brandon heeft schande gebracht over mijn familie. Ik eis dat Uwe Majesteit hem uit het hof verbant – met welke andere straf Uwe Majesteit dan ook geschikt acht.' Hij stond boven op de lip van de koning en keek hem strijdlustig aan.
Op kille toon zei de koning: 'Er komt geen bestraffing. Tenzij uw dochter de heer Brandon ervan beschuldigt haar te hebben verkracht.' Hij wierp de hertog een sluwe blik toe. 'Beweert zij dat?'
Er kwam geen antwoord. Buckingham worstelde zichtbaar met zijn woede.
Henry herhaalde op strenge toon: 'Beweert zij dat de heer Brandon haar tegen haar wil heeft verkracht?'
'Dat hoeft ze niet! Het is een misdrijf tegen mij en mijn familie!'
Henry haalde zijn schouders op. 'Zover ik weet, is er geen misdrijf begaan. Er is derhalve geen noodzaak tot welke straf dan ook.'
Buckinghams ademhaling was hoorbaar. Hij leek op het punt van ontploffen te staan, maar slaagde erin zichzelf voldoende onder controle te krijgen om een korte, spastische buiging te maken. 'Majesteit,' gromde hij tussen zijn tanden door. Daarop verliet hij op hoge poten het vertrek.
Henry keek hem met een vage glimlach op zijn gezicht na.
Thomas More dook op uit de schaduw. 'Kijk uit voor Buckingham, Harry,' zei hij vertrouwelijk. 'Hij mag dan stom zijn, maar hij is rijker dan u en hij kan een beroep doen op een privéleger. Zelfs uw vader heeft hem nooit gedwarsboomd.'
Henry draaide zich om en wierp hem een lange, ondoorgrondelijke blik toe.

In het gezelschap van Bisschop Bonnivet wandelde Wolsey later die avond door de met toortsen verlichte gangen van het paleis, waar ze niet gehoord of gezien konden worden. Ze spraken zacht met elkaar.
'Het doet me veel deugd dat de Koning van Frankrijk heeft ingestemd het verdrag te ondertekenen en de ontmoeting wil organiseren,' vertelde Wolsey de bisschop.
Bonnivet spreidde zijn handen in een zelfvoldaan gebaar. 'Zijne Majesteit is opgetogen dat er geen oorlog komt. Wij allemaal.'
'En hoe staat het met de andere kwestie die we besproken hebben?'
Na een korte pauze antwoordde Bonnivet: 'Welke "andere kwestie", Uwe Eminentie?'
De evidente achterbaksheid! Met twee handen greep Wolsey de bisschop bij zijn nek en sloeg hem als een insect tegen de muur. De bisschop snakte naar adem, zijn ogen puilden uit van de schrik.
Wolsey siste in zijn oor: 'Ik heb het hachje van uw meester gered. Ik wil mijn beloning. En u kunt dat regelen. Begrepen?' Hij sloeg de bisschop nogmaals tegen de muur.
De bisschop knikte, niet in staat om te spreken.

Op hetzelfde moment beantwoordde de Engelse ambassadeur aan het Franse hof, Sir Thomas Boleyn, de invitatie een bezoek te brengen aan de Hertog van Buckingham in diens privévertrekken binnen het paleis.
Hij wandelde door de zeer luxueuze kamers van de hertog, de ene nog weelderiger en opzichtiger versierd dan de andere, begeleid door een van Buckinghams bedienden, een man met de naam Hopkins. Boleyn zag het vertoon van vorstelijke rijkdom. En dus: macht.
In een van de kamers zat een knap meisje met een bandage over haar neus een boek te lezen. Buckinghams dochter, dacht Boleyn, maar wat was er met haar gezicht gebeurd? Bij het zien van zijn starende blik draaide ze zich om.
Hopkins wenkte Boleyn en liet hem een kamer binnen.
'Sir Thomas Boleyn, Uwe Excellentie.'
Schitterend gekleed in een geborduurd wambuis van zijde en fluweel, en van top tot teen behangen met edelstenen, begroette Buckingham hem met een loom gebaar. 'Sir Thomas, ik hoop dat u mijn invitatie niet aanmatigend vond. Ik hoorde dat u uit Frankrijk was teruggeroepen.'
'Ik ben hier voor een korte periode, Uwe Excellentie,' zei Boleyn.
'Mij is verteld dat u een uitstekende ambassadeur bent.'
'Door, wie het ook zijn, erg vriendelijke mensen.'
Buckingham stuurde zijn bedienden weg. Toen de deur achter hen dichtging, zei hij: 'U stamt uit een oud geslacht.'

Boleyn accepteerde het compliment. 'Inderdaad. Hoewel lang niet zo oud, of zo voornaam, als dat van Uwe Excellentie.'
Duidelijk ingenomen wuifde Buckingham het compliment weg. 'Desalniettemin hebben we veel gemeen. Ik heb begrepen...' Hij liet een betekenisvolle stilte vallen. 'Ik heb begrepen dat u net zo'n hekel hebt aan omhooggevallen arrivisten als ik.'
Boleyn wist op wie Buckingham doelde. Hij antwoordde behoedzaam: 'Ik... ik vermoed dat ik weet over wie Uwe Excellentie het heeft.'
Buckingham knikte. 'De koning verkiest het zichzelf te omringen met gewone burgers, betekenisloze mannen, nieuwe mannen, zonder stamboom of titels. Wat draagt dat nu bij aan het prestige van zijn kroon?'
Boleyn bevond zich op glad ijs. En de muren hadden oren. 'Uwe Excellentie, ik...'
Buckingham maakte een smalend gebaar. 'Zijn vader heeft de kroon met geweld verkregen – niet met *recht*!'
Behoedzaam zei Boleyn: 'Niemand wil terug naar de verschrikkelijke tijden van burgeroorlog, Uwe Excellentie. Gebeurd is gebeurd. De koning is de koning.'
Buckingham keek Boleyn lange tijd onderzoekend aan. Toen knikte hij vaag. 'En Wolsey is zijn dienstmaagd! De zoon van een slager! Een geestelijke met een maîtresse en twee kinderen! Zeg me eens, Boleyn, bent u gesteld op die kerel?'
Boleyn was opgelucht dat hij was ontsnapt. Over openlijk verraad spreken was één ding, Kardinaal Wolsey bekritiseren iets anders. 'Helemaal niet,' zei hij.
Buckingham glimlachte en wreef in zijn handen. 'Dan zullen we hem samen kapotmaken!'

Hoofdstuk 3

De regelingen voor het Verdrag van Universele en Eeuwigdurende Vrede verliepen voorspoedig. En Henry vond het tijd worden om zijn cousin Francis, Koning van Frankrijk, persoonlijk te schrijven. Terwijl de barbier hem in zijn privévertrekken aan het scheren was, dicteerde hij een brief aan zijn secretaris Richard Pace.

'Mijn beste koninklijke cousin... Nee. Maak daar *Mijn geliefde* cousin van. Wij sturen u onze genegenheid. We houden zo veel van u, dat het onmogelijk zou zijn nog meer van u te houden.' Hij keek naar Pace en zag hem vaag glimlachen.

'Laten we alle noodzakelijke maatregelen treffen om elkaar persoonlijk te ontmoeten. Niets ligt mij momenteel nader aan het hart dan dit Verdrag van Universele en Eeuwigdurende Vrede.'

Henry stopte even en boog zijn hoofd naar achteren, zodat de barbier onder zijn kin kon scheren. 'Als teken van mijn goede wil, mijn engagement met dit verdrag en mijn liefde voor Uwe Majesteit, heb ik besloten...'

De koning streek over zijn gladgeschoren kaak, dacht even na, en dicteerde: '... heb ik besloten mij niet meer te laten scheren tot wij elkander zien. Mijn baard zal een teken van universele vriendschap, van onze onderlinge liefde zijn.' Hij keek nogmaals naar Pace en lachte.

Bisschop Bonnivet arriveerde op Hampton Court Palace, de woning van Kardinaal Wolsey, vol van het nieuws dat hij kwam brengen. Hij kwam direct ter zake. 'Ik heb nieuws voor Uwe Eminentie. Zijne Heiligheid Paus Alexander is ernstig ziek. Het zal niet lang duren voordat hij naar Gods Huis geroepen wordt.'

'Hoe tragisch,' zei Wolsey minzaam, en hij sloeg een kruis. 'Laat ons bidden.' Hij boog even zijn hoofd en keek, toen hij klaar was, Bonnivet aan.

De bisschop, die zich voelde als een muis die werd aangestaard door een uil, zei gehaast: 'Met het oog op de vermaarde piëteit van Uwe Eminentie,

én op uw grootse onderwijzende en diplomatieke vaardigheden, kan ik Uwe Eminentie verzekeren van de steun van de Franse kardinalen bij het conclaaf voor het kiezen van een opvolger.'
Wolsey wendde een uitdrukking van vage, voldane verrassing voor.
Bonnivet besloot: 'Samen met de stemmen van uw eigen kardinalen – en als God het wil – zult u tot paus worden gekozen. De Bisschop van Rome en onze nieuwe Heilige Vader.'
De spieren in Wolseys gezicht bewogen nauwelijks, maar op de een of andere manier straalde hij totale voldoening uit. Hij sloeg nogmaals devoot een kruis en zei: 'Dank u, Uwe Excellentie. U geeft me waarlijk een gevoel van nederigheid.'

Koningin Katherine verkeerde in een vreemde, sombere stemming. Ze stond in haar vertrekken en werd uitgekleed door twee van haar dames, Lady Blount en Lady Jane. Omdat de koningin altijd als eerste diende te spreken en ze vanavond niet sprak, kleedden ze haar in stilte uit. De twee dames waren opgelucht door het zwijgen van de koningin; ze hadden beiden met de koning geslapen. De vraag was: wist Katherine dat?
Eerst verwijderden ze de afneembare overmouwen van rijkelijk geborduurd brokaat en vervolgens de ondermouwen van geschakeerd fluweel. Lady Jane maakte de veters van het keurslijf los, waarop Lady Blount dat uittrok. Toen de koningin uit haar fluwelen overrok stapte, legde ze haar hand lichtjes op Lady Janes schouder om haar evenwicht te bewaren. Lady Jane knielde om de rok op te tillen; Katherine staarde naar de blakende jonge boezem en wendde toen haar ogen af.
Lady Blount maakte de veters van Katherines strakke korset los en liet het van haar lichaam glijden. Ze boog om de muiltjes van de koningin uit te doen en rolde vervolgens haar kousen af.
Lady Jane wachtte tot de koningin haar armen omhoogstak en trok haar nachtgewaad aan. Ze had de uitdrukking in de ogen van de koningin gezien toen ze naar Lady Blount keek. De koningin wierp haar een scherpe blik toe en Lady Jane bloosde.
De twee dames raapten de petticoats op en begonnen die op te vouwen. Opeens snakte Lady Blount naar adem en legde haar hand op haar buik. Een onverwachte kramp.
Katherine zag het. 'Bent u onwel, Lady Blount?'
'Nee, Uwe Majesteit. Zal ik deze maar naar de wasserij sturen?' Ze maakte aanstalten om te vertrekken.
'Nee, blijf,' zei de koningin.
Lady Blount bevroor.

'Kniel naast me neer, Lady Blount. U mag vertrekken, Lady Jane.' Lady Blount knielde naast de koningin en wachtte.
Na wat een eeuwigheid leek, slaakte Katherine een diepe zucht. 'Ik heb al heel lang met niemand kunnen praten, Lady Blount. Kardinaal Wolsey heeft mijn Spaanse biechtvader en de meesten van mijn Spaanse hofdames weggestuurd, voor het geval zij spionnen waren. En mijn Engelse biechtvader kan ik niet vertrouwen.'
Ze friemelde aan haar rozenkrans. 'Maar u kan ik wel vertrouwen, is het niet, Lady Blount?'
'Ja, madame.'
Katherine zuchtte opnieuw. 'Weet u, als ik moest kiezen tussen twee uitersten, zou ik altijd extreem verdriet boven extreme blijdschap verkiezen. Schrikt u daarvan?'
Dat was zo, maar Lady Blount zweeg.
'Wat is mijn droefheid, zult u zich afvragen?' vervolgde de koningin. 'Het is dit: dat ik de koning geen levende zoon kan schenken. Dat is mijn betreurenswaardige lot. Dat is mijn lijden.'
Lady Blount slikte.
De koningin ging verder. 'Ooit heb ik het leven geschonken aan een jongetje, een lief jongetje, dat in mijn armen stierf na slechts vier weken te hebben geleefd.' Haar stem brak. 'De koning verwijt het me, dat weet ik. Hij weet niet hoezeer ik lijd, hoeveel ik bid...' Ze keek neer op Lady Blount, haar gezicht glom van de tranen. 'En nu komt hij niet in mijn bed. Een heel jaar al niet! Hij komt niet omdat hij me afstotelijk vindt!'
De ogen van Lady Blount vulden zich met tranen van meelij.
'Kijk naar me! Ben ik niet oud? Ben ik niet dik en afstotelijk?' fulmineerde Katherine vol zelfverachting.
'Nee, beminnelijke madame,' zei Lady Blount zacht.
En toen brak Katherine; ze huilde bittere, verzengende tranen. Lady Blount kon het niet aanzien. Maar ze kon niet eens haar armen om de koningin heen slaan. Dat was niet gepast.
En haar eigen schuldgevoel knaagde.
Ze sloeg haar ogen neer en zei niets meer. De koningin snikte. Ze zaten beiden gevangen, waren allebei machteloos. Zo was het altijd voor vrouwen.

'Mijn zoon, mijn dochters, bent u klaar met lezen?' Thomas More had veel maatschappelijke ophef veroorzaakt door zijn dochters dezelfde opleiding te geven als zijn zoon – hij leerde hun zelfs lezen en schrijven in het Grieks en Latijn.
'Ja, vader.' Mores al wat oudere kinderen – vier van zijn eerste vrouw en één

stiefdochter – kwamen naar voren om hun vader goedenacht te wensen. Glimlachend omhelsde hij hen allen om beurten. 'Mogen God en Zijn engelen u zegenen en vannacht, en altijd, over u waken.'
Alice maakte een reverence voor haar echtgenoot en leidde de kinderen de kamer uit. Ze kwam aarzelend terug.
'Moge God met u zijn, Alice. Welterusten,' zei hij, waarop zij de kamer verliet. Vervolgens ging More zijn eigen vertrek binnen. De kleine ruimte leek meer op een Spartaanse monnikencel dan op een slaapkamer. Er stonden een ijzeren veldbed, een houten tafel en een wastafel. Verder niets. Een groot zilveren kruisbeeld dat glansde in het kaarslicht domineerde het vertrek.
Hij trok zijn jasje, wambuis en batisten hemd uit. Daaronder droeg hij een haren boetekleed. Dat trok hij alleen uit als hij zichzelf geselde. Het haren kleed was vies en zat vol luizen. De gehavende, ruwe huid eromheen vertoonde etterende wonden.
Maar het vlees was zwak en moest in het belang van de ziel getuchtigd worden. More knielde om te bidden.

Ook Koning Henry was in gebed verzonken. In zijn privékapel in het paleis zat hij ineengedoken in de kleine, donkere biechtstoel. Hij zag er bezorgd uit.
De priester wachtte achter het bewerkte houten scherm tot hij ging spreken. Eindelijk sprak Henry. 'Ik heb zitten denken aan mijn broer Arthur. Hij is gestorven. Aan de koorts. Hij was slechts zes maanden getrouwd.'
Hij zweeg lange tijd. In de kapel siste een kaars.
'Mijn broer was getrouwd met mijn vrouw! Toen hij stierf, werd besloten dat ik met haar zou trouwen. Ik denk dat mijn vader de bruidsschat niet wilde verliezen. Of het prestige van een Spaans huwelijk.'
Hij friemelde aan de kralen van zijn rozenkrans. 'Hoe dan ook, Katherine zwoer dat haar huwelijk met Arthur nooit geconsumeerd is, dat hij daarvoor te zwak en te ziek was. Daarom is ons pauselijke dispensatie verleend en kregen we toestemming om te trouwen.'
In de duisternis kon Henry de zachte, nabije ademhaling van de priester horen.
'Dus ik trouwde haar. En sinds die tijd heeft zij vijf dode kinderen gebaard, een jongen die slechts zesentwintig dagen heeft geleefd en één enkele levende dochter.' Hij boog voorover en greep zijn hoofd alsof hij pijn had. De priester wachtte.
'Wat als zij gelogen heeft? Wat als hun huwelijk wel geconsumeerd was?' Zijn stem klonk gekweld.

De priester zei: 'Ze heeft voor God gezworen dat het niet zo was.'
'Maar ik heb zojuist een ander verhaal gehoord. Van een dienaar van Arthur, die erbij was! Hij zegt dat mijn broer de slaapkamer de volgende morgen goedgeluimd verliet. Hij zei: "Ik heb een borrel nodig. Ik ben vannacht midden in Spanje geweest!"'
Zijn woorden leken in de stilte te blijven hangen. De priester zei niets, maar schoof ongemakkelijk heen en weer.
'Wat staat er in het Evangelie? Als een man zijn broeders vrouw trouwt...'
Henry sloeg met zijn hand op het hout van de biechtstoel, waardoor de priester opsprong. 'Zeg het me!'
'In Leviticus staat: "Een man die de vrouw van zijn broeder neemt – bloedschande is het; de schaamte van zijn broeder heeft hij ontbloot, kinderloos zullen zij zijn."'
Henry balde zijn vuisten. De priester vervolgde: 'Maar u *hebt* een kind.'
'Maar geen *zoon*! Geen zoon. Ziet u dan niet dat dit goddelijke gerechtigheid is voor mijn misdaad tegenover God!' Ontmoedigd leunde hij met zijn hoofd tegen het houten scherm. Toen bonkte hij er uit frustratie tegenaan.

In gezelschap van kwebbelende hovelingen en bedienden beende Henry over de binnenplaats. De deuren van de privévertrekken van de koningin gingen open en er verscheen een knap, donkerharig meisje van een jaar of zes met haar gouvernante. Henry's ogen lichtten op.
Zowel het kind als de gouvernante maakte een formele reverence, maar met een enorme vreugdekreet tilde hij het kind in zijn armen omhoog en hij draaide haar lachend en vol trots in het rond.
'Dit is mijn dochter, Mary! Is ze niet prachtig? Zeg me! Is ze niet on-geloof-lijk prach-tig?' Hij kuste haar bij elke lettergreep.
'Papa! Papa!' Mary lachte en kuste hem enthousiast terug, tot groot genoegen van iedereen.
Katherine verscheen bij Henry's elleboog. 'Kunnen we praten?'
Henry overhandigde zijn dochter weer aan haar gouvernante. 'Gegroet, liefste. Gedraag je. Doe alles wat je opgedragen wordt.' Hij volgde Katherine naar haar privévertrekken.
Zij stak meteen van wal. 'Het bevalt me niet, Henry.'
Hij fronste. 'Wat bevalt u niet?'
'Uw baard.'
Hij grinnikte berouwvol en wreef met zijn handen over zijn stoppelige kin: het resultaat van een paar dagen niet scheren.
Met geknepen stem voegde Katherine eraan toe: 'Noch bevalt me de betekenis ervan.'

'Katherine toch!' waarschuwde Henry haar. Alle vrolijkheid was van zijn gezicht verdwenen.
'U geeft mijn dochter weg aan de dauphin en aan Frankrijk! U hebt mij niet eens geraadpleegd. De Valois zijn de gezworen vijanden van mijn familie!'
Henry verstijfde. 'Het is aan mij om met haar te doen wat ik passend acht. Het is een geweldig huwelijk.'
'Dat is het *niet*! Ze trouwt in een poel des verderfs! Ik zie Wolseys hand hierin!' Met moeite toomde ze haar woede in en ze zei met lage, trillende stem: 'Hoewel ik van Uwe Majesteit houd en in elk opzicht loyaal aan u ben, kan ik mijn leed en droefenis niet verbergen.'
Henry keek haar ijzig aan. 'Ik ben bang dat u wel zult moeten.'

De plannen voor de bijeenkomst in Frankrijk vorderden gestaag. Het zou een enorme onderneming worden. Beide landen hoopten elkaar in pracht en praal te overtreffen.
In zijn privévertrekken speelde Henry een schaakpartij met Sir Thomas Boleyn, zijn ambassadeur in Frankrijk. Het spel was al een eind op weg. Henry verzette zijn loper om Boleyns koningin te bedreigen en zakte toen achterover in zijn favoriete, zwaar bewerkte houten stoel. 'Vertel me over Koning Francis, Sir Thomas.'
'Hij is drieëntwintig jaar oud, Majesteit,' antwoordde Boleyn.
Henry trok zijn wenkbrauwen op. 'Hij is jonger dan ik.'
Boleyn glimlachte. 'Maar dat zou Uwe Majesteit niet zeggen als u hem zag.'
Henry keek voldaan. Hij wierp een blik op het bord en verplaatste een van zijn paarden.
'Aha...' Boleyn knikte. Dat was een goede zet. Hij leunde over het bord en overdacht zijn opties.
Henry vervolgde: 'Is hij lang?'
'Ja.' Boleyns hand zweefde boven een schaakstuk. 'Maar slecht geproportioneerd.' Hij verzette een pion.
'En zijn benen? Heeft hij sterke kuiten, zoals ik?'
Boleyn keek op. 'Niemand heeft zulke kuiten als u, Majesteit!'
Henry lachte en tilde zijn koningin op. 'Schaak! Is hij knap?'
Boleyn bracht zijn koning in veiligheid. 'Sommige mensen vinden wellicht van wel. Hijzelf is er in ieder geval van overtuigd.'
'Dus hij is ijdel?' wilde Henry gretig weten.
Boleyn keek hem droog aan. 'Uwe Majesteit... hij is *Frans*!' Ze lachten beiden. Henry viel aan met zijn loper en vroeg: 'En zijn hof?'

Boleyn tuitte zijn lippen. 'Dat staat bekend om de losse zeden en losbandigheid, waaraan de koning, gezien zijn eigen gedrag, niets ter beteugeling doet.' Hij viel Henry's loper aan met een agressieve tegenzet met zijn eigen koningin.
'Goede zet! Zeer goed! U bedoelt dat Francis dergelijk gedrag zelf aanmoedigt?'
'Majesteit, er wordt openlijk over gesproken dat Francis er zulke lichtzinnige opvattingen op na houdt dat hij graag de vruchten van anderen plukt en, eh, zich laaft aan de wateren van vele fonteinen.'
Henry wierp hem een blik toe en pakte toen Boleyns toren. 'U hebt twee dochters. Hoe beschermt u hen?'
'Ik houd hen goed in de gaten. Maar ik heb ook vertrouwen in hun welwillendheid en deugdzaamheid.' Hij verplaatste een pion om de loper te blokkeren.
'U zult onmiddellijk terugkeren naar Parijs,' gaf Henry hem te kennen. 'Ik vertrouw u alle diplomatieke onderhandelingen voor de ontmoeting toe.'
Boleyn boog zijn hoofd. 'Dank u, Majesteit.'
Henry verzette zijn paard. 'Schaakmat, Sir Thomas.'
Boleyn wierp zijn handen in de lucht. 'U bent een veel te vaardig speler voor mij! Een uitstekende partij, Majesteit.'

'U hebt verzocht mij te spreken, Eminentie,' begroette Thomas More Kardinaal Wolsey in Hampton Court Palace.
'Inderdaad. Om te praten over de bijeenkomst in Frankrijk. Kom, laten we samen wandelen.' Hij en More kuierden door de prachtig versierde kamers. 'En aangezien u bent benoemd tot hoofdsecretaris van de koning tijdens uw beider verblijf in Frankrijk...'
More boog zijn hoofd. 'Ik denk dat ik Uwe Eminentie moet bedanken voor mijn benoeming.'
Wolsey nam zijn dank aan, maar haastte zich verder. Er was nog heel veel te doen. 'Het is van wezenlijk belang dat Zijne Majesteit doet wat hem verteld wordt. Ik heb regels opgesteld waaraan alle zaken van traditie en etiquette onderworpen zijn. Die dienen te allen tijde nageleefd te worden.'
More knikte.
Wolsey vervolgde: 'Ook is overeengekomen dat om de eer van beide naties te behouden, geen van beide koningen deel zal nemen aan welk steekspel of gevecht dan ook.'
More trok een zuur gezicht. Daar zou de koning niet erg blij mee zijn. 'Ik snap het. Dus wat *mag* de koning doen?'
Wolsey stak een waarschuwende vinger op. 'Zeg dat nooit. U moet de ko-

ning altijd vertellen wat hij *zou moeten* doen, niet wat hij *mag* doen.'
Het was even stil. Wolsey bleef staan en fixeerde More met een dodelijk serieuze blik. 'Weet u, Thomas, als de Leeuw ooit zijn ware kracht ontdekt, zal niemand in staat zijn hem in toom te houden.'

De Engelse ambassadeur, Sir Thomas Boleyn, was zojuist teruggekeerd in zijn Parijse woning. Hij riep zijn dochters, Mary en Anne, bij zich. Ze stonden te popelen om iets over zijn reis te horen.
'Ik heb opwindend nieuws,' vertelde hij hun. 'Er komt een ontmoeting tussen Koning Francis en Koning Henry in de buurt van Calais.' Hij pauzeerde en zei toen: 'En ik mag dat organiseren.'
De meisjes klapten enthousiast in hun handen. 'Dat is geweldig, papa!'
'Dat betekent dat u beiden de kans krijgt om... de koning van Engeland te ontmoeten!' Boleyn bekeek zijn dochters zo objectief mogelijk. Mary, de oudste, was verreweg de knapste. Anne was iets minder mooi, maar wat zij miste aan schoonheid, maakte ze meer dan goed met schranderheid. Zijn ogen sprongen van de een naar de ander, beoordelend... gissend.
Zij zouden elk op een eigen wijze een rol spelen bij de verdere begunstiging van de familie. Waar waren dochters anders voor?
Hij schonk wat wijn voor hen in en hief zijn kelk naar zijn knapste dochter. 'Mary.'
Hij wierp haar een lange, betekenisvolle blik toe en voegde er toen aan toe: 'En Anne.' Hij lachte veelbetekenend en bracht de kelk naar zijn lippen. *'Salut!'*

In Londen was Henry bezig met het selecteren van een nieuwe garderobe die speciaal voor de ontmoeting met de Franse koning gemaakt zou worden. In zijn privévertrekken wemelde het van de kleermakers en hun assistenten, naast de gebruikelijke massa hovelingen.
Gretig werkte Henry zich een weg door stapels kledij en accessoires. Hij had de reputatie van best geklede heerser in Europa en deed er alles aan om die te behouden. De stoffen waren prachtig, kostbaar en bont gekleurd. Er waren wambuizen, jasjes, robes, overjassen, capes en mantels van zijde, satijn en diep ingesneden fluweel. Ze waren geborduurd met goud- en zilverdraad, en afgewerkt met bontsoorten als sabel en hermelijn. Een groot deel was versierd met echte edelstenen; sommige waren zo druk bezet met goud, diamanten, amethisten en robijnen dat de stof eronder nauwelijks zichtbaar was. Te midden van de chaos kondigde een dienaar aan: 'Zijne Eminentie Kardinaal Wolsey.'
Wolsey betrad de kamer en boog. 'Majesteit.'
'Goed! Ik wil uw mening.' Henry wenkte hem naderbij. 'Vindt u deze stof

mooi?' Hij haalde een prachtig pak van goud- en zilverlaken tevoorschijn uit een stapel stoffen en hield dat voor.
Wolsey, een man van wie bekend was dat hij smaak had, bestudeerde het effect door zijn samengeknepen ogen. 'Het staat Uwe Majesteit goed. Mag ik voorstellen dat u daarbij deze draagt?' Hij koos zorgvuldig een aantal accessoires uit: handschoenen, schoenen, een keten en een overjas gevoerd met zwart bont.
'Uitstekend!' zei Henry tevreden. 'Denkt u dat Francis ook zoiets verfijnds heeft?'
'Alleen als hij het steelt.'
Henry lachte en sloeg Wolsey op zijn rug. 'Kom. Laten we samen eten. Dan kunnen we praten.' Ze liepen de kamer uit; alle hovelingen en dienaren bogen toen ze passeerden.
In de aangrenzende, grotere kamer, waar de tafel was gedekt en het eten klaarstond om opgediend te worden, bevonden zich zelfs nog meer mensen. De Hertog van Buckingham stond te wachten, zijn gezicht een masker van kille hardvochtigheid. Het was zijn taak de zilveren schaal vast te houden waarin de koning zijn handen kon wassen. Henry, wiens gedachten nog geheel in beslag werden genomen door de nieuwe kleren, doopte afwezig zijn vingers in de schaal en draaide zich om om ze te drogen.
Buckingham wilde net de schaal wegbrengen, toen Wolsey 'Wacht even' zei en zijn eigen vingers in de schaal stopte.
Buckinghams gezicht werd vuurrood terwijl hij zwol van woede. Het was al erg genoeg dat hij, als afstammeling van een van de oudste en meest adellijke geslachten in het land, de man die rechtens aanspraak maakte op de troon, Henry Tudor als een knecht moest bedienen, maar om dan ook nog de schaal vast te houden voor de zoon van een slager!
Hij kieperde de hele schaal leeg over de schoenen van Wolsey.
Iedereen bevroor. Er hing een geschrokken stilte in de kamer.
'Uwe Excellentie zal zich verontschuldigen,' zei de koning.
Buckingham verroerde zich niet.
De koning herhaalde met harde stem: 'Ik zei: u zult zich verontschuldigen.'
De stilte werd ondraaglijk. Geen enkele ziel in de kamer scheen te bewegen of te ademen. Buckinghams gezicht was verkrampt, bijna paars. De aderen in zijn hals puilden uit door de fysieke inspanning die hij moest verrichten om zijn woede te beheersen.
Uiteindelijk slaagde hij erin tussen zijn tanden door te sissen: 'Ik... ik bied mijn verontschuldigingen aan als ik Uwe Majesteit heb beledigd.'
Er volgde wederom een gespannen stilte; toen gaf de koning een knikje en slaakte de hele kamer een zucht van opluchting.

‘Uwe Excellentie mag ons verlaten,’ zei Henry op kille toon.
Buckingham boog stijfjes en trok zich terug.
Henry keek een van zijn kamerheren aan en knipte met zijn vingers. ‘Haal een paar schoenen voor de kanselier!’ De kamerheer rende weg.
Ze gingen aan tafel zitten, de wijn werd ingeschonken en het eten opgediend. Henry, die net deed alsof het incident nooit was voorgevallen, was in een opperbest humeur. Hij wendde zich tot Wolsey. ‘Vertel me eens, Kanselier, hoe staat het met de voorbereidingen op mijn ontmoeting met Koning Francis?’
‘Alles is gereed, Majesteit. Het zal plaatshebben binnen de grenzen van Calais – hetgeen, zoals u weet, Engels territorium is – in een vallei die bekendstaat als de Val d’Or – de Gouden Vallei.’
Henry knikte, kauwend op een fazantenpoot.
Wolsey ging verder. ‘Talloze handarbeiders hebben er een paleis voor Uwe Majesteit gebouwd. Ze hebben dat het Paleis der Illusies genoemd. Volgens sommigen is het het achtste wereldwonder!’
Hij richtte zich op zijn eten; aan de rest van de tafel gonsde het van dit nieuws, er werd geroddeld en gespeculeerd. Gouden Vallei! Paleis der Illusies! Het achtste wereldwonder – wat opwindend!
Wolsey boog zich naar de koning toe en zei, onhoorbaar voor anderen door het geroezemoes: ‘Lady Blount is in gezegende omstandigheden.’
Henry fronste en keek hem scherp aan. ‘Lady Blount?’
Wolsey knikte. ‘Ze kwam me opzoeken. Ze draagt Uwe Majesteits kind.’
Henry pakte zijn kelk op en dronk eruit.
‘Als u wilt dat ze het kind houdt,’ ging Wolsey met zachte stem verder, ‘zal ik regelen dat ze naar het huis in Jericho wordt verplaatst. Ik zal de zaak ook afhandelen met haar echtgenoot.’
De koning zei niets, hetgeen duidde op stilzwijgende toestemming.
Lady Blount was afgehandeld; Henry ging verder. ‘Ik kan niet wachten tot het zover is; die ontmoeting zal de wereld voor altijd veranderen.’
‘Dat is mijn grootste hoop. Mijn ultieme overtuiging.’
Henry knikte. ‘Niets zal ooit nog hetzelfde zijn. U en ik zullen onsterfelijk worden.’
Wolsey liet nederig zijn hoofd hangen.

Buckingham stormde zijn privévertrekken binnen en knalde de deur achter zich dicht. Zijn woede was alleen maar groter geworden. Zijn vernedering door Henry Tudor en die slagerszoon was de laatste druppel!
‘Hopkins!’ schreeuwde hij.
Zijn dienaar, Hopkins, haastte zich naar hem toe. ‘Uw gasten zijn er, Uwe Excellentie,’ zei hij, wijzend naar een binnenkamer.

Buckingham knikte, haalde diep adem, overwon zijn woede en stapte toen de kamer binnen. De Hertog van Norfolk, Sir Thomas Boleyn en twee andere raadsleden wachtten hem op.
Buckingham beantwoordde de starende blik van ieder van hen. 'De tijd is rijp,' deelde hij mee.
Hij wendde zich tot Hopkins. 'Luister! U gaat al het goud- en zilverlaken kopen dat u kunt vinden. Dat is veel beter om de wachters mee om te kopen.'
'Ja, Uwe Excellentie.'
'Dan wil ik dat u naar onze buitenverblijven reist en doet wat we besproken hebben: gewoon een beetje in het rond strooien dat we alleen wat manschappen op de been brengen om onszelf te verdedigen.'
'Ja, Uwe Excellentie.'
Buckingham pakte een slanke dolk van zijn tafel en staarde ernaar. Na een lange pauze zei hij: 'Mijn vader heeft me ooit verteld op welke manier hij Richard III ging vermoorden.'
Opeens pakte hij Hopkins ruw vast. Hij staarde hem kwaadwillig aan, alsof Hopkins was veranderd in Richard III.
Op zachte, wrede toon vervolgde Buckingham: 'Hij zou met een mes verstopt op zijn lichaam voor hem verschijnen.'
Ineens liet hij zich voor Hopkins op zijn knieën vallen. De dolk zat nu verstopt tussen de plooien van zijn kleding.
'Uwe Majesteit!' zei Buckingham poeslief.
Hopkins probeerde dapper zijn rol in de schertsvertoning mee te spelen en gaf een teken dat Buckingham mocht opstaan, maar zijn ogen vertoonden tekenen van echte angst. Norfolk, Boleyn en de twee raadsleden schoven ongemakkelijk heen en weer en keken met toenemende ongerustheid toe.
Toen stond Buckingham met een abrupte, woeste beweging op en stak de dolk in Hopkins' borst!
Boleyn slaakte een schrille kreet. De anderen hapten naar adem. Lange tijd bewoog niemand zich.
Buckingham opende zijn hand. Die was leeg. Hij schudde met zijn mouw en de dolk viel eruit. Buckingham grijnsde maniakaal in het geschrokken gezicht van Hopkins, tilde de dolk op – en stak hem in de tafel.

Hoofdstuk 4

Val d'Or (de Gouden Vallei) in het door de Engelsen bezette Calais, Frankrijk

Henry's paard beklom de met gras begroeide heuvel als eerste. Geflankeerd door de soldaten van de koninklijke garde en onder het vaandel van de Klimmende Leeuw werd hij gevolgd door zijn hovelingen en voorname adellijken, geleid door Buckingham, Boleyn en Norfolk.

Beneden in het dal zagen ze iets wat alle fantasie te boven ging: verspreid over de grasgroene vallei lag een droombeeld; een stad van helder gekleurde tenten – kleine tenten in de kleuren groen, blauw of rood, afgezet met goud; paviljoenen en markiezen versierd met de ordetekenen van de koning of beschilderd met heraldische beesten. Wimpels en prachtig gekleurde vaandels wapperden in een briesje. Midden op dit terrein, dat vanwege de immense hoeveelheid gebruikt goudlaken het Veld van het Laken van Goud werd genoemd, stond een sprookjeskasteel: het Paleis der Illusies.

Wolsey en zijn assistenten hadden overal voor gezorgd: het had de zesduizend werk- en ambachtslieden drie maanden gekost om dit voor elkaar te krijgen.

Er waren kooktenten en eettenten – Henry's eigen eetzaal was een enorme tent van goudlaken waarin zich zijn geheime keuken bevond. Er waren gigantische broodovens en speciale keukens – een wafelbakkerij, een pasteibakkerij, enorme kookketels en draaispitten. Reusachtige hoeveelheden voedsel waren hiernaartoe getransporteerd – meer dan tweeduizend schapen, een duizendtal kippen, kalveren, herten, rundvee, een tiental reigers, dertien zwanen, duizenden vissoorten en paling, ladingen specerijen, bergen suiker en liters room, om het maar niet te hebben over de gigantische hoeveelheden wijn en bier. Het was allemaal nodig – meer dan vijfduizend mensen vergezelden de koning van Engeland.

Er waren kapellen, een toernooiveld zelfs, en tuinen en paden met standbeelden en fonteinen. En in het midden, met vaandels die wapperden in de wind, stond het pièce de résistance: het Paleis der Illusies, een groot paleis van canvas dat enkel en alleen voor deze belangrijke ontmoeting was gebouwd.

'De Gouden Vallei,' verkondigde Henry.
De Fransen hadden niet half zoiets prachtigs; zij waren gehuisvest in een kampement van vierhonderd, eveneens van goudlaken vervaardigde, kleine tenten en een paar grote paviljoens.
Henry bekeek het tafereel met voldoening. Alles was gereed voor zijn historische triomf. Terwijl ze stonden te kijken, verschenen ruiters op de heuvel tegenover hen. De Franse lelie wapperde boven hen uit. Compton wees. 'Kijk, Uwe Majesteit! De Fransen.'
Aan kop van een gezelschap bestaande uit Zwitserse gardisten en zijn eigen hovelingen reed Francis, Koning van Frankrijk: lang, jong, donker en knap, ondanks de befaamde lange neus.
De twee groepen tuurden behoedzaam naar elkaar. De echo van een generaties lange vijandschap hing tussen hen in.
'Wat is het plan?' vroeg Compton.
'Ik moet alleen naar beneden rijden om Francis te begroeten.'
De Fransen begonnen in rijen tussen de bomen door af te dalen.
'Maar als het nou een val is?' zei Knivert zachtjes. 'Als het de bedoeling is u naar beneden te lokken en daar te doden?'
Henry's vaandel klapperde luidruchtig in de wind. Henry negeerde Kniverts veronderstelling en staarde naar Francis aan de overkant. Toen gaf hij zijn paard de sporen. 'Blijf hier! U allen!' schreeuwde hij. 'Op straffe van de dood! Blijf!'
Hij reed in zijn eentje weg toen Francis en diens gardisten tussen de bomen opdoken.
De metgezellen van de koning keken gespannen toe, maar slaakten een zucht van verlichting toen Francis bij zijn gardisten weggaloppeerde en Henry in zijn eentje voor de ingang van het schitterende Franse paviljoen begroette. Buckingham klemde met nauwelijks verholen teleurstelling zijn kaken op elkaar.

De eerste officiële ontvangst begon die middag in het Franse kamp, dat op enige afstand van het Engelse was gelegen. Het was een glansrijk gebeuren. De binnenkant van het paviljoen was bekleed met blauw fluweel waarop Franse lelies waren geborduurd. De Fransen zaten aan de ene kant, de Engelsen aan de andere. Ze droegen allen hun meest verfijnde en kostbare kleding, en toonden hun meest opzichtige juwelen: een oorlog van een andere soort. Niemand imponeerde meer dan de twee koningen. Henry, gekleed in schitterend geborduurd goudlaken en glanzend van de kostbare edelstenen, zat recht tegenover Francis, die met goud- en zilverdraad geborduurd blauw fluweel droeg en ook beladen was met edelstenen.

Naast Henry zaten Koningin Katherine, Wolsey, More en andere leden van de Engelse adel. Francis zat naast zijn knappe jonge vrouw, Koningin Claude, en verschillende hertogen en kerkvorsten.
Er klonk trompetgeschal. Een Engelse heraut verkondigde: '*Hear ye! Hear ye!* Ik, Henry, bij de gratie van God Koning van Engeland, Ierland en Frankrijk, heet hierbij...'
'Halt!' zei Henry luidkeels. Hij keek Francis aan. 'Ik kan dat niet zijn in uw aanwezigheid, want dan zou ik een leugenaar zijn. Dus tijdens deze ontmoeting ben ik gewoon Henry, Koning van Engeland.' Hij glimlachte en er golfde een applaus door het paviljoen.
'En ik ben gewoon Francis, Koning van Frankrijk – en Bourgondië,' zei Francis onmiddellijk. Het gehoor applaudisseerde en de twee koningen wisselden, als twee om elkaar heen cirkelende schermers, een glimlach uit.
Kardinaal Wolsey kwam naar voren. 'Uwe Hoogheden, mag ik u vragen ieder een hand op deze heilige bijbel te leggen en voor het aangezicht van God en de vorsten en excellenties hier verzameld te zweren dat u elkaar oprecht, deugdzaam en liefdevol zult bejegenen.' Hij hield hun een grote, met goud bewerkte bijbel voor. Henry en Francis legden er tegelijkertijd hun handen op.
'Ik zweer het,' verklaarde Henry.
'O, ik zweer het ook. Natuurlijk,' zei zijn cousin. De toehoorders applaudisseerden; de twee koningen glimlachten en omhelsden elkaar opnieuw.
Wolsey zei: 'En nu Hare Koninklijke Hoogheden.'
Katherine en Claude kwamen naderbij, maar aarzelden toen. Katherine fluisterde: 'Het is de bedoeling dat we de bijbel kussen. Maar wie van ons doet dat als eerste?'
De Franse koningin fluisterde terug: 'Doet u het maar. Ik vind het niet erg.'
Katherine schudde haar hoofd. 'Nee, dat kan ik niet. Waarom kust u niet als eerste?'
'Dat wil ik niet.' De twee koninginnen staarden elkaar aan. 'Wat zullen we doen?'
'Elkaar kussen!' stelde Katherine ten langen leste voor, en opgelucht kusten de koninginnen elkaar op de wang. Hard lachend om te verhullen dat ze beseften dat er een incident was afgewend, barstten de toeschouwers in applaus uit. Henry en Francis deden ook een duit in het zakje en het teken voor het ronddelen van de drank werd gegeven.
Even later keerde Kardinaal Wolsey terug in het gezelschap van de dochter van Katherine en Henry, de zesjarige Prinses Mary. Vanuit een andere ingang bracht Kardinaal Lorenzo Campeggio de achtjarige dauphin van Frankrijk binnen.

'Prinses Mary, mag ik u voorstellen aan Prins Henry Philip, uw toekomstige echtgenoot,' zei Wolsey. De menigte klapte en glimlachte naar de twee knappe kinderen, die gehuld waren in verfijnde volwassen kledij.
De kleine prinses bekeek met oprechte nieuwsgierigheid haar toekomstige echtgenoot van top tot teen. 'Bent u de dauphin van Frankrijk? Als dat waar is, wil ik u kussen.'
Haar aankondiging werd met een golf van hartelijk gelach begroet. Mary probeerde de kleine jongen te kussen. Maar die was doodsbang en deed er alles aan om aan haar greep te ontsnappen. Hij gilde: 'Mama! Mama!'
Mary walgde van zijn optreden en gaf hem een zet: de erfgenaam van de Franse troon lag languit op de grond. De geamuseerdheid van de menigte veranderde in afschuw. Francis vloekte. De huilende dauphin werd afgevoerd door adorerende hovelingen.
'Mary, Mary,' mompelde Henry ten teken van afkeuring, terwijl hij een glimlach van voldoening probeerde te verbergen.

Daarna was het de beurt aan Engeland om een ontvangst te organiseren. Die werd gehouden in het Paleis der Illusies. Een grandioos paleis in Italiaanse stijl dat men betrad via een sierlijke poort met een geschulpt timpaan, twee grote Tudorrozen en een gouden standbeeld van Cupido. Uit een romaans aandoende fontein spoot iets wat wel wijn leek. Aan de fontein waren zilveren drinkbekers vastgeketend.
Vol trots aanschouwde Henry het tafereel. Hij keek om zich heen naar zijn metgezellen en zei: 'Wat vindt u ervan?'
Thomas More schudde zijn hoofd. 'Het is... het is ongelooflijk. Het ziet er zo echt uit,' zei hij, terwijl hij wees naar de stenen muur achter Henry.
Henry lachte, legde zijn hand tegen de solide uitziende muur en schudde eraan! 'Geschilderd canvas, meer niet.'
Brandon liep naar de fontein. Hij maakte een kommetje van zijn handen en dronk wat van het vrijelijk stromende vocht. 'Maar de wijn is wel echt!'
Iedereen lachte en drong zich naar voren om de wijn te proeven. Witte wijn, malvasia en bordeaux waren gedurende de bijeenkomst dag en nacht voor iedereen gratis beschikbaar.
Binnen in het paleis had de hal een plafond van groene zijde bezaaid met gouden rozen, waren de wanden versierd met schitterende wandtapijten en was de grond voorzien van een tapijt van tafzijde. In de centrale hal zaten de twee koningen, hun koninginnen en de belangrijkste edellieden aan lange eettafels. De hovelingen stonden achter hen. In de ruimte die de tafels scheidde, demonstreerden Engelse en Franse soldaten hun vechtlust met zwaarden en speren.

Regelmatige lachsalvo's konden de felle competitieve ondertoon niet verhullen. Toen de strijd beëindigd was, trok Henry Francis' aandacht, hief zijn beker naar hem en stond op uit zijn stoel.
'Broeder, ik heb een geschenk voor u.' Op zijn teken droeg Norfolk het geschenk naar Francis toe en overhandigde het met een buiging.
Francis zei, in het Frans: 'Weet u, ik vrees de Engelsen, zelfs als ze geschenken brengen!' Zijn hovelingen lachten.
Hij opende de doos en onthulde een prachtig collier van robijnen. Francis glimlachte hoffelijk naar Henry. 'Dank u, broeder. En nu heb ik een geschenk voor u.'
Henry opende zijn doos: een schitterende armband van diamanten – veel kostbaarder dan Henry's geschenk. Henry slaagde erin minzaam te glimlachen. 'U brengt mij in verlegenheid, broeder. Uw geschenk is veel imposanter. En alles wat ik u in ruil daarvoor kan bieden is – deze pastei.' Hij maakte een gebaar en zijn chef-kok bracht een grote bruine pastei naar Francis toe. De korst had de vorm van een jonge haan.
Een pastei! Een aantal van de Franse hovelingen gniffelde hoorbaar. De chef-kok boog, zette de pastei voor de Franse koning neer en bood hem toen een scherp jachtmes aan.
Geamuseerd, verward en ietwat op zijn hoede pakte Francis het mes aan en stak het in de met zorg bereide pastei. De korst brak open, helderwitte vleugels klapperden: een tiental kleine ortolanen barstte uit de pastei en vloog door de tent. Het paviljoen galmde van het gelach en het applaus voor Henry's kleine truc.
'Zeer amusant!' zei Francis, die allesbehalve geamuseerd klonk.
De wijn bleef rijkelijk vloeien en de aandacht van de jonge mannen verplaatste zich naar de jonge vrouwen. De Franse dames oogden jonger en knapper. De Franse mode was in ieder geval onthullender.
Toen Brandon, Compton en Knivert hun oog op de Franse dames lieten vallen, leunde Francis op Henry's schouder en zei zachtjes: 'Hebt u die jonge vrouw daar gezien? Gekleed in rood en goud?'
Henry zag het meisje dat hij bedoelde en knikte.
Francis vervolgde: 'Haar naam is Mary Boleyn en ze is de dochter van uw ambassadeur. Ik noem haar mijn Engelse merrie omdat ik haar zo vaak berijd.' Hij lachte zachtjes en liep, nu hij een punt gescoord had, weer weg.

Sir Thomas Boleyn baande zich een weg door de kolkende menigte in het enorme Franse paviljoen. Het was avond en in de uithoeken van het met kaarsen verlichte paviljoen was de sfeer rustiger, minder onstuimig... ver-

leidelijker. Mensen speelden kaart, dronken, lachten, betastten elkaar en fluisterden. Er werden lange, verlangende blikken uitgewisseld.
Hij liet zijn ogen rusten op een beeldschone jonge vrouw die het middelpunt van de aandacht vormde van drie knappe hengsten. Boleyn glimlachte en trok haar uit de kring van mannen.
Ze kuste hem. 'Papa.'
'Koning Henry heeft u vandaag opgemerkt,' fluisterde Boleyn. 'Hij wil u zien.' Hij begon haar door de menigte te trekken.
'Wacht!' riep ze. 'Dat moet ik aan Anne vertellen.' Ze verdween in de massa en zocht tot ze uiteindelijk haar jongere zuster Anne ontwaarde, die omringd werd door bewonderende Fransen, van wie er een haar hals kuste.
'Anne,' riep Mary. Ze fluisterde het opwindende nieuws in haar oor. Anne glimlachte.
Boleyn bracht zijn dochter naar Charles Brandon en ging toen op zoek naar Kardinaal Wolsey.
Hij liep hem tegen het lijf in een afgezonderd vertrek. 'Hij is in mijn aanwezigheid uitgevaren tegen Uwe Eminentie, noemde u een dodenbezweerder, een souteneur, beschuldigde u ervan duivelse manieren te hanteren om uw invloed op de koning te behouden,' vertelde Boleyn aan Wolsey.
'Ga verder,' zei Wolsey.
'Hij liet er geen twijfel over bestaan dat de zaken van Engeland beter behartigd zouden worden als hij, en niet u, Zijne Majesteits rechterhand was.'
'En wat zei Lord Buckingham over de koning?' vroeg Wolsey.
'Hij vertelde me dat hij meer aanspraak maakt op de troon en dat aangezien Zijne Majesteit geen erfgenamen heeft en er geen zal hebben, hij, Buckingham, de koning zal opvolgen.' Boleyn aarzelde even en ging toen verder: 'Maar hij heeft me ook ooit verteld dat hij had overwogen die eventualiteit wat sneller naar voren te halen.'
Wolsey leunde naar voren. 'Op welke manier?'
'Door Zijne Majesteit te vermoorden.'
De woorden bleven even in de lucht hangen en toen knikte Wolsey. 'U hebt er goed aan gedaan naar mij toe te komen.' Hij stak zijn hand uit en Boleyn kuste die. 'Vertel niemand hierover,' voegde Wolsey eraan toe.

In de vertrekken van de koning klonk a capella een pure, schitterende stem. Thomas Tallis zong voor de koning terwijl die zijn symbolische baard liet afscheren en wachtte op de komst van Charles Brandon.
Tallis' lied was afgelopen. De koning beloonde hem met een gouden pondstuk en hij vertrok in het gezelschap van een kamerheer. Tallis hield de

munt vol ontzag stevig vast. Sinds hij een hongerige jongeman was die wachtte om de secretaris van de koning te spreken te krijgen, had hij een lange weg afgelegd.
Henry bestudeerde zijn spiegelbeeld in een handspiegel nu de zo verafschuwde baard verdwenen was. Zijn aandacht werd gevangen door een beweging en hij draaide zich om. Brandon, eindelijk. Hij bracht een jonge vrouw in een cape, waarvan de kap opgetrokken was om haar gezicht te verbergen.
Brandon knikte in antwoord op de onuitgesproken vraag van de koning, glimlachte en trok zich terug om hen alleen te laten. 'Kom naderbij,' zei hij.
De vrouw schoof naar voren en knielde. De koning duwde voorzichtig de kap naar achteren. 'Lady Mary.'
'Uwe Majesteit,' zei Mary Boleyn zacht.
Hij streelde haar mooie gezicht met de achterkant van zijn hand en liet die naar beneden dwalen. 'Ik heb veel over u gehoord, Lady Mary. U verkeert al twee jaar aan het Franse hof. Zeg me eens, welke Franse deugden hebt u geleerd?'
Ze keek hem een moment lang aan. 'Als Uwe Majesteit mij toestaat?' zei ze, terwijl ze op haar knieën zonk. Tot Henry's verbazing maakte ze zijn broekklep los, verwijderde die en bracht haar mond naar hem toe.
Henry was geschrokken en enigszins afkerig, maar ook opgetogen. Hij sloot zijn ogen en kreunde van genot.

Tijdens het feestmaal die avond werden de aristocratische gasten en toeschouwers onthaald op worstelwedstrijden tussen Engelse soldaten van de koninklijke garde en Franse Bretons. Onder invloed van de wijn verdween geleidelijk de stemming van camaraderie. Oude gewoonten van wantrouwen en verdachtmaking begonnen aan het oppervlak te komen en de menigte was in twee aparte groepen uiteengevallen: Fransen en Engelsen.
Een gigantische Breton, vanaf zijn middel naakt, wierp een gespierde Engelsman als een stropop de ring uit.
Koning Francis kraaide verrukt: 'Zag u dat, broeder? De waarheid is dat, in de meeste dingen, wij Fransen u overtreffen. Waarom dat ontkennen? Wij hebben de grootste schilders, de grootste musici, de grootste dichters, de mooiste vrouwen.' Hij wierp Henry een sluwe zijdelingse blik toe. 'Zelfs onze worstelaars zijn beter dan de uwe!'
Henry verstijfde. 'Weet u dat zeker?' vroeg hij ruziezoekend.
More leunde voorover. 'Ik smeek Uwe Majesteit te overwegen...'
Henry negeerde hem. 'Weet u zeker dat *al* uw worstelaars beter dan de

mijne zijn? Wilt u dat bewijzen?' Hij stond op, er viel een stilte en alle ogen richtten zich op de koning.
'Wat stelt u voor?' vroeg Francis.
'Ik stel voor – ik *daag u uit* tot een worstelpartij. U en ik, *broeder*,' zei Henry met een sneer.
Francis' raadslieden drongen hoofdschuddend om hem heen; ze smeekten hem in een zacht, doordringend Frans er niet op in te gaan.
'Harry – in godsnaam!' probeerde More.
Maar Henry was niet meer over te halen. 'U bent een lafaard!' beschuldigde hij Francis.
Francis vloekte en sprong op. 'Ik neem de uitdaging aan. Laten we het nu doen.'
De twee koningen beenden naar de ring. De menigte keek ongelovig toe hoe hun dienaren hen ontdeden van hun schitterende kledij. Beide mannen straalden fysieke kracht uit – en wisten dat. Het werd doodstil in het paviljoen toen de Franse en Engelse koning, bijna naakt, in de ring rondstapten en tegenover elkaar gingen staan.
Een nerveuze heraut verkondigde: 'Uwe Koninklijke Hoogheden... heren... de regels van het spel zijn als volgt: de eerste man die zijn tegenstander op de grond gooit zal uitgeroepen worden tot winnaar. Bent u er klaar voor?'
Ze knikten.
'Laat het gevecht dan beginnen!'
Terwijl de twee koningen behoedzaam om elkaar heen begonnen te cirkelen, brak er een hels kabaal los in het paviljoen. Alle decorum werd aan de kant geschoven, de Engelsen en Fransen brulden en loeiden ter aanmoediging van hun koning.
'Kom op,' zei Knivert. 'Op wie wedt u?'
Brandon moest schreeuwen om boven het lawaai uit te komen. 'Zijne Majesteit gaat winnen.'
Thomas More hoorde hem en schudde zijn hoofd. 'Wat de uitslag van deze wedstrijd ook wordt, Koning Henry zal niet winnen.'
De twee koningen maakten schijnbewegingen, worstelden hijgend en met samengeknepen ogen om grip op elkaar te krijgen. Hun lichamen glommen van het zweet. Contact! Ze klemden elkaar vast; spieren spanden zich. De menigte juichte.
De twee koninginnen keken met een bleek gezicht toe; onbewust hadden ze elkaars hand gegrepen. Boleyn trok de aandacht van zijn jongste dochter aan de andere kant van de ring en glimlachte betekenisvol naar haar.
Wolsey hield Buckinghams gezicht als een havik in de gaten.
Francis had meer moeite met de aanvallen. Henry, die de winst rook, sloot

hem in en pakte de Franse koning in een dodelijke greep. De menigte schreeuwde. De wedstrijd leek afgelopen, maar net op het moment dat Francis op de grond geworpen leek te worden, wierp hij zijn bovenlichaam met een allerlaatste krachtsinspanning omhoog.
Henry was hierdoor uit zijn evenwicht gebracht en verloor zijn grip op Francis' gladde huid. Ze wankelden, zwoegend en grommend, en toen stortte Henry neer.
De Engelse toeschouwers staarden ontsteld en vol ongeloof. De Fransen werden gek van vreugde.
Terwijl de kamerheren en dienaren van beide koningen hen omringden, kwam Henry furieus overeind. 'Revanche! Ik wil revanche!' Hij probeerde zich door de menigte een weg naar Francis te banen, terwijl hij schreeuwde: 'Hoort u mij? Ik wil een revanchewedstrijd. Of bent u bang?'
'Waar zou ik bang voor moeten zijn?' Trots strekte Francis zijn rug en hij bekeek Henry met de minachting van een overwinnaar die zijn tegenstander flink had afgestraft.
'Dan komt er een revanchewedstrijd,' verkondigde Henry.
Een lange Fransman kwam tussen hen in staan. '*Non*. Als Zijne Majesteits arts verbied ik dat ten strengste.' Hij stak een gebiedende hand op. 'Het zou onverstandig zijn om Zijne Majesteit in naam van de sport aan verdere risico's op blessures bloot te stellen.'
Henry kookte van woede toen Francis haastig door zijn gevolg werd meegetrokken onder luid gejuich van zijn aanhangers.
Hij wendde zich tot More. 'Ik wil dat verdrag niet tekenen!'
'Dat is begrijpelijk,' begon More. 'Maar toch...'
'Nee, ik teken het niet. Ga het hun maar vertellen.'
More keek hem strak aan en zei op lage toon: 'Als dat is wat u wilt. Maar misschien zou Uwe Majesteit...'
Henry verhief boos zijn stem. 'Ik zei dat u het hun moest gaan vertellen.'
More keek hem zwijgend aan en knikte toen. 'Goed dan.' Hij bleef zijn koning strak aankijken en zei op een toon die alleen Henry kon horen: 'Als u de wereld wilt laten geloven dat de koning van Engeland makkelijk van gedachten verandert, oppervlakkig is, ongebreideld en niet in staat zijn woord te houden... ja, uiteraard, dan zal ik het hun gaan vertellen. Ik ben tenslotte louter Uwe Majesteits dienaar.'
Henry wierp hem een boze, gefrustreerde blik toe, draaide zich plotseling om en beende de kamer uit.

Vier dagen lang dreigde de vrede te mislukken. Toen begaf Koning Francis zich, tegen alle adviezen in, naar Henry's slaapvertrek terwijl deze lag te

slapen. Toen Henry ontwaakte, bood Francis aan hem te helpen bij het wassen en aankleden: een teken van respect dat Henry enigszins tot bedaren bracht en hem in staat stelde het verdrag te tekenen met iets wat doorging voor goedertierenheid.
Henry keek toe toen Wolsey de Koning van Frankrijk vroeg naar voren te komen en het verdrag te tekenen. Henry zag Thomas More aan de overkant van de kamer en zijn blik verstrakte. Hij mocht dan in staat zijn geweest de Franse beledigingen te slikken, More had hij nog niet vergeven.
'En nu vraag ik Zijne Koninklijke Hoogheid, de Koning van Engeland, in goed vertrouwen, om eveneens het Verdrag van Universele en Eeuwigdurende Vrede te ondertekenen,' zei Kardinaal Wolsey.
Henry tekende het verdrag en werd onder applaus door een glimlachende Francis omhelsd. Wolsey overhandigde beide mannen kleine, in fluweel gebonden kopieën van het Evangelie met goud op snee en omhelsde hen beiden terwijl het applaus aanzwol. Het was gebeurd. Het verdrag was getekend. Universele en Eeuwigdurende Vrede was een feit.

Koning Henry stond in zijn eentje in zijn prachtige vertrek in het Paleis der Illusies. Hij staarde naar het in fluweel gebonden evangelie in zijn hand en zijn gezicht betrok. Hij smeet het kostbare boek door de kamer, en het sloeg de spiegel aan diggelen.
Hij greep een sierbijl van de wand en begon doelbewust en als een bezetene zijn vertrek te vernielen. In blinde woede sloeg hij alles kort en klein; met elke slag van de bijl werd de puinhoop groter. Kamerheren en bedienden stormden op het geluid van de vernielingen af, maar de koning hakte zo roekeloos in op alles wat hem voor ogen kwam dat niemand hem durfde te benaderen.
Hij stopte pas toen alles kapot was.

De bomen waren bijna kaal en de kou van de naderende winter kroop door Whitehall Palace. Henry liep naar een glas-in-loodraam en staarde somber naar buiten. Wolsey keek toe en was zich goed bewust van hetgeen de koning dwarszat: Charles van Spanje, de neef van de koningin, was tot keizer van het Heilige Roomse Rijk gekroond.
'Nu is hij voortaan niet alleen Charles V, Koning van Spanje, maar ook de Heilige Roomse Keizer. Zijn heerschappij is onmetelijk, zijn rijkdom extravagant.' Henry draaide zich om. 'En hij is pas twintig jaar oud!'
Hij keek Wolsey aan. 'U treft regelingen voor een bezoek aan hem in Aken. Persoonlijk. Wellicht hebben wij er meer aan om zaken met *hem* te doen dan met de Fransen. Vindt u ook niet?'

Henry's starende blik daagde Wolsey uit tot een weerwoord, maar de kardinaal gaf geen krimp, ook al wist hij dat een verbond met Spanje het Verdrag van Universele en Eeuwigdurende Vrede zou vernietigen.
Het zou Wolsey ook de cruciale Franse stem in de pausverkiezingen kosten. En derhalve zijn hartenwens.
De kardinaal liet er niets van merken. 'Ja, Majesteit.'
Henry begon opnieuw te ijsberen. Op een wat vertrouwelijker toon zei hij: 'Wat hebt u hier ontdekt?'
'De Hertog van Buckingham is een leger aan het vormen. Hij bazuint rond dat hij dat doet om zichzelf te beschermen tijdens zijn reis langs zijn buitenverblijven in Wales, waar hij niet erg geliefd is. Maar,' zei hij veelbetekenend, 'hij heeft ook grote sommen geld geleend.'
Henry liet de informatie bezinken. 'Nodig hem uit op het hof, voor het nieuwe jaar. Maar zeg niets wat hem zou kunnen alarmeren.'

Het heiligdom van Onze-Lieve-Vrouwe van Walsingham in Norfolk was al vóór de komst van Willem de Veroveraar een bedevaartplaats. Het was nu het beroemdste heiligdom in het koninkrijk. Rijk of arm, edelgeboren of van lage komaf; iedereen kwam er om te bidden, gezegend te worden of getuige te zijn van een wonder.
Ongeveer een halve mijl van de kleine Slipper Chapel, gelegen aan de laatste wegkruising van de pelgrimsroute naar Walsingham, kwam een rijtuig tot stilstand. Het was een trieste dag. De regen viel met bakken naar beneden.
De koetsier klapte de treden uit en een dame daalde af naar de weg. Ze trok haar schoenen uit en begon, blootsvoets en blootshoofds, door de ijzige regen de halve mijl naar de kleine kapel af te leggen.
Katherine, Koningin van Engeland, was gekomen om – voor de zoveelste keer – te bidden voor een zoon.
Tegen de tijd dat ze de kapel had bereikt, was ze doorweekt en zaten haar bevroren voeten onder de schrammen. Maar dat kon haar niets schelen. De ontberingen zouden haar gebeden kracht bijzetten.
Ze sloeg een kruis en knielde neer op de stenen vloer, terwijl ze omhoogstaarde naar het barmhartige gezicht van Maria, die haar zoon, het kindje Jezus, in haar armen hield. Tranen stroomden over Katherines wangen terwijl ze bad: 'Heilige Maria, vol van genade, ik bid u... ik smeek u... in alle nederigheid... met de liefde die ik u en uw zoon, Jezus Christus, toedraag... ik bid u... geef me een kind. Een zoon die mijn lege schoot vult. Ik smeek het u...'
Huilend drukte ze haar gezicht tegen het koude, meedogenloze gesteente.

Honderd mijl zuidelijker, in het paleis in Westminster, lag Katherines echtgenoot, de koning, diep in gedachten verzonken op bed. Naakt.
'Majesteit,' fluisterde zijn metgezel.
De koning negeerde haar.
Mary Boleyn zette een pruillipje op en liet haar vingernagels zachtjes en plagend over Henry's borst naar beneden glijden...
Henry's gezicht betrok. Hoewel hij een viriel man was, gaf hij bij het liefdesspel de voorkeur aan zowel discretie als eenvoud, en hij vond Mary's Fransige gewoonten ongepast. 'Ga heen,' beval hij.

In de privéwoning van de koning in Jericho, buiten Londen, had Kardinaal Wolsey Lady Blount, die daar een paar maanden eerder was gehuisvest, bij zich geroepen. Het grote stenen huis, afgeschermd door hoge bakstenen muren en omringd door een gracht, werd door Henry al tijden gebruikt voor geheime afspraakjes en privéontmoetingen. De gracht stond in verbinding met de rivier de Cam en was dus per boot makkelijk bereikbaar.
'Uwe Eminentie,' begroette Lady Blount de kardinaal.
Wolseys ogen daalden af naar haar buik. 'U maakt het goed?' Ze droeg duidelijk een kind.
'Naar omstandigheden wel. Hebt u een boodschap van Zijne Majesteit?'
'Nee,' zei Wolsey. 'Maar ik heb wel een boodschap van uw echtgenoot.'
Ze verstijfde. 'Mijn echtgenoot?'
'Ik heb hem gesproken. Hij zegt dat hij zich heeft neergelegd bij uw toestand.'
Ze sloot even haar ogen. 'Dus hij stuurt me niet naar een nonnenklooster?'
Wolsey schudde zijn hoofd. 'Hij wordt benoemd tot graaf en krijgt buitenverblijven.'
'En mijn kind?'
'Die beslissing is aan de koning – of hij het al dan niet zal erkennen. Ik kan u verder niets ter bemoediging zeggen.'

Wolsey ontbood Thomas More. 'U moet weten dat mij een ontmoeting met de nieuwe keizer is opgedragen. De koning heeft me gevraagd een nieuw verdrag op te stellen, waarin we ons verenigen tegen de Fransen.'
'U zult wel zeer droevig zijn,' zei More.
Wolsey schudde zijn hoofd. 'Ik ben zeer realistisch.'
'Dan ben ik bedroefd.'
'Onze dromen waren onrealistisch,' zei Wolsey tegen hem. 'Net als uw Utopia.'
'Misschien. En toch zal ik blijven dromen, ook al sta ik alleen daarin.' Na

een korte pauze zei More: 'Ik vrees dat Zijne Majesteit mij niet meer het vertrouwen en de genegenheid van weleer schenkt. Zijn liefde is ietwat bekoeld.'

'Thomas, laat me u een goede raad geven,' zei Wolsey. 'Wanneer u de liefde van een vorst wilt behouden, dan is dit wat u dient te doen: u moet hem iets schenken wat u op de hele wereld het meest dierbaar is.'

Thomas overwoog het idee. 'Maar wat mij het dierbaarst is... is mijn integriteit.' Hij keek Wolsey aan. 'En wat is u het meest dierbaar ter wereld, Uwe Eminentie?'

Wolsey veranderde van onderwerp. 'Houd een oogje op Henry tijdens mijn afwezigheid. Buckingham zamelt strijdkrachten bij elkaar. Hij wil de koning vermoorden.'

Hoofdstuk 5

Het was Nieuwjaar; het moment waarop elk lid van de koninklijke familie, elke hoveling en zelfs de dienaren de koning een geschenk gaven. Op zijn beurt gaf Henry hun een geschenk, meestal een vergulde of verzilverde beker of schaal, gegraveerd met het koninklijke monogram en naar rang gewogen.

Henry stond met Koningin Katherine onder een baldakijn van goudlaken in het audiëntievertrek van Whitehall Palace en ontving de edellieden van het koninkrijk. Ze presenteerden om beurten hun geschenken; ieder streefde ernaar de ander te overtreffen, de koning te imponeren en zijn gunsten te verwerven. Elk geschenk werd getoond en vervolgens door de kamerheer van het paleis verwijderd en – ter vergelijking – op een tafel naast de andere gezet.

Het was niet gebruikelijk dat de koning zo van nabij geflankeerd werd door zijn vrienden, maar bij deze gelegenheid stonden Brandon, Compton en Knivert dicht bij hem. Toen Buckingham in het gezelschap van Hopkins de ruimte betrad, verstijfden ze.

Thomas More wierp een blik op Wolsey. Wolsey maakte een klein, discreet gebaar, waarop de wachters net buiten de deuren geruisloos en onopvallend hun positie innamen.

Het overhandigen van geschenken ging verder. Buckingham was de laatste. Toen Buckingham op zijn knieën zakte, schoven Brandon, Knivert en Compton met haviksogen dichter naar de koning toe.

'Let op zijn handen,' siste Brandon.

'Uwe Majesteit.' Buckinghams hand bewoog. Iedereen spande zijn spieren, klaar om toe te springen, maar hij maakte slechts een gebaar naar Hopkins, die een vergulde klok in een met edelstenen ingelegd kistje toonde.

Henry was dol op klokken. Ze behoorden tot zijn meest kostbare bezittingen. Klokken waren een luxe die maar weinigen zich konden veroorloven.

'Er staat iets in gegraveerd,' vertelde Buckingham hem.

Henry las de inscriptie hardop voor: 'UIT EEN NEDERIG, WAARACHTIG HART'. Hij keek omlaag naar Buckingham. 'Uwe Excellentie overweldigt

me. Uw woorden zijn het grootste geschenk, groter dan welke kostbaarheden ook.'
Buckingham stond op. Henry's mannen zetten zich schrap om in actie te komen. Brandon deed zelfs een stap naar voren, maar Henry schudde nauwelijks waarneembaar zijn hoofd en Brandon stond stil.
Buckingham boog en voegde zich bij zijn vriend Norfolk. De ceremonie was afgelopen.

Een paar uur later reden Buckingham en zijn grote groep volgelingen in de ijskoude schemering de paleispoort uit. Buckingham hield even stil en staarde naar de in het halfduister gehulde torens van het paleis achter hem. Hij keek Hopkins aan. 'Het duurt nu niet lang meer, Hopkins. Niet lang.'
Hij gaf zijn paard de sporen en reed ervandoor; zijn grote gevolg waaierde achter hem uit.
Ze reden door een weidelandschap met eeuwenoude eiken. Alleen het kraken van leer, het doffe hoefgetrappel op de bevroren aarde en het incidentele gerinkel van metaal tegen metaal waren te horen.
Zonder waarschuwing verscheen tussen de bomen een andere groep ruiters, die snel galoppeerde om hun de pas af te snijden. Ze droegen de kleuren van de koning. Knivert en Compton reden op kop.
Buckingham maakte zich geen zorgen. Hij beschikte over meer manschappen en hij was hoger in rang dan Knivert en Compton. 'Wat wilt u?' vroeg hij toen zijn gezelschap werd omsingeld.
'Uwe Excellentie wordt gearresteerd op verdenking van verraad,' deelde Compton hem mee. 'Ik heb bevel van de Koninklijke Hoogheid om u naar de Tower te brengen.'
'Laat ons passeren,' zei Buckingham. Zijn mannen trokken hun zwaard.
'U zult niet verder gaan,' zei Knivert beheerst. 'En als een van uw mannen een van Zijne Majesteits dienaren uit hoofde van zijn plicht aanvalt, geldt dat ook als verraad – zoals Uwe Excellentie weet.'
Met weerzin gebaarde Buckingham zijn mannen hun zwaard weer terug te stoppen. Op neerbuigende toon zei hij: 'U bent niet geschoold in de manieren van de adel. U weet niets. Als ik word beschuldigd van verraad, moet ik berecht worden door een jury van mijn *gelijken* – niet door de honden van *slagers*.' Hij wierp hun een arrogante blik toe. 'Er is in Engeland geen edelman die zich ooit tegen mij zal verzetten.'

'Ik heb een Hof van Hoge Ambtenaren benoemd om een vonnis te vellen in Buckinghams rechtszaak,' vertelde Henry aan Wolsey. Ze waren in Henry's privévertrekken samengekomen. 'Er zullen twintig edelen worden aan-

gewezen voor het hof. De Hertog van Norfolk zal de jury voorzitten.' Hij tekende een document, verzegelde het met het koninklijke zegel en overhandigde het aan Wolsey.
Wolsey pakte het papier aan. 'Majesteit...'
'Ja?'
'Het zou gevaarlijk zijn om de hertog schuldig te bevinden aan verraad.'
Henry trok een wenkbrauw op. 'Ook als hij dat is?'
'Ja. Zelfs als hij dat is.' Wolsey koos zijn woorden zorgvuldig. 'Hij zou schuldig bevonden kunnen worden aan een minder zware overtreding, een zware boete opgelegd kunnen krijgen en van het hof verbannen kunnen worden. Op die manier zou hij in ongenade vallen, maar zouden zijn bondgenoten en vrienden geen reden hebben om tegen u in opstand te komen.'
'En dat zou de beste uitkomst zijn?' vroeg Henry.
'Dat denk ik wel.'
'En u kunt ervoor zorgen dat het hof tot die uitspraak komt?'
Wolsey boog zijn hoofd. 'Ik heb er alle vertrouwen in.'
'Net zoals ik heb in Uwe Eminentie.' Maar toen Wolsey vertrok, verhardden Henry's gelaatstrekken zich. Hij ontbood Brandon.
'Wolsey zal het hof samenstellen,' deelde hij Brandon mee. 'Norfolk zal het voorzitten. Herinner Norfolk aan zijn verantwoordelijkheden.'
Brandon boog. 'Dat zal ik doen, Majesteit.'

De volgende dag trof Brandon Norfolk aan toen deze in het gezelschap van verschillende bedienden zijn jonge zoon het paleis liet zien.
Brandon naderde het gezelschap en boog. 'Uwe Excellentie.'
Het goede humeur smolt van Norfolks gezicht. 'Wat wilt u?'
'Ik wil u slechts de genegenheid van Zijne Majesteit overbrengen,' zei Brandon. 'Zijne Majesteit apprecieert de rol die u tijdens Lord Buckinghams proces zult spelen en alle bekommernis die u hebt om Zijne Majesteits welbevinden.'
Norfolk keek hem met samengeknepen ogen aan.
'Ook stuurt hij u dit.' Brandon overhandigde Norfolk een klein kistje.
Norfolk opende het – en bevroor toen hij zag dat er een grote gouden ring met een robijnen zegel in zat. Hij wierp een blik op zijn zoon en trok toen Brandon terzijde. 'Dit was de ring van mijn vader,' zei Norfolk. 'Hij is onthoofd – door Zijne Majesteits vader.'
Brandon keek hem minzaam aan. 'Zijne Majesteit dacht dat u hem wellicht graag wilde dragen.' Hij keek naar de plek waar de jongen stond te wachten. 'Is dat uw zoon?'

'Ja,' antwoordde Norfolk met geknepen stem. 'Hij gaat zo op audiëntie bij zijn peetvader, de koning.'
'Uwe Excellentie dient behoedzaam om te gaan met zijn erfenis,' zei Brandon zacht. 'Het zou bijvoorbeeld verschrikkelijk zijn als een of andere handelswijze van u hem zou beroven van een vader, een titel... en een ring.' Hij liet zijn woorden bezinken – en boog. 'Uwe Excellentie,' zei hij. Toen liep hij weg.
Norfolk staarde hem na, terwijl Brandons woorden nog nagalmden in zijn oren. Hij keek naar zijn jonge zoon, die met een heldere, enthousiaste blik zijn ogen uitkeek in het hof. Zijn hand sloot zich krampachtig om de ring van zijn dode vader.

De dag van Buckinghams berechting was aangebroken. De aanklacht was ingediend. De belangrijke edellieden van Engeland, met Norfolk in hun midden, hadden een aantal getuigenverklaringen gehoord. Het meest belastend waren die van een paar van Buckinghams eigen officieren, die wrok tegen hem koesterden. Het vonnis kon elk moment bekendgemaakt worden.
Buckingham werd binnengebracht. Hij liep naar zijn gelijken toe en zag er zelfverzekerd en goedgemutst uit toen hij ging zitten. Hij keek om naar de tribune, zag Wolsey kijken en trok zijn lip op.
Hij richtte zijn blik weer op Norfolk en schonk deze, vooruitlopend op Wolseys nederlaag, een vage glimlach. Norfolk vermeed zijn blik. Buckinghams wenkbrauwen trokken samen.
Nerveus verklaarde Norfolk, de voorzitter van de Jury van Gelijken: 'Uwe Excellentie wordt beschuldigd van verraad, en van het bedenken en beramen van de dood van de Koninklijke Hoogheid.' Hij zweeg, keek naar beneden en bladerde wat door zijn papieren. Er rolde een traan over zijn wang.
Buckingham ging rechtop zitten. Hij probeerde de aandacht van zijn andere gelijken te trekken. Geen van hen keek hem aan.
Norfolk ging verder: 'Dit, dit Hof van Hoge Ambtenaren, verklaart na het beschouwen van alle bewijs tegen Uwe Excellentie... verklaart Uwe Excellentie schuldig aan het u ten laste gelegde.' Er biggelden meer tranen over Norfolks wangen.
'Nee!' zei Buckingham naar lucht happend.
Norfolk vervolgde: 'En... en... veroordeelt u derhalve naar believen van Zijne Majesteit tot de dood.' Hij barstte in tranen uit, terwijl er een hels lawaai losbrak.
Lijkwit van schrik en woede sprong Buckingham overeind en wees naar Wolsey. 'Hier zit u achter! Slagersgebroed! Het is allemaal uw schuld!'
Wolsey schudde zijn hoofd. Soldaten van de koninklijke garde kwamen

naar voren en voerden de nog steeds protesterende Buckingham af. Ze brachten hem naar een kleine, donkere cel in de Tower van Londen en duwden hem ruw de deur door.
Het was allemaal in een mum van tijd geschied. Geschokt en vol ongeloof hoorde Buckingham de sleutel knarsen in het slot. Het kon niet waar zijn – dat kon gewoon niet! Maar hun voetstappen vervaagden onverbiddelijk en lieten hem alleen.
Hoe kon de hoogste edelman in het land zo in het ongeluk gestort zijn door de zoon van een slager? Hoe?
Na een tijdje werd Buckingham zich bewust van een zwak getik. Een klok? Hier? Hij ging op het geluid af en vond hem in het halfduister van de cel. Hij tilde hem op om er van dichtbij naar te kijken.
Dit was niet zomaar een klok... Dit was de klok die hij aan de koning had geschonken. Hij had de inscriptie die hij had gekozen zo geslepen, zo subtiel ironisch gevonden: UIT EEN NEDERIG, WAARACHTIG HART.

Op de dag van Buckinghams onthoofding vertrok de koning naar Jericho. Gekleed in het geel, de kleur van de vreugde, galoppeerde Henry weg op een prachtig uitgedoste merrie.
In de sombere cel, diep in de Tower van Londen, knielde Buckingham om te bidden. Hij probeerde zijn trillende ledematen onder controle te krijgen, terwijl een priester hardop voor hem bad in het Latijn.
Buiten draaide de sleutel in het slot. De zware gevangenisdeur zwaaide open. 'Het is tijd, Uwe Excellentie,' riep de konstabel van de Tower.
Buckingham draaide zich naar hem om met een grauw, van angst vertrokken gezicht. Hij kon nog steeds niet geloven dat hij de dood van een verrader zou sterven.
De soldaten van de toren negeerden zijn verwoede geprevel. Ze tilden hem overeind en voerden hem half duwend, half dragend de Tower uit, naar Tower Green.
Een kleine groep mensen was gekomen om naar de onthoofding te kijken. Zonder acht op hen te slaan strompelde Buckingham langs de toekijkers. Vóór hem was het verhoogde platform waar een zwartgekapte beul, de bisschop en een aantal priesters op hem stonden te wachten.
Hij was niet klaar voor de dood.
Hij sleepte met zijn voeten, maar werd vooruitgetrokken. Hevig trillend en hangend aan de armen van de soldaten werd hij het platform op gebracht. Hij stond op het punt in te storten.
Zonlicht weerkaatste op de bijl van de beul toen deze voor Buckingham knielde en vroeg: 'Vergeeft u mij?'

Buckinghams mond ging open, maar er kwamen geen woorden uit. Hij had het koud en was bang. Zijn ogen stonden vol tranen; ze gingen van de beul naar de gezichten van de mensen die waren gekomen om hem te zien sterven. Hij vond zijn dochter, Anna. Ze huilde. Hun blikken kruisten elkaar.
Buckingham kon het niet verdragen. Hij keek weg.
Achter hem beëindigde de priester zijn gebeden en fluisterde toen, na een korte pauze: 'Uwe Excellentie moet knielen.'
Buckingham kermde, maar verroerde zich niet. Ze moesten hem dwingen te knielen en zijn hoofd op het hakblok te leggen.
De beul zei tegen hem: 'Als u uw armen spreidt, zal ik toeslaan!' Hij tilde zijn bijl omhoog.
Buckingham kon zichzelf er niet toe zetten zijn armen te bewegen. Het moment leek eindeloos te duren. Uiteindelijk stapte Knivert binnensmonds vloekend naar voren, greep Buckinghams handen en duwde ze uiteen.
De bijl zwaaide naar beneden en de Hertog van Buckingham bestond niet meer.

In Jericho betrad Koning Henry het slaapvertrek waar twee vroedvrouwen naast een houten wieg bekleed met fluweel stonden.
Ze zonken op hun knieën, maar de koning zag hen niet. Hij had alleen maar oog voor het wiegje. Hij staarde uitdrukkingsloos naar de pasgeboren baby en maakte toen langzaam het gebaar van een kruisteken. 'Ik heb een zoon,' zei hij. Hij tilde het naakte kind op uit de wieg en onderzocht het. Alles zat erop en eraan, het kind blaakte van gezondheid en was prachtig. Luider en uitbundiger zei Henry: 'Ik heb een zoon!'

De koning was zo in de wolken door de geboorte van een gezonde zoon – ook al was het een bastaard – dat hij een publiek festijn verordonneerde. Vrolijke muziek vulde het hof en de meest verfijnde gerechten werden aangerukt voor een groot feestmaal. De wijn vloeide rijkelijk terwijl mensen praatten, aten, dansten en vrolijk spelletjes speelden. Suikergoed en munten werden verdeeld onder de armen en op de binnenplaats traden jongleurs, acrobaten en vuurvreters op. Buiten het paleis verzamelde zich een menigte om te kijken naar de adellijke heren en hun prachtige dames in schitterende gewaden die in groten getale het hof betraden. In het donker waren de *oohs* en *aahs* niet van de lucht toen vuurwerk boven het paleis uiteenspatte.
Henry dronk en lachte uit volle borst; hij was zeer tevreden met alles. Al

zijn vrienden en alle vooraanstaande mannen van het koninkrijk waren hier om zijn triomfen te delen. Het was een groots gebeuren.
Wolsey zocht met zijn ogen de menigte af. Lady Blount was nergens te bekennen. Hij baande zich een weg naar de koning en boog. Henry begroette hem joviaal.
'Mijn welgemeende felicitaties bij deze blijde gebeurtenis, Uwe Majesteit,' zei Wolsey.
'Dank u, Uwe Eminentie.' De koning leegde zijn beker. 'U vindt de dame boven.' Hij zwaaide met een hand in de richting van een zuilengalerij. Toen Wolsey wegliep, draaide hij zich weer om en sloeg Brandon op zijn rug.
Grinnikend zei Henry: 'Nou? Een zoon! Eindelijk!'
'Gefeliciteerd, Majesteit.'
'Ik heb altijd geweten dat het niet aan *mij* lag.'
'Nee,' stemde Brandon in. Opeens verstomde het feestgedruis.
Koningin Katherine had in het gezelschap van twee van haar dames de ruimte aan de andere kant van de galerij betreden. Ze maakten een reverence. Katherines ogen straalden tragiek uit, maar ze was koninklijk tot op het bot. Terwijl alle ogen op haar gericht waren, pakte ze een beker wijn, tilde die op in de richting van Henry en bracht een toost uit. Ze nam een slokje, zette de beker terug en vertrok.
Wolsey vond Lady Blount in een duister privévertrek; ze zat kaarsrecht en met gevouwen handen op een stoel – alleen, zonder bedienden – te wachten.
Wolsey zei: 'Zijne Majesteit heeft besloten zijn zoon te erkennen. Hij zal vooralsnog de naam Henry Fitzroy dragen en de beschikking krijgen over zijn eigen huishouden in Durham House met een kapelaan, een officiële functionaris en een gevolg dat past bij zijn status.'
Lady Blounts gezicht trilde van emotie. 'Dank u, Uwe Eminentie.'
'U dient Zijne Majesteit schriftelijk te bedanken,' zei Wolsey. 'Ik voer slechts zijn bevelen uit.' Hij verliet haar – eenzaam en in het halfduister luisterde ze naar de festiviteiten ter ere van de geboorte van haar zoon.
De festiviteiten duurden voort. De wijn bleef vloeien en de stemming werd ruwer. Henry brulde eenvoudigweg dat er meer drank en eten geserveerd diende te worden.
Ondertussen was het gedrang van de menigte buiten – zichtbaar en hoorbaar – groter geworden. Gezichten werden tegen de ramen gedrukt en de wachters hadden de grootste moeite om mensen bij de deuren en gasten vandaan te houden. De talloze toeschouwers stonden zo opeengepakt en waren zo opgewonden, dat gasten die de ruimte uit of in wilden nauwelijks konden passeren.

Plotseling schreeuwde de koning: 'Laat hen binnen! Dit is een feest voor iedereen!'
De wachters aarzelden. Zoiets was ongehoord – edellieden die zich mengden met het gepeupel.
'Ik zei: laat hen binnen!' bulderde Henry. 'Kom binnen! Kom binnen!' Hij wuifde naar de burgers.
De wachters stapten opzij en de mensen stroomden naar binnen. In eerste instantie veroorzaakte dit veel hilariteit: edelen die schouder aan schouder stonden met gewone mensen. Sommige edellieden – Norfolk bijvoorbeeld – waren echter ontsteld door deze schending van het decorum. Ook Thomas More greep de gelegenheid aan om weg te glippen.
Maar niets kon de koning tegenhouden. Hij was geliefd bij zijn volk, dat wist hij. Hij zag dat ze hun ogen uitkeken en schreeuwde toen opeens: 'Neem iets! Iedereen moet iets pakken. Ter herinnering aan de geboorte van mijn zoon. Om het te vieren.'
De gewone mensen keken elkaar twijfelend aan. Zou de koning zoiets echt kunnen menen? Er was hier meer weelde dan ze hun hele leven zouden zien.
Henry schreeuwde opnieuw: 'Toe maar! Pak wat u wilt!'
Wolsey mompelde waarschuwend: 'Majesteit, ik...'
'Zwijg! Zwijg!' gaf Henry hem op luide toon te verstaan. 'Dit zijn mijn onderdanen!' De toekijkende edelen en hovelingen barstten in lachen uit toen de menigte zich over de galerij begon te verspreiden en alles greep wat binnen handbereik kwam. Binnen een paar minuten was de kamer volledig onttakeld. De burgers verkeerden door deze ongekende kans echter in een roes en waren niet meer te houden.
Eerst begon er een aan een zilveren knoop te trekken, vervolgens greep een ander een baret. En toen begonnen ze opeens allemaal te rukken aan de kleren van de edele heren en dames. De dames gilden van angst en probeerden te ontsnappen, maar Henry en zijn vrienden, die het grootste deel van de dag aan het drinken waren geweest, brulden van het lachen. Ze bekeken het schouwspel waarbij het gewone volk steeds schaamtelozer de edelen de kleren van het lijf rukte. Het leek wel een menselijke sprinkhanenplaag.
Alleen de koning en Kardinaal Wolsey, die enigszins terzijde stond, werden niet belaagd. De koning en de Kerk – onaangeraakt en onaanraakbaar.
Wolsey was met afschuw vervuld. 'Uwe Majesteit! U moet hier een eind aan maken!'
Maar Henry keek alleen maar. Het was een gekkenhuis. Edelen schreeuwden en gilden terwijl ze door bezeten, begerige handen van al hun kleren werden beroofd. Knivert, die al helemaal niets meer aanhad, klom in een

paal om te ontsnappen aan het gegraai van zweethanden. Een naakte jonge vrouw gilde de longen uit haar lijf toen het gepeupel haar betastte.
Wolsey riep uit: 'Uwe Majesteit! In godsnaam!'
Henry sprong op, alsof hij wakker werd. Hij schreeuwde: 'Wachters! Wachters! Waar bent u, verdoeme? Wachters!'
De wachters stroomden naar binnen, dreven de herrieschoppers uiteen en verjoegen hen uit het paleis. Het hof bleef geschokt en duizelig achter.

In het Vaticaan ontving Paus Alexander de laatste sacramenten. In het bijzijn van kardinalen en bisschoppen lag hij met een gouden crucifix tussen zijn gevouwen handen op een bed waar op elke hoek een grote kaars brandde.
Terwijl de priester de gebeden prevelde, fluisterde Kardinaal Campeggio tegen Bisschop Bonnivet: 'Wat had u Wolsey beloofd?'
'De Franse stem – in ruil voor het feit dat Engeland niet ten strijde zou trekken tegen Frankrijk,' fluisterde Bonnivet terug.
'Feit is dat Wolsey naar Aken is gegaan om de nieuwe keizer te ontmoeten,' zei Campeggio. 'Het is duidelijk dat hij het verdrag met uw koning wil schenden.'
De priester die de laatste sacramenten toediende wendde zich tot Campeggio met een hostie. 'Wil Uwe Eminentie deze hostie, die het lichaam van Christus is, zegenen?'
Campeggio fronste geïrriteerd en zei snel wat woorden in het Latijn, sloeg een kruis en gaf de hostie terug.
'In dat geval,' vervolgde Bonnivet, 'zijn wij niet langer verplicht om ons aan ons deel van de overeenkomst te houden.'
Campeggio knikte. Ondertussen legde de priester de hostie op de tong van de paus. De paus bewoog niet.
'Uwe Heiligheid *moet* hem doorslikken. Alstublieft,' smeekte de priester. Als de hostie niet werd doorgeslikt, zou de ziel van de paus gevaar lopen. De paus probeerde het, maar was te zwak. De priester begon te huilen.
'Hoe dan ook, we willen geen Engelse paus!' verklaarde Campeggio. 'We hebben er ooit een gehad. Hij was krankzinnig! Dat nooit meer. De paus moet een Italiaan zijn. Dat is Gods wil.'
Hij keek naar de priester die openlijk stond te snotteren en te smeken bij de stervende man. 'Alstublieft, Heilige Vader. Alstublieft.'
'Duw hem naar binnen!' snauwde Campeggio.
De priester was geschokt, maar duwde omdat hij zo wanhopig was de hostie in het keelgat van de paus. Alexanders mond vertrok, hij maakte een zacht geluid en stierf.

Campeggio en Bonnivet namen hun bonnet af, sloegen een kruis en knielden heel devoot naast het lichaam neer. Buiten begon de doodsklok te luiden.

Thomas More wandelde over de binnenplaats van Whitehall Palace, toen hij Lady Blount zag naderen. Hij stond op het punt een buiging te maken, toen er een deur openging en de kamerheer verkondigde: 'De koningin!'
Koningin Katherine was, in gezelschap van verscheidene van haar hofdames, op weg naar de kapel. More zag dat de vrouwen elkaar tegelijkertijd in het oog kregen en onmiddellijk verstijfden. In Katherines ogen zag hij een verschrikkelijk verdriet, alsmede grote bitterheid.
Lady Blount maakte een diepe reverence. 'Hoogheid.'
Zonder te reageren stevende de koningin haar met een koninklijk opgeheven hoofd voorbij. Lady Blount stond op; ook haar ogen weerspiegelden verdriet en bitterheid.
More zuchtte en vervolgde zijn weg. Hij moest Wolsey spreken. Toen hij Wolseys kamer binnen kwam, stopte hij even. Hij was verbaasd de kardinaal staand met zijn rug naar de deur, starend uit het raam aan te treffen, aangezien Wolsey meestal achter zijn bureau zat.
Zonder zijn hoofd om te draaien zei Wolsey: 'Er is al een geval van zweetziekte in de stad. U weet hoe bevreesd de koning is om besmet te raken.'
'Ja,' beaamde More. Henry had een afkeer van viezigheid en was doodsbang voor ziektes, vooral voor de zweetziekte. Met al die mensen in het paleis raakten de beerputten snel vol en moest de hele hofhouding verhuizen.
'Het stinkt hier!' zei Wolsey. 'Binnen een paar weken zal het hof dit paleis verlaten en naar Hampton Court verhuizen.'
'Dat heb ik gehoord,' zei More. Wolsey had een fortuin uitgegeven om zijn huis in gereedheid te brengen voor het bezoek van de koning. De kardinaal had zich nog steeds niet omgedraaid. More vroeg: 'Hoe is het met de koning?'
Wolsey draaide zich om en nam zijn plek achter het bureau weer in. Zijn ogen waren roodbetraand. More begreep onmiddellijk de oorzaak daarvan. Het nieuws uit Rome.
Hij herinnerde zich Wolseys woorden van zo veel maanden geleden. *Wanneer u de liefde van een vorst wilt behouden, dan is dit wat u dient te doen: u moet hem iets schenken wat u op de hele wereld het meest dierbaar is.*
'Het spijt me zo dat Kardinaal Orsini tot paus is verkozen,' zei More.
'U hebt altijd en eeuwig spijt, More,' zei Wolsey tegen hem.
'Dit is niet simpelweg een kwestie van beleefdheid.'

Wolsey rommelde tussen zijn papieren. 'Echt niet?'
'Nee. Zolang er binnen de Kerk zo overduidelijk sprake van corruptie is, krijgt die ketterse Luther steeds meer aanhangers.' More voegde eraan toe: 'Als Uwe Eminentie tot paus verkozen zou zijn, had u zich eindeloze moeite getroost om een bezem door de Kerk te halen en deze te bevrijden van alle duivelse praktijken.' Hij haalde zijn schouders op. 'Het is hetzelfde als het schoonspoelen van de paleizen van Zijne Majesteit wanneer die vol stront zitten.'
Wolsey keek op. 'Misschien hebt u een te hoge dunk van mij, Thomas.' Hij zweeg even. 'Misschien hebt u, op de een of andere manier, een te hoge dunk van de gehele mensheid.'

Op een binnenplaats in het paleis hadden Norfolk en Boleyn een discrete en geheime ontmoeting. Er kwam een slanke, donkerharige vrouw naar hen toe, die voor Norfolk op haar knieën viel: Anne Boleyn, net teruggekeerd uit Frankrijk, achttien en in de bloei van haar jeugdige schoonheid. Ze begroette haar oom, die even later vertrok.
Boleyn wendde zich tot zijn dochter. 'Weet u waarom u hier bent?'
'Nee, papa. In Parijs heeft niemand me iets verteld.'
'Goed,' zei Boleyn. 'Dat is ook het beste.'
Ze wierp haar hoofd naar achteren en keek hem nieuwsgierig aan. 'Wat is er gebeurd?'
Boleyn schudde zijn hoofd. 'Zijne Majesteit heeft genoeg van zijn Franse bondgenootschap.' Hij zweeg even. 'Het schijnt dat hij ook genoeg heeft van uw zuster. Hij noodt haar niet langer in zijn bed.'
'Arme Mary.' Anne probeerde meelevend te klinken, maar kon nauwelijks een grijns onderdrukken.
Boleyn riep haar streng tot de orde. 'Arme *wij*! Toen zij zijn maîtresse was, hebben wij fortuin gemaakt. Nu zal dat naar alle waarschijnlijkheid snel slinken.' Hij zweeg en keek zijn dochter aan. 'Tenzij...' Hij staarde in haar ernstige, intelligente bruine ogen.
Anne begreep het onmiddellijk. 'Áls hij me al zou willen,' zei ze langzaam, 'wie zegt dan dat hij me ook houdt? Het ligt niet alleen aan Mary. Ze zeggen dat al zijn liaisons van korte duur zijn. Dat hij erg veranderlijk is.'
Boleyn glimlachte. Anne was altijd al de slimste dochter geweest. Hij zei: 'Wellicht dat u een manier kunt verzinnen om zijn belangstelling wat... te rekken? Ik mag toch hopen dat u in Frankrijk dingen hebt geleerd? Hoe u zijn lusten moet bespelen?' Hij raakte zijn dochters wang aan. 'U hebt iets ondoorgrondelijks en gevaarlijks, Anne. Die ogen van u zijn valstrikken voor de ziel.'

Hij zweeg even om zijn woorden te laten bezinken en zei toen op zachte, genadeloze toon: 'Zorg dat hij toehapt.'

Het hof ging verhuizen. Opeens was het paleis volledig en spookachtig leeg, want niet alleen de honderden mensen vertrokken, maar ook een groot deel van het meubilair verhuisde mee. Het was een gigantische klus, waarop werd toegezien door de kwartiermaker.
Bedden werden ontmanteld en ingepakt, Henry's troon en andere staatszetels, evenals andere meubelstukken, werden getransporteerd. Tapijten, wandtapijten en draperieën werden neergehaald, kleding en bedlinnen gewassen. Alles werd verpakt in kisten en omwikkeld met canvas, en alles wat niet meegenomen werd verdween achter slot en grendel.
De enigen die in Whitehall Palace achterbleven waren de groepen dienaren onder supervisie van de Bewaarder en de Huishoudelijke Dienst. Want het paleis moest worden schoongemaakt. Bijna overmand door de stank sleepten dienaren met emmers water om het notoire 'gemakshuis' met zijn lange banken met zitgaten, waarop velen tegelijkertijd hun darmen konden legen, schoon te spoelen.
In de zalen en publieke ruimtes, waar de jonge Thomas Tallis ooit had staan wachten in de hoop opgemerkt te worden, werden de smerige biezen die stonken naar menselijke en dierlijke urine, stukjes rottend voedsel en allerlei soorten afval met rieken van de grond getild; net als in de stallen de mest werd opgehoopt. Buiten voerden rijtuigen al het doordrenkte stro en de mest af.
En tot slot werden de vloeren, de wandpanelen en zelfs de plafonds schoongeboend.
Ver weg van dit alles reed Henry; hij zat met Wolsey in het voorste rijtuig.
'Hoe was uw bijeenkomst met de keizer?' vroeg hij hem.
'Goed. Constructief.' Wolsey strekte zijn vingers. 'Hij doet geen moeite zijn antipathie voor de Fransen te verbergen. Hij wil tegen hen ten strijde trekken en is wanhopig op zoek naar een bondgenootschap met Uwe Majesteit.'
Henry knikte bedachtzaam. 'En in ruil voor ons bondgenootschap?'
'Er zal een gezamenlijke invasie van Frankrijk komen om Koning Francis ten val te brengen.'
De val van Koning Francis! Henry herinnerde zich hoe hij tijdens de worstelwedstrijd met Francis ten val was gebracht. Die herinnering knaagde aan hem.
'En dan zal ik de troon opeisen,' zei Henry. 'En opnieuw waarlijk Koning van Engeland, Ierland en Frankrijk zijn, zoals mijn voorvaderen!' Terwijl

hij sprak doemde aan het eind van de laan Hampton Court op. Zonlicht weerspiegelde op alle ramen van het prachtige huis. Het zag er schitterend uit.
Henry bekeek het peinzend. 'U hebt hier een wel zeer prachtig huis laten neerzetten, Uwe Eminentie.'
Wolsey glimlachte. 'Dank u, Uwe Majesteit.'
'Het is waarschijnlijk het mooiste paleis in Engeland.' Henry slaakte een luide zucht. 'Ik heb niets wat ermee te vergelijken is. Ik kan niets tonen wat schoner is.'
Wolseys glimlach vervaagde. Henry glimlachte vriendelijk naar Wolsey en wachtte.
Wolsey staarde nog een laatste maal naar zijn prachtige en geliefde huis, viel toen op zijn knieën in het rijtuig en zei: 'Majesteit, het is van u.'
'Gemeubileerd?' vroeg Henry meteen.
Wolsey begon onderdrukt te lachen en Henry deed met hem mee, terwijl het rijtuig verder rolde in de richting van het nieuwste huis van de koning, het schitterende Hampton Court Palace.

Hoofdstuk 6

Dover Road was bezaaid met kuilen en het rijtuig dat eroverheen rolde slingerde en stuiterde. Binnenin klampten drie mannen zich vast aan de lussen die aan het dak en de zijkanten van de koets hingen: Thomas More en twee afgezanten van Keizer Charles V, de neef van Koningin Katherine.
'We zijn u zeer erkentelijk voor het feit dat u ons persoonlijk verwelkomt, Mijnheer More,' zei Mendoza, de wat kleinere gezant. Hij was kort, had pientere, donkere ogen en gedroeg zich enorm deftig.
'Nee, het is mij een eer,' zei More. 'Zijne Majesteit beschouwt uw bezoek als een hoogtepunt.'
'Wanneer kunnen we op audiëntie bij Zijne Majesteit?' vroeg de tweede afgezant, Chapuys. Hij was lang, knap en bebaard.
'Nadat u op audiëntie bij zijn kanselier bent geweest,' vertelde More hem. 'Laat mij Uwe Excellenties in ieder geval wat dit betreft een goede raad geven: er is slechts één manier om het oor van de koning te bereiken, en dat is via de goede diensten van Kardinaal Wolsey.'
De gezanten keken elkaar aan en richtten hun blik vervolgens weer op More. Mendoza zei zachtjes: 'We hebben geruchten vernomen, Mijnheer More. De kardinaal zou Franse belangen verdedigen.'
More keek hem aan. 'Alleen als hij vindt dat het ook in ons belang is.'
De koets hobbelde voort. Het voorbijglijdende Engelse landschap was voornamelijk bebost en vertoonde schaarse tekenen van menselijke bewoning of zelfs landbouw.
Ogenschijnlijk om de tijd te verdrijven, maar ook omdat het een favoriet onderwerp van hem was, informeerde More: 'Zeg me eens, hoe staat de keizer tegenover de verspreiding van de Lutherse dwaalleer in sommige van zijn gebieden? Mijn vriend Erasmus vertelt me dat die zich in Duitsland als een lopend vuur verspreidt!'
Mendoza spreidde zijn handen. 'Zijne Hoogheid doet alles wat in zijn macht ligt om het te onderdrukken. Maar zoals u weet is Luther zelf de gast van een van de Duitse vorsten en daar heeft hij helaas geen zeggenschap over.'
More knikte. 'Mijn koning is bezig met het schrijven van een pamflet

waarin hij Luthers argumenten met de grond gelijkmaakt en het pausdom en ons geloof verdedigt.'
De gezanten wisselden een verbaasde blik. Chapuys boog zich voorover. 'U bedoelt toch niet... dat hij het zelf schrijft... met zijn eigen hand?!'
Slechts enkele koningen waren meer dan fundamenteel geletterd – dergelijke huishoudelijke taken werden meestal overgelaten aan hun ondergeschikten.
More stond zichzelf een glimlach toe. 'Ah, Excellentie, er zijn heel veel dingen waar mijn koning goed in is!'
Uiteindelijk arriveerden de vermoeide reizigers op Hampton Court Palace. Kardinaal Wolsey wachtte hen op, schitterend gekleed en omringd door bedienden.
'Uwe Excellenties,' begroette hij hen. Hij schonk hun een warme glimlach toen ze zijn hand kusten. Hij vervolgde: 'Dit is waarlijk een mooie dag. We hebben veel festiviteiten gepland ter ere van dit uiterst welkome bezoek. En het is mijn vurige hoop dat wij, tezamen, de laatste hand kunnen leggen aan de details van het verdrag dat uw meester en de mijne in eeuwigdurende vriendschap zal verbinden.'
Chapuys knikte hoffelijk. 'Dat is al net zozeer onze hoop, Uwe Eminentie.'
Wolsey glimlachte en gebaarde dat ze met hem mee moesten komen naar een zijvertrek. Thomas More maakte aanstalten hen te volgen, maar Wolsey stak zijn hand op en zei zachtjes: 'U niet, Thomas.' Hij sloot de deur voor Mores gezicht.
Er werd wijn ingeschonken en de dienaren werden weggestuurd – mét hen verdween Wolseys hoffelijke gedrag. 'Ik wil mijn kostbare tijd niet verspillen, noch de uwe,' zei hij. 'Vertel me voordat we gaan drinken of de keizer oprecht is wat betreft dit verdrag.' Hij keek hun recht in de ogen, op een manier die hen nerveus maakte.
Chapuys beantwoordde zijn blik. 'Dat is hij.'
Wolsey knikte. 'Dan stel ik voor dat we, om het te bestendigen, tevens de verloving van de keizer met Prinses Mary, de dochter van de koning, aankondigen.'
De gezanten wisselden een waakzame blik. Mendoza zei behoedzaam: 'Wij hadden begrepen dat zij al verloofd is met de dauphin.'
'Maar nu zal ze zich verloven met Charles,' gaf Wolsey hem te kennen. 'Tenzij u nog een ander bezwaar heeft?'
Mendoza staarde naar zijn collega en zei toen: 'Integendeel.'
'Goed, dan zijn we het eens.'
Chapuys schraapte zijn keel en zei toen uiterst zacht: 'De keizer heeft ons opgedragen Uwe Excellentie er persoonlijk van op de hoogte te brengen

dat hij van zins is u een zeer genereuze toelage te verlenen. Tevens zal hij uw ambities om paus te worden volledig steunen.'
Wolsey liet niet merken dat hij het gehoord had. Hij hief zijn kelk. 'Laat ons drinken op het welslagen van het bezoek van Uwe Excellenties.'
'Met alle genoegen,' stemde Chapuys in, terwijl hij zijn kelk hief.
'Welnu, Uwe Eminentie,' zei Mendoza toen ze hun kelk geleegd hadden, 'wanneer ontmoeten we de koning?'
'U zult hem ontmoeten,' zei Wolsey raadselachtig. Met een vage glimlach ging hij verder: 'Morgen wordt ter ere van u een schouwspel opgevoerd. Het is getiteld *Le Château Vert*, het Groene Kasteel. Bedacht, geschreven en geleid door Meester William Cornish, een achtenswaardig heer van de Koninklijke Kapel. Ik geloof dat een deel van de muziek is gecomponeerd door jongeheer Thomas Tallis. Maar William Cornish heeft het allemaal in elkaar gezet. De man is een genie. Hebt u van hem gehoord?'
De gezanten schudden hun hoofd; verbijsterd vroegen ze zich af waarom zij een verhaal over een bedenker van vermakelijkheden – hoe getalenteerd ook – te horen kregen, terwijl ze hadden geïnformeerd naar een ontmoeting met de koning.
'Nee? Wij achten hem zeer hoog. Zijne Majesteit zal bij het schouwspel aanwezig zijn.'
En daarmee moesten de afgezanten het doen.

'Arme Buckingham.' Norfolk schudde vol erbarmen zijn hoofd. 'Ik heb hem gewaarschuwd. Ik heb hem verteld dat zelfs degenen die zijn aanspraak erkenden niet hun handen voor hem in het vuur zouden steken.' De ochtendzon glinsterde op het vochtige gras rond Norfolks landhuis, waar hij met zijn bloedverwant, Sir Thomas Boleyn, overheen struinde. Vóór hen volgde een stel honden van Norfolk enthousiast snuffelend het spoor van een haas of wellicht een vos. Boleyn knikte.
Norfolk ging verder: 'Zijn fout was dat hij geen genoegen nam met zijn titel – Buckingham moest koning zijn! Maar voor wie is de titel van hertog nu niet voldoende? Hij keek naar het uitgestrekte landgoed dat hem omringde en spreidde zijn armen in een groots gebaar. Norfolk was duidelijk tevreden met het feit Norfolk te zijn.
Ze wandelden verder, peinzend over ambities, hoe de familie vooruit kon komen en het drijfzand van de koninklijke gunst, waarvan het allemaal afhing.
Na een tijdje zei Norfolk: 'Dus u vindt wel een manier om mijn nicht onder de aandacht van de koning te brengen?'
Boleyn knikte. 'Jawel, Uwe Excellentie. Het is al geregeld. Een zeer ingenieuze en intrigerende regeling, als ik zo vrij mag zijn.'

'Goed.' Norfolk knipte met zijn vingers naar de honden. 'Als ze eenmaal haar benen voor hem geopend heeft, kan ze haar mond openen en Wolsey hekelen.' Hij keek naar Boleyn en lachte. 'Ze zeggen tenslotte dat het scherpste lemmet in de zachtste schede wordt gestoken.'

'Stilte! Stilte! Ga op uw plekken staan,' riep William Cornish zachtjes. De schouwspelers namen snel hun posities in op een toneel, waar een speciaal vervaardigd groen kasteel met drie torens stond.
In de grote zaal waren rijen banken boven elkaar geplaatst. Ze zaten vol met hoogwaardigheidsbekleders, hovelingen en edelen. Er hing een verwachtingsvolle spanning in de lucht.
Terwijl Chapuys en Mendoza naar hun ereplaatsen werden geleid, zochten ze met hun ogen tevergeefs naar de koning. 'U hebt gezegd dat de koning hier zou zijn,' zei Mendoza.
Wolsey glimlachte geheimzinnig. 'U zult hem weldra zien.'
De gezanten wisselden een blik van verstandhouding. Het was bekend dat Henry zich graag vermomde om mee te doen aan schouwspelen en maskerades. Zijn afwezigheid op de tribune kon maar één ding betekenen.
Muzikanten begonnen te spelen en alle aandacht richtte zich op het toneel. Er werd een allegorie opgevoerd: acht jonge dames in witsatijnen gewaden werden gevangengehouden in de torens van een kasteel.
'Zij zijn de Gratiën,' legde More de menigte uit. 'Ze hebben namen als Vriendelijkheid, Kuisheid, Getrouwheid, Genade en Medelijden. Ze zijn gevangenen in het kasteel.' Hij wees. 'Die lange, schone dame is Zijne Majesteits zuster, Prinses Margaret, die weldra zal trouwen met de koning van Portugal.'
De Gratiën werden gevangengehouden door dames in het zwart, die zaken vertegenwoordigden als Gevaar, Afgunst, Onvriendelijkheid, Misprijzen en Minachting. Het publiek floot hen met genoegen uit. William Cornish, gekleed als Brandende Liefde, leidde acht edellieden naar het kasteel. 'Jeugd, Devotie, Trouw, Genot, Vrijheid en anderen!' Henry was een van die mannen, maar het publiek kon niet zien welke, omdat hun gezichten verborgen waren. De edelen eisten dat de Donkere Dames hun schone gevangenen lieten gaan. Ze weigerden en er volgde een schijnslag.
Op het geluid van geweervuur en trommels, en met opkomende rook en krijgsmuziek, poogden de Donkere Dames de galante ridders terug te drijven door rozenwater en suikergoed naar hen te gooien. Het publiek schudde van het lachen. Op hun beurt gooiden de heren dadels, sinaasappels en vruchten naar de Donkere Dames. Het publiek moedigde hen aan en applaudisseerde toen de Donkere Dames werden verslagen en vluchtten.

'Komaan! Laat ons de Gratiën bevrijden!' schreeuwde Henry, en hij beklom de treden naar een van de torens. Bovenaan kwam hij oog in oog te staan met zijn noodlot: een zeer mooie jongedame met donker haar. Hij stond stil met een scherpe ademtocht, alsof er een pijl door zijn hart ging, en staarde.

Met donkere, expressieve ogen staarde ze naar hem terug. Net als alle Gratiën was ze gekleed in lagen gaasachtig wit met een met gouddraad geborduurde borstlap. Ze droeg een piepklein goud met wit hoofddeksel waarop haar naam in goud geborduurd stond. 'Volharding?'

'Ja, sir.'

'U bent nu mijn gevangene,' zei Henry tegen haar.

Lady Volharding sloeg bescheiden haar ogen neer toen Henry haar hand pakte. Terwijl hij haar de trap af leidde, vulde de ruimte zich met een ander soort muziek: subliem... ontroerend.

Thomas Tallis had het voor deze gelegenheid gecomponeerd. Hij dirigeerde, terwijl de edellieden hun gevangen dames terug naar de begane grond leidden, waar ze zichzelf ontmaskerden en werden onthaald op een opgetogen applaus.

De koning leek zich echter niet bewust van het applaus. Hij staarde naar Lady Volharding alsof hij plotseling sprakeloos was geworden.

Toen zetten de muzikanten een statige pavane in en begonnen de dames en heren in vaste patronen te dansen, waarbij ze steeds van partner wisselden. Henry kon zijn ogen nauwelijks van Lady Volharding afhouden, maar zijn zuster Margaret drong zijn afgeschermde wereldje binnen: 'Ik moet met u praten!' zei ze dringend.

'Ik neem aan dat u al uw zaken hier afgehandeld hebt, Margaret?'

Ze antwoordde gefrustreerd: 'Ja, maar...'

Snel zei Henry: 'De koning heeft geschreven over zijn liefde voor u, zijn hevige verlangen u in levenden lijve te aanschouwen nu hij uw portret heeft gezien.' De dans dwong hen uit elkaar te gaan en Henry keek wanhopig rond, op zoek naar Lady Volharding. Zij vermeed zijn blik.

De dans bracht zijn zuster terug, dus Henry vervolgde: 'Hij heeft u een prachtig geschenk gestuurd.'

'Ik ben dankbaar. Ik zou alleen graag willen...'

Henry schudde zijn hoofd toen ze opnieuw uit elkaar werden gehaald.

Zodra ze weer bij elkaar waren, zei Margaret: 'Ik smeek u, ik bid u, als uw zuster – dwing me niet met hem te trouwen. Hij is een oude man!'

'Genoeg! Ik wil er niets meer over horen!' Henry wendde zich opzettelijk af van haar smartelijke gezicht. Zijn zoekende blik vond Lady Volharding weer, bevallig en gracieus in zwevend wit gaas. Hij bekeek haar met haviks-

ogen, terwijl ze verleidelijk dichtbij danste – en weer van hem af dwaalde. Eindelijk was ze zo dichtbij dat hij kon fluisteren: 'Wie bent u?'
Ze schonk hem een vage glimlach, danste verder, zweefde toen terug en fluisterde: 'Lady Anne Boleyn.'
Toen was ze verdwenen en kwam er een eind aan de dans.
De menigte klapte de handen stuk. Het was een laaiend succes.
Achter het Groene Kasteel zat William Cornish in een donker hoekje rustig van een drankje te genieten. Een donkere gedaante schoof naast hem: Sir Thomas Boleyn. Hij keek Cornish aan, glimlachte en liet een kleine geldbuidel in zijn hand vallen.
'Dank u, Meester Cornish. Ik ben u zeer erkentelijk.'

Eindelijk mochten de Spaanse afgezanten op audiëntie bij Koning Henry. Toen Richard Pace, de secretaris van de koning, hen langs de privévertrekken van de koningin leidde, kwam Katherine naar buiten.
'Ik weet dat u op audiëntie gaat bij de koning,' zei Katherine in het Spaans. 'Ik kon u gewoon niet laten passeren zonder u te zien.' Pace fronste, maar was onmachtig om tussenbeide te komen.
'Majesteit,' antwoordde Mendoza. 'Uw neef de keizer zendt u zijn genegenheid en filiale achting. Immer.'
'Zeg hem dat hij, als hij mij zo toegenegen is, me wat vaker moet schrijven!' zei Katherine. 'Maar het verheugt mij uit de grond van mijn hart dat u hier bent en dat er een verdrag komt.' Ze wierp een blik op de luisterende Pace, boog voorover en fluisterde: 'Hoed u alleen voor de kardinaal.'
De deuren naar de vertrekken van de koning gingen open en de kamerheer zei: 'Zijne Majesteit zal u nu ontvangen.'
Chapuys boog voor de koningin. 'Madame.'
De gezanten volgden de kamerheer langs de zwaargewapende soldaten van de koninklijke garde en betraden het audiëntievertrek, waar Henry en een aantal van zijn adellijke raadsleden, onder wie Norfolk en Derby, zaten te wachten.
Henry zat op een staatszetel onder een baldakijn van goudlaken. Weelderig gekleed, pracht en praal uitstralend, rijzig en zelfverzekerd was hij het toonbeeld van een geducht en ontzagwekkend heerser. 'Heren, ik heet u welkom in mijn koninkrijk,' zei Henry. 'Ik ben ervan overtuigd dat uw onderhandelingspogingen zullen resulteren in een succesvol verdrag. U kunt vertrouwen hebben in alles wat Kardinaal Wolsey zegt; hij spreekt over alle kwesties rechtstreeks namens mij.'
Hij vervolgde: 'Ik zou op mijn beurt de keizer gaarne uitnodigen voor een bezoek hier, zodra dat geregeld kan worden. Dat zal zowel mij als mijn

koningin een groot genoegen zijn.' Henry glimlachte ten teken dat de audiëntie ten einde was.
De afgezanten stonden op en verlieten buigend en achterwaarts lopend de ruimte.
De deuren sloten zich achter hen en Henry stond energiek op. 'Goed, ik ga op valkenjacht. Laat Brandon zich bij me voegen.' Hij beende de kamer uit.
In het park zagen Henry en Brandon met samengeknepen ogen tegen het zonlicht een duif door de lucht vliegen. Toen stortte Henry's valk zich met een snelle, meedogenloze aanval op zijn prooi. De ongelukkige vogel stortte levenloos op de grond. Een jachthond werd losgelaten om hem op te halen. Henry floot en luid klapwiekend keerde de valk terug op de handschoen van zijn meester. Henry aaide hem vol trots. 'Een juweel van een vogel,' zei hij. 'Snel, krachtig, zonder mededogen.' Hij gaf de vogel terug aan zijn valkenier, die een kap over zijn kop deed. Toen reden Henry en Brandon verder.
Henry zei tegen Brandon: 'U moet iets voor me doen, Charles.'
'Zoals u wenst, Uwe Majesteit.'
'Mijn zuster gaat trouwen met de koning van Portugal. Ik wil dat u haar en haar bruidsschat naar Lissabon vergezelt en haar in mijn naam weggeeft.'
Er viel een korte, stomverbaasde stilte. 'Waarom ik?'
'Ik moet haar daarheen sturen met iemand die ik kan vertrouwen.'
Brandon grinnikte: 'U vertrouwt mij in het gezelschap van een schone dame?'
Henry trok abrupt aan de teugels en wierp hem een hautaine blik toe. 'Met mijn zuster, ja! Natuurlijk vertrouw ik u. Waarom zou ik dat niet doen?' Hij keek Brandon boos aan en die sloeg nogal beschaamd zijn ogen neer.
Henry reed verder. Hij vervolgde: 'Hoe dan ook, u bent toch al verloofd met...? Wie was het ook alweer? Het is nauwelijks bij te houden.'
'Elizabeth Grey,' zei Brandon. 'Zij is een nicht van de Markies van Dorset.'
'Precies.'
Na een korte pauze zei Brandon: 'Ik ben vereerd door het vertrouwen dat Uwe Majesteit in mij stelt, maar er is toch nog een probleem. Ik ben niet belangrijk genoeg om de zuster van de koning – en dan ook nog de koning van Engeland – weg te geven.'
Henry glimlachte en legde een hand op zijn schouder. 'Daarom benoem ik u ook tot hertog.'
Brandons mond viel open. 'Een... een *hertog*?'
Henry genoot van de verbazing van zijn vriend. 'Ja, Uwe Excellentie! Hertog van Suffolk. Hoe klinkt u dat in de oren?' Zonder een antwoord af te wachten, galoppeerde hij lachend weg.

Brandon ging meteen Prinses Margaret zoeken. Hij hoorde dat ze met haar hofdames in de tuinen was en brood voerde aan de vissen in de vijver. Hij ontwaarde een van haar jonge bedienden die met haar rug naar hem toe bij de ingang van de tuinen stond. Hij besloop haar van achteren en streek over haar wang. Ze sprong op en bloosde toen ze zag wie het was.
'Mag ik uw meesteres zien?' vroeg Brandon met een flirtende glimlach.
'Ja, sir. Deze kant op.' Al even opgewonden als afgunstig leidde ze Brandon naar de jongere zuster van de koning, Prinses Margaret.
Met een kille uitdrukking op haar gezicht zag Margaret, die gracieus was en even rijzig als haar broer, en roodkoper haar had, Brandon naderbij komen. Ze was nog steeds furieus over dat huwelijk en nergens mee te plezieren. Zeker niet met de man die haar broer had aangewezen als zijn vertegenwoordiger. Brandon boog.
'Mijnheer Brandon. U bent nog niet benoemd tot hertog, meen ik?' Haar stem droop van sarcasme.
'Nee, madame, ik...'
Ze onderbrak hem. 'Ik zal een gezelschap van tweehonderd personen meenemen naar Portugal. Daartoe behoren mijn kamerheer, mijn kapelaan, mijn wasvrouw en al mijn hofdames.'
'Ja, madame. Ik...'
'Als er iets is wat u wilt bespreken, doet u dat dan met mijn kamerheer.'
'Ja, madame.'
Margaret wierp Brandon een laatdunkende blik toe en snoof. 'Het verbaast me dat mijn broer een man zonder blauw bloed heeft gevraagd hem te vertegenwoordigen. Zelfs Norfolk zou beter geweest zijn.'
'Ja, madame.'
Ze keek hem scherp aan. Brandons gezicht was uitdrukkingsloos. Ze snoof opnieuw.

De afgezanten hadden hun zaken afgehandeld en waren teruggekeerd naar Spanje. De publieke evenementen waren voorlopig voorbij en vanavond dineerden Katherine en Henry samen in een van de kleinere vertrekken; in een intiemere omgeving dan ze de laatste tijd gewend waren geweest.
Zonder de afleiding van tafelgasten was de sfeer akelig. Katherine was opgeleefd, vrolijker nu er een verdrag met haar neef tot stand was gekomen, en ze verheugde zich op het bezoek van de keizer.
Ze deed erg haar best. Te zeer haar best. Henry walgde ervan.
Het diner werd onderbroken door lange, ongemakkelijke stiltes.
'Zijn de afgezanten goedgeluimd vertrokken?' vroeg Katherine hem.
'Ze waren in een uitstekend humeur.'

'En komt mijn neef? We zullen wachten op berichten.'
'Wolsey zal ernaar informeren.'
Weer viel er een lange stilte. Henry kon haar nauwelijks aankijken.
Katherine boog zich naar hem toe en zei: 'Ik heb een droom gehad. En in mijn droom kwam u weer naar me toe, en ik hield u in mijn armen, en u fluisterde dat alles goed zou komen. Dat alles goed zou komen en allerlei dingen goed zouden komen.'
Henry deed net of hij het niet gehoord had.
Katherines donkere wimpers glinsterden van de tranen. Ze kende zijn twijfels. Zijn twijfels na al die huwelijksjaren.
'Henry. Lieveling. Echtgenoot...'
Hij zei niets, verroerde zich niet en zat met zijn gezicht van haar afgekeerd. Ze legde haar hand op de zijne. 'U moet me geloven. Ik heb uw broer nooit op die manier gekend. Hij was zo jong. En hij was ziek. Hij was al ziek toen we trouwden.'
Er kwam geen reactie. Ze ging verder: 'Ik was nog steeds maagd toen ik met u trouwde. Ik heb geen andere man gekend, noch ooit gewild. Ik ben de uwe, zoals u de mijne bent. Kijk, op deze bekers staat het symbool van onze verbintenis!' Ze bracht een van de bekers bij zijn ogen, zodat hij de verstrengelde letters H en K kon zien.
'Liefste echtgenoot, ik houd van u.'
Henry zei geen woord. Zodra het diner afgelopen was, struinde hij de kamer uit. Hij liep als een gekooide en woedende leeuw door de gangen van het paleis, gevolgd door zijn dienaren. Hovelingen bogen voor hem, dames maakten reverences. Zijn ogen flikkerden onverschillig, peinzend, en gingen rusteloos van de een naar de ander.
Hij kreeg een groepje jonge vrouwen in de gaten die met elkaar stonden te praten. Zijn ogen bleven hangen bij de knapste van hen, en van haar ging zijn blik naar een van zijn volgelingen. De man wist precies waar hij op doelde.
Terwijl Henry verder schreed naar zijn privévertrekken, wandelde de dienaar naar de jonge vrouw en fluisterde iets in haar oor.
Binnengekomen trok Henry zijn mantel uit, nam ongeduldig een paar grote teugen wijn en liep vervolgens naar zijn door kaarsen verlichte slaapvertrek. Hij wierp zichzelf op een staatszetel en staarde peinzend de duisternis in.
Even later doemde de jonge vrouw in de gloed van het kaarslicht op. Ze droeg slechts een dun niemendalletje. Toen ze dat losmaakte, gleed het van haar schouders op de grond.
'Wat kan ik doen om u te behagen, Majesteit?' fluisterde ze.

De tuinen van het paleis galmden van de explosies. Henry experimenteerde met buskruit. Hij laadde een haakbus, een groot geweer, terwijl zijn wapenmeester bezorgd toekeek. Wolsey stond erbij, duidelijk niet geïnteresseerd in het wapen.
'En wanneer komt hij?' vroeg Henry.
'Aan het eind van de maand,' antwoordde Wolsey.
'Zo snel?' Henry liet dit bericht even tot zich doordringen. 'Als hij bondgenoten nodig heeft voor zijn aanval op de Fransen, kan dat alleen maar betekenen dat hij van plan is op korte termijn aan te vallen.'
'Inderdaad,' beaamde Wolsey. 'De afgezanten hebben me in vertrouwen verteld dat de keizer eerst ten strijde trekt tegen de Franse bezetters in Italië. Hij maakt aanspraak op het hertogdom van Milaan.'
'En dan?' Henry tilde het zware wapen op en staarde door de loop naar het doelwit.
Wolsey vervolgde: 'En dan, wanneer hij hen uit Italië verdreven heeft, zal hij – met uw hulp – Frankrijk zelf binnenvallen.'
Henry ging er steeds opgetogener uitzien. 'U zult al onze strijdkrachten voorbereiden op een gezamenlijke invasie.' Hij richtte en vuurde, en wankelde toen achteruit door de terugslag. De knal doorboorde de stilte.
Wolsey wachtte tot de rook was opgetrokken. 'Ja, Uwe Majesteit.'
'En ik wil een nieuw oorlogsschip.' Henry overhandigde het gebruikte geweer aan zijn wapenmeester en stak zijn hand uit voor een ander.
Wolsey aarzelde. 'We hebben nog maar net de *Victory* te water gelaten, Majesteit.'
'Dan bestelt u er nog een. Een nog grotere. Wat we aan mankracht ontberen, kunnen we meer dan goedmaken met schepen. We zijn een eilandnatie. Ik wed dat wij de beste en dapperste zeelieden ter wereld hebben – en dat ik de beste vloot heb!'
'Schepen zijn duur,' waarschuwde Wolsey.
Henry liet zijn stem dalen. 'Mijn vader was een behoedzaam man. Een sluw man. Een zakenman. Hij heeft me een grote hoeveelheid geld nagelaten, Uwe Eminentie. En ik ben van plan dat te spenderen!' Hij vulde het volgende geweer met buskruit, vuurde naar een boogschuttersdoelwit en knalde dat aan stukken.
Wolsey vertrok en passeerde onderweg Sir Thomas Boleyn.
'Majesteit?' zei Sir Thomas op vragende toon. De koning had hem ontboden. Boleyn wist heel goed waarom, maar hij was niet van plan dat te laten merken.
'Ik... ik vind dat ik nalatig ben geweest,' zei de koning tegen hem. 'Ik heb u nooit mijn erkentelijkheid getoond voor al uw diplomatieke pogingen te mijnen behoeve.'

'Dat had Uwe Majesteit ook niet hoeven doen. Ik haal simpelweg voldoening uit het feit dat ik u mag dienen, in welke hoedanigheid ik me dan ook nuttig kan maken.'
Henry glimlachte, niet geheel met zijn gebruikelijke zelfvertrouwen. Hij ging op de tast verder. 'Niettemin ben ik van plan u te belonen. Het doet me deugd u te bevorderen tot Ridder in de Orde van de Kouseband. En ik benoem u tevens tot schatbewaarder van de koninklijke huishouding.'
Boleyn slaagde erin zich gepast verbaasd, zelfs deemoedig te tonen, alsof hij geen idee had waarom hem deze eer ten deel viel.
'Ik denk dat Uwe Majesteit mijn talenten hoger acht dan ik zelf.'
'Dat is aan mij om te beoordelen.' Henry friemelde aan het wapen, alsof hij niet zeker wist wat hij nu moest zeggen. Toen zei hij: 'We zullen later verder praten.' Het was een niet mis te verstaan bevel om te gaan.
Boleyn boog en liep weg. Hij was al bijna verdwenen, toen Henry hem terugriep. 'O, dat was ik nog vergeten. Uw dochter. Degene die heeft opgetreden in onze maskerade.'
'Anne?'
'Ja. Eh...' Er viel een lange stilte.
Boleyn maakte daar op diplomatieke wijze een eind aan. 'Het toeval wil dat zij binnenkort aan het hof zal komen, als hofdame van Hare Majesteit.'
Henry knikte en boog zich weer over zijn geweer, alsof het bericht hem niet interesseerde. Boleyn vertrok en Henry hief het wapen, keek door de loop en schoot op het doelwit.
Toen hij de tuinen verliet, ving Boleyn Norfolks blik op. Norfolk trok een wenkbrauw op. Boleyn glimlachte.
Zodra hij alleen was, legde de koning het wapen neer. Hij sloot zijn ogen. 'Anne,' zuchtte hij, en dat ene woord gaf uitdrukking aan al zijn opgekropte verlangen en smachten.

'En zult gij mij aldus achterlaten?
Zegt nee, zegt nee, uit beschaamdheid.
Om u te sparen van de schuld, van al mijn verdriet en gramschap?
En zult u me zo achterlaten?
Zegt nee, zegt nee.'

Thomas Wyatt, lang en knap en met donkere krullen, keek wanhopig naar het beeldschone zwartharige meisje. Ze bevonden zich in de prachtige ommuurde tuin van Hever Castle in Kent, het familiehuis van de Boleyns. De oude fruitbomen waren getooid met bloesems.

Hij lag voorover op een grote tak en ging verder met het voordragen van zijn gedicht.

'En zult gij mij aldus achterlaten
Die u zijn hart heeft geschonken
Nooit heen te gaan
Noch van pijn noch van smart
En zult u me zo verlaten?
Zegt nee, zegt nee.'

Hij keek neer op Anne, die languit op het gras lag, om het effect van zijn vers op haar te zien. Zij kauwde bedachtzaam op een zoete stengel, schijnbaar onbewogen.
Wyatt reciteerde het laatste couplet:

'En zult gij mij aldus verlaten?
En geen meelij meer hebben.
Met hem die u liefheeft?
Helaas, uw wreedheid!
En zult u me zo verlaten?
Zegt nee, zegt nee.'

Hij zweeg even. 'En... bevalt het u?' Hij sprong van de tak af en knielde naast haar neer.
Ze keek glimlachend op naar zijn gezicht. 'Moet ik iets mooi vinden wat mij van wreedheid beschuldigt?'
'U *bent* wreed, Vrouwe Anne.'
'Echt?' Haar ogen en lippen waren zo uitnodigend. Langzaam boog Wyatt zijn gezicht naar het hare toe... maar Anne draaide op het laatste moment haar hoofd weg met een klein lachje.
'U kunt geen aanspraak op mij maken, Meester Wyatt.'
'Ik heb hetzelfde recht als elke andere minnaar aan wie een vrouwenhart vrijelijk geschonken is.'
Luchtig zei ze: 'U bent een dichter. Ik ben een vrouw. Dichters en vrouwen zijn altijd vrij van hart, is het niet?'
Wyatt kreeg een ernstige uitdrukking op zijn gezicht. 'Anne.' Hij stak zijn hand uit om haar haar te strelen.
Ze trilde licht, schudde toen haar hoofd en ging rechtop zitten. 'Doe dat niet. Laat dat, Tom!'
Hij keek haar aan. 'Dus ik had gelijk?' zei hij. 'U gaat mij verlaten?'

Ze gaf hem geen antwoord, maar stond op en veegde het gras van haar rokken.
'Waarom antwoordt u me niet?'
Anne keek hem aan. 'U bent getrouwd.'
Hij rolde met zijn ogen. 'U weet dat ik ga scheiden.' Hij wierp haar een smekende blik toe.
Na een korte stilte zei Anne: 'U moet nooit meer vragen mij te zien. Belooft u dat?'
'Waarom zou ik dat doen? Als ik net ontdekt heb wat beloften waard zijn!'
Ze wendde zich van hem af.
'Is er een ander?' vroeg hij. 'Is dat het? Houdt u van een ander?'
Anne beantwoordde zijn blik. Haar prachtige ogen waren half gesloten en gevaarlijk, als die van een valk. Haar stem was koud en hard toen ze zei: 'Vraag nooit naar mij. En spreek, als uw leven u lief is, *nooit* met anderen over mij. Hebt u dat begrepen?' Ze wachtte.
Wyatt was met stomheid geslagen.
'Nooit,' herhaalde ze uiterst beslist. Toen keerde ze hem de rug toe en wandelde met rechte rug het pad af.
'Kent u dan geen mededogen, lady?' riep Wyatt haar achterna.
Ze liet niet blijken dat ze het gehoord had en liep door het hek zijn blikveld uit.

Hoofdstuk 7

’s Avonds laat werd er een brief bij Kardinaal Wolseys vertrekken bezorgd. Zijn secretaris bracht die naar hem toe. De kardinaal zat nog achter zijn bureau; hij werkte, zoals hij gewoon was, tot in de kleine uurtjes.
Wolsey keek verstoord op.
‘Uit Frankrijk,’ zei zijn secretaris.
Wolsey pakte de brief aan. Hij verwarmde het zegel boven de vlam van een kaars tot de lak zacht werd en verbrak het toen vaardig en onzichtbaar. Terwijl hij de brief las, vertrok zijn gezicht van woede.
‘Koning Francis is al op de hoogte van onze toenadering tot de keizer. Hij voelt zich verraden en woedend en uit dreigementen.’
Zijn secretaris fronste. ‘Wie heeft het hem verteld?’
De vraag bleef in de lucht hangen.

‘“Welk serpent is ooit zo boosaardig geweest om de Heilige Stad Rome ‘Babylon’ te noemen en de autoriteit van de paus ‘Tirannie’, en om de naam van onze Heilige Vader te veranderen in de ‘antichrist’?”’ Thomas More las hardop voor uit Henry’s manuscript waar de Spaanse afgezanten zo van onder de indruk waren geweest en waarin hij de ketterse Martin Luther hekelde. ‘Het is erg goed. Krachtige bewoordingen – maar goed.’
Henry straalde. ‘Echt?’
‘U zou kunnen overwegen de polemiek te temperen, een beetje maar. Hier, bijvoorbeeld, omschrijft u Luther als “dit onkruid, dit beduimelde, zieke en kwaadaardige schaap”.’
Henry fronste. ‘Het afzwakken?’
‘Om… diplomatieke redenen. Ik denk dat u wat minder vaak… moet verwijzen naar de autoriteit van de paus, want de paus is – net als u – een vorst. Er kan in de toekomst een moment komen waarop u het niet meer zo met hem eens bent.’
Henry schudde krachtig zijn hoofd. ‘Nee, nooit. Ik zweer u dat geen taal krachtig genoeg is om Luther te veroordelen, of hoffelijk genoeg om Zijne Heiligheid te prijzen.’ Zijn woorden brachten hem op een idee. ‘Sterker

nog, ik zal een duplicaat voor de paus laten maken dat u naar Rome mag brengen.'
More keek verbaasd. Hij legde het manuscript op de tafel in Henry's studeerkamer. 'Waarom ik?'
'Als er iets goeds of waars in staat, is dat aan u te danken,' gaf Henry hem te verstaan. 'Ik had dit, of wat dan ook, nooit kunnen schrijven, Sir Thomas, zonder uw begeleiding en onfeilbare oprechtheid.'
More was geraakt door dit eerbetoon. Hij was ook in de war. Hij zei: 'Waarom noemde u me zo? *Sir* Thomas?'
De koning glimlachte. 'Een ridderschap is wel het minste wat ik voor u kan doen.'
'Maar heel wat meer dan ik verdien.'
Henry wierp hem een korzelige blik toe. 'Doe nu niet zo overdreven bescheiden, Thomas. U bent geen heilige.' Hij lachte en sloeg More op zijn rug. Toen vervolgde hij: 'Ik wil dat u nog iets anders voor me doet. Zorg dat u alle kopieën van Luthers werk te pakken krijgt – en verbrand die dan.'

In mei werd Henry's boek ter verdediging van de Kerk tegen de aanvallen van Martin Luther tentoongesteld in Paul's Cross. Niet ver daarvandaan had een grote boekverbranding plaats. De werken van Luther en duizenden door hem geïnspireerde manuscripten en boeken werden vernietigd, waaronder Tyndales ketterse vertaling van de Bijbel in het Engels.
Het gebeuren werd geleid door Sir Thomas More, vergezeld door een verzameling bisschoppen en priesters. Terwijl More de boeken en manuscripten op een hoog oplaaiend vuur smeet, declameerde een prachtig geklede bisschop met een hoog geheven gouden kruis Latijnse gebeden boven de vlammen uit. Een grote menigte keek toe hoe het vuur de ketterse werken verslond. Vonken en asvlokken dwarrelden omhoog in de avondhemel.

Na maanden van gesprekken en voorbereidingen begon de Spaanse koning, keizer van het Heilige Roomse Rijk, Charles V, aan zijn staatsbezoek aan Engeland.
De hemel boven de haven van Dover schitterde van het vuurwerk, dat lichtgevende sporen van goud en zilver over de fluweelduistere lucht en het glinsterende water trok. Enorme kanonnen in Dover Castle lieten een bulderend welkomstsalvo in de haven klinken.
Kardinaal Wolsey wachtte als de vertegenwoordiger van de koning op de kade, samen met de secretaris van de koning, Richard Pace, de Hertog van Norfolk en andere raadsleden. Boven hun hoofden wapperden rijk gebor-

duurde vaandels in de wind: de Zwarte Adelaar van de keizer en de Klimmende Leeuw van Engeland.

De officiële ontvangst zou gehouden worden in de grote zaal van het kasteel. Rijen hovelingen wachtten vol ongeduld op hun eerste glimp van de keizer en staarden reikhalzend naar de open deuren en de duisternis buiten. Toen Charles V in het volle licht stapte, ontlokte dat een golf van verrassing. Gezien zijn slechts eenentwintig lentes was hij klein en totaal niet indrukwekkend om te zien, vooral niet voor een bevolking die gewend was aan haar eigen rijzige en schitterende Henry. Zelfs de Franse Koning Francis was lang, knap en goedgebouwd. Charles zag er daarentegen nogal slungelig uit, met de prominente, misvormde kaaklijn van de Habsburgers, die hij met een zwart sikje had laten begroeien. Zijn ogen waren flets en troebel, en zijn huid was lijkbleek. Toch was hij de machtigste man ter wereld, dus toen hij glimlachend en naar alle kanten buigend tussen de rijen mensen door liep, klonk er een luid applaus.

Wolsey, die genoot van deze gebeurtenis, de vrucht van al zijn noeste arbeid en voorbereiding, begeleidde de keizer in de richting van de hoge tafel, die schitterend was gedekt met gouden tafelgerei en kunstzinnig vervaardigde gouden bekers.

Plotseling kwam Richard Pace voor Wolsey staan. 'Moment, Uwe Eminentie!'

Van zijn stuk gebracht en geërgerd stond Wolsey stil en keek achterom. Er klonk geroezemoes achter in de zaal, toen een luid en opgetogen rumoer en het geluid van mensen die snel aan de kant gingen. De menigte week uiteen en ineens was daar Henry, die breed glimlachend en met grote stappen op hen af kwam lopen.

'Ik kon niet langer wachten,' vertelde Henry de keizer. 'Ik wilde meteen naar Dover komen om u te ontmoeten.'

'In dat geval ben ik oprecht zeer vereerd.' De twee vorsten omhelsden en kusten elkaar, terwijl er opnieuw een langdurig applaus weerklonk.

Henry zei: 'Vanavond zullen we eten en dansen. Morgen zult u mijn schepen zien. Kom!' Hij wuifde. 'Muziek! Laten we feesten!'

Op de zuilengalerij begonnen minstrelen te spelen. Henry liep arm in arm met de keizer naar hun zetels aan de hoge tafel, gevolgd door de andere gasten. Toen Richard Pace aanstalten maakte om te gaan zitten, kwam er een soldaat voor hem staan. 'Deze kant op.'

Perplex liep Pace met de garde de trap naar de galerij op. Daar bemerkte hij Wolsey, die, met verscheidene andere soldaten, op hem stond te wachten.

Wolsey zei: 'Mijnheer Pace, u was – ongetwijfeld – op de hoogte van dit verrassingsbezoekje van Zijne Majesteit?'

'Ja. Als zijn secretaris ben ik logischerwijze...'
Wolsey onderbrak hem. 'En u wist uiteraard van de – geheime – komst van de keizerlijke gezanten om een verdrag te sluiten met Zijne Majesteit. U spreekt tenslotte Spaans, Mijnheer Pace. Bijna net zo goed als u Frans spreekt.'
Pace fronste verward. 'Ja. Ik... ik begrijp het niet, Uwe Eminentie.'
'Ik denk dat u dat wel doet, Mijnheer Pace. Dat denk ik echt. Omdat ik denk dat u niet alleen spioneert voor mij – maar ook voor de Fransen!'
Pace werd bleek. 'Nee! Dat is niet waar!'
'U wordt ontheven van al uw functies.'
'Nee, wacht! Ik zweer u... ik zweer bij alles wat me heilig is, het is niet waar! Zijne Majesteit...'
'Het is verraad om samen te zweren tegen Zijne Majesteit,' zei Wolsey op strenge toon.
Pace zag er opeens zeer angstig uit. 'Wat zegt u?'
Maar Wolsey had alles gezegd wat hij wilde zeggen. Hij gaf een teken aan de soldaten, die Pace bij zijn armen grepen. Te verbijsterd om weerstand te bieden, werd hij via een privédeur de kamer uit geleid.

Richard Pace betrad de Tower van Londen via de Traitor's Gate op een donkere en troosteloze dag. Hij zat ineengedoken en verdoofd in een boot. Hij kon nog steeds niet geloven wat er gebeurd was. Het was een droom, vast en zeker – een nachtmerrie.
Een stem schreeuwde: 'Gevangene naar de trap! Gevangene naar de trap!' Rauwe stemmen schreeuwden bevelen. Ruwe handen trokken hem uit de boot. Hij struikelde toen hij door zijn ketenen vooruit werd getrokken.
Hij staarde de konstabel van de Tower aan. 'Ik ben een onschuldig man. Ik weet niet waarom ik hierheen ben gebracht.'
Dat had de konstabel al zo vaak gehoord. Hij knikte in de richting van de trap en Pace werd de treden naar de Tower op gesleept.
Pace draaide zijn hoofd om en schreeuwde: 'Ik ben onschuldig!'
Onaangedaan spuugde de konstabel in de rivier. 'Doe die uit,' zei hij, en met een sissend geluid werden de brandende toortsen gedoofd in het vieze water van de Theems.
Pace werd in een bedompte, donkere cel geworpen. De deur sloeg achter hem dicht. Hij hoorde de wachters wegmarcheren. Hij was alleen – zo alleen als hij nog nooit in zijn leven was geweest.
Uitgeput liet hij zich tegen de muur neervallen. Die was vochtig. Hij bevond zich zo dicht bij het water dat hij het tegen de muur buiten hoorde klotsen.

Hij keek om zich heen. Er was slechts een kaarsstompje; lang zou dat niet meer branden. Er was nauwelijks meubilair, alleen een knoestige bank en wat smerig stro op de vloer.
Onder zijn van afschuw vervulde ogen begon die vloer te bewegen. Voorzichtig duwde hij met zijn voet tegen het stro en toen barstte er een rattennest open. Overal renden ratten: over zijn voeten, omhoog over zijn benen.
Hij krijste van afgrijzen en walging – hij verfoeide ratten. Hij rende naar de deur en begon er uit alle macht op te bonken. 'Het was Wolsey! Niet ik! Het was Wolsey!'
Piepende ratten krioelden om hem heen. Hij zette alles op alles en trommelde met beide vuisten op de deur, schreeuwend: 'Luister naar me! Wolsey is degene die een toelage van de Fransen krijgt! Vraag het hem! Vraag het hem! Ik niet! Ik heb niets gedaan! Ik ben onschuldig! Het was Wolsey!'
Hij beukte op de deur tot zijn handen bloedden en nog steeds ging hij door, kon hij niet stoppen. 'Het was Wolsey! Wolsey. Wolsey,' snikte hij. 'Hij heeft het hun verteld! Wolsey heeft het verteld. Luister naar me! Het was Wolsey...'
Zijn doodsbange stem dreef weg over het koude, stille water van de rivier... en werd niet gehoord.

'Kom op, wat staat u hier nou?' Een jonge hoveling greep Thomas Tallis opgewonden bij diens arm. Andere jonge mannen haastten zich langs hen heen. 'De nieuwe hofdames van de koningin zijn gearriveerd. Kom mee!'
De jonge hoveling trok Tallis met zich mee en ze voegden zich bij het op hol geslagen groepje jongemannen dat door de gangen in de richting van de privévertrekken van de koningin trok.
Ze waren net op tijd om een glimp op te vangen van ongeveer twintig jongedames die onder begeleiding van de ontzagwekkend ogende Sir Ashley Gross op weg waren naar de vertrekken van Koningin Katherine. Eén blik vanonder Sir Ashleys borstelige wenkbrauwen was genoeg om de jongemannen aan de grond vast te nagelen.
Zijn angstaanjagende uiterlijk weerhield hen er echter niet van te proberen de blikken van de jongedames te vangen – een of twee brutale kerels maakten zelfs vulgaire gebaren naar hen.
Tallis was in verlegenheid gebracht door het hele gebeuren. Toen viel zijn oog op een jongedame die hij al eens eerder had gezien, een donkerharige dame met donkere ogen. Fronsend probeerde hij haar thuis te brengen.
Het kostte hem enige tijd om zich te herinneren waar het was, maar uiteindelijk schoot het hem te binnen: hij had haar voor het eerst gezien in

Frankrijk, in het Paleis der Illusies. Haar zuster was een tijdje de maîtresse van de koning geweest. En onlangs nog had ze een rol gespeeld in het stuk voor de Spaanse ambassadeurs waaraan hij had gewerkt. Lady Minachting? Nee, Lady Volharding.
Eindelijk schoot de naam hem te binnen: Vrouwe Anne Boleyn.

'Welnu, Charles, hebt u ooit zo'n monster gezien?' Koning Henry leidde Keizer Charles V naar een grote, lege ruimte in het paleis. Ze waren net gearriveerd in Londen en Charles moest zijn tante, Koningin Katherine, nog begroeten, maar Henry wilde zó graag dat de keizer eerst zijn wonder zag dat hij een omweg had gemaakt.
Charles staarde met open mond en zei toen zachtjes in het Spaans: 'Mijn God!' Hij kwam naderbij. 'Wat is dat?'
Henry glom van plezier omdat de keizer zo onder de indruk was. 'Het is een Cannon-Royal met een kaliber van 215 mm, dat kogels van zeventig pond kan afvuren. Er is op de hele wereld geen kanon dat hiermee te vergelijken is.' Hij legde een hand op de massieve loop. 'Ik laat eenennegentig van deze kanonnen op mijn vlaggenschip, de *Mary Rose*, zetten. Het wordt momenteel herbouwd, waardoor het gewicht wordt vergroot van vijfhonderd naar zevenhonderd ton.'
Charles schudde vol verbazing zijn hoofd. 'Ik ben een keizer, maar ik... ik heb zoiets niet.'
'U hebt enorme legers!' zei Henry. 'Samen zullen we onoverwinnelijk zijn. Hoe zouden de Fransen ons het hoofd kunnen bieden?'
Charles knikte bedachtzaam. Hij had al een rondleiding gehad langs de Engelse oorlogsvloot in Dover en het goed uitgeruste oorlogsschip de *Henry Grâce à Dieu* geïnspecteerd. En nu weer zo'n oorlogsschip gewapend met eenennegentig van dit soort kanonnen. Hij zei tegen Henry: 'Met u aan mijn zijde is er geen grenslijn of grensgebied of wereld die we niet zouden kunnen veroveren.'
'Die is er inderdaad niet,' beaamde Henry.
'Weet u, u en ik zijn onlosmakelijk met elkaar verbonden,' merkte Charles op. 'Aangezien u bent getrouwd met mijn moeders zuster, bent u in feite mijn oom.'
'Het is een verwantschap die mij plezier en genoegen schenkt, neef,' antwoordde Henry. Ze lachten en toen de deuren naar Katherines privévertrekken voor hen opengingen, wandelden ze een lieftallige menigte in: de nieuwste hofdames van de koningin, die zich verzameld hadden in haar zijvertrekken.
Henry's ogen schoten heen en weer over de dames, die allen in een diepe

reverence verzonken zaten. Hij zag Anne Boleyn niet, hoewel hij wist dat ze erbij moest zijn. Hij had haar naam op de lijst zien staan.
Hij gebaarde naar Charles. 'Gaat u verder, Uwe Hoogheid: uw tante wacht op u!'
Charles boog en liep verder door de deuren. Henry's ogen keerden terug naar de hofdames, op zoek naar slechts één gezicht. Hij ontdekte Anne vlak voor ze zich omdraaide om samen met de anderen Charles naar binnen te volgen.
Charles zag dat zijn tante, de koningin, op hem stond te wachten. Hoewel ze ietwat mollig en matroneachtig was, zag ze er, gekleed in goud afgezet met hermelijn en met parelsnoeren om haar hals, nog steeds stralend uit. Glimlachend liep de Heilige Roomse Keizer naar haar toe, viel zonder waarschuwing voor haar neer op zijn knieën en zei: 'Majesteit, ik vraag om uw zegen, als een neef aan een tante.'
Katherine, bij wie de tranen in de ogen waren gesprongen vanwege dit eerbetoon, stak hem haar hand toe zodat hij die kon kussen, tilde hem vervolgens zachtjes overeind en kuste hem op de wangen. 'Ik schenk u volmondig mijn zegen, mijn lieve Charles, net zoals ik u mijn genegenheid schenk.'
'Uwe Hoogheid,' zei Katherine, 'staat u mij toe u voor te stellen aan mijn dochter Mary, uw toekomstige bruid.' De negenjarige Mary Tudor kwam naar voren en maakte een prachtige reverence.
'Bravo.' Charles klapte in zijn handen. 'Kom!' Hij wenkte haar naderbij. Hij knielde voor haar neer, kuste haar op de wangen en keek haar plechtig aan. 'Wij moeten wachten. Met trouwen, bedoel ik. Denkt u dat u daarvoor het geduld kunt opbrengen?'
Mary knikte ijverig. 'Ik heb een geschenk voor Uwe Hoogheid. Wilt u het zien?'
'Ik ben dol op geschenken,' zei Charles tegen haar. 'Laat maar zien!'
Mary pakte zijn hand, trok hem mee naar het raam en wees. 'Daar!' zei ze. 'Kijk daar!'
Charles keek op de binnenplaats en zag zes prachtige paarden paraderen. 'Zijn die voor mij?' vroeg hij.
Mary knikte. 'En ik heb ook nog een paar haviken voor u,' vertrouwde ze hem toe. 'Bent u blij met mijn geschenken?'
'Het zijn de mooiste geschenken die ik ooit heb gekregen! Dank u, Uwe Hoogheid.' Hij glimlachte naar het meisje, dat tevreden straalde.
Er werd een ontvangst gehouden met muziek, een feestmaal en, later op de avond, een bal. De tafels kreunden onder het gewicht van al het kunstzinnig vervaardigde gouden tafelgerei en de enorme schalen met eten.

Kaarslicht weerspiegelde op de vele juwelen en de met goud- en zilverdraad geborduurde kleding van de dames en heren en de weelderige wandtapijten. Op de zuilengalerij bespeelden musici blokfluit en luit, trompet en trombone, virginaal en harp. Veel van de stukken die ze speelden had Henry gecomponeerd.

Henry en Charles zaten met Katherine en Prinses Mary aan de hoge tafel, waar ze de meest verfijnde delicatessen kregen voorgeschoteld door een knielende Hertog van Norfolk en andere vooraanstaande edellieden.

'Zodra het mogelijk is, moet u beiden een bezoek aan mij komen brengen,' zei Charles tegen Henry en Katherine. 'Ik wil u vooral de schatten van Montezuma, de koning van de Inca's, laten zien die Generaal Cortés onlangs in Mexico heeft gevonden.'

'Dat zouden we geweldig vinden,' zei Henry tegen hem. 'We hebben nog maar weinig gehoord over dat gebied aan de andere kant van de zee dat Indië wordt genoemd.'

'Ik zeg u, daar ligt de toekomst,' zei Charles. 'Zo veel onontdekt land. Een schat aan goud en zilver, zout en mineralen.'

Charles vertelde over een aantal wonderen uit deze nieuwe wereld en Henry luisterde gefascineerd naar zijn beschrijvingen. Toen hij terloops opkeek, zag hij Anne Boleyn; ze stond maar een paar meter van hem vandaan met haar vader te praten en besteedde geen enkele aandacht aan Henry.

Zijn hart stokte. Een paar seconden lang zag hij niets anders dan haar.

Katherine, die een blik op haar echtgenoot wierp, zag zijn gezichtsuitdrukking. Ze zag hem kijken terwijl Anne in antwoord op iets wat haar vader gezegd had knikte en vervolgens gracieus wegliep. Pas toen ze tussen een groepje vrouwen was verdwenen, kwam Henry weer tot zichzelf.

Henry zag Katherine naar hem staren en Charles vorsend voor zich uit kijken. Hij glimlachte en legde zijn hand op die van Katherine. 'Lieveling,' mompelde hij. Ze probeerde haar hand weg te trekken, maar hij hield hem stevig vast en ging glimlachend over op een ander gespreksonderwerp: de oorlog. 'Hoe staat het met uw voorbereidingen?' vroeg hij aan Charles.

'We zijn meer Duitse huursoldaten aan het rekruteren. Maar alles gaat goed. Tegen het komende voorjaar zal ik Milaan innemen.'

'En dan?' vroeg Henry, terwijl hij de hand van zijn echtgenote losliet.

'En dan,' zei Charles, 'zullen we samen Frankrijk binnenvallen en een eind maken aan de avonturen van die losbandige monarch, Koning Francis.'

Henry grinnikte. 'Dat zal me erg veel deugd doen.'

'Het zal u ook koning van Frankrijk maken!' zei Charles tegen hem.

Henry genoot van de gedachte.

De muzikanten begonnen dansmuziek te spelen. Charles glimlachte even

naar Prinses Mary en vroeg aan haar: 'Wilt u dansen, Uwe Hoogheid?' En hij voegde eraan toe, tegen Henry: 'Als Uwe Majesteit het toestaat?'
Henry wuifde hoffelijk. Onder luid applaus leidde de keizer zijn kleine toekomstige bruid naar de dansvloer.
Al snel volgde Henry hem met zijn zuster, Prinses Margaret, die de gelegenheid te baat nam om haar ongenoegen over het huwelijk dat hij voor haar geregeld had bij haar broer te spuien.
'Ik heb gehoord dat hij ook jicht heeft,' siste ze toen ze samenkwamen tijdens de dans. 'Ze zeggen dat zijn ruggengraat vergroeid is. Hij loopt als een krab.'
Maar net als tijdens de nacht van het schouwspel was Henry niet geïnteresseerd in zijn zusters zielenroerselen. Hij kon alleen maar aan Anne Boleyn denken. Zijn ogen dwaalden over de dansvloer, op zoek naar een glimp van de ongrijpbare Vrouwe Boleyn.
Margaret vatte zijn verstrooidheid op als een koppige weigering naar haar te luisteren. 'Goed,' zei ze ten slotte. 'Beloof me iets. Ik stem erin toe met hem te trouwen… maar op één voorwaarde: dat ik na zijn dood – die niet lang op zich zal laten wachten – mag trouwen met wie ik wil!'
Henry, die geïrriteerd was, knikte en Margaret was tevreden. Ze dansten verder.
Katherine zat aan de hoge tafel te kijken hoe haar kleine dochter met Charles danste – een hilarisch, maar toch ontroerend gezicht.
Na afloop van de dans verscheen Anne Boleyn naast haar; ze maakte een reverence toen ze het laatste gerecht van tafel haalde. 'Madame.'
Een moment lang staarde Katherine haar aan; ze bekeek de knappe jonge vrouw met een soort oneindige droefheid. Toen wuifde ze haar weg.
Anne koos opzettelijk een terugweg die geblokkeerd werd door Henry. Terwijl ze zedig haar ogen neersloeg, maakte ze opnieuw een reverence.
'Lady Anne?' zei Henry.
'Ja, Uwe Majesteit.'
Hij staarde haar alleen maar aan en zei niets. Ze keek omhoog en ontmoette zijn blik. Zijn ogen verloren zich in de hare. Na een lange stilte mompelde Henry 'Vergeef me', en hij stapte opzij om haar te laten passeren.
Thomas Boleyn had de korte ontmoeting met voldoening gadegeslagen.
Koningin Katherine had het ook gezien – vol bittere smart. Ooit had de koning haar op die manier aangestaard. Ze boog zich naar haar neef Charles en zei zacht: 'Het verheugt mij zo u te zien. Het is hier vaak zo eenzaam.'
Charles keek haar verbaasd aan. 'Eenzaam?'
Katherine zei: 'Het gaat niet zo goed tussen Zijne Majesteit en mij.'

Charles fronste. 'Maar ik heb met eigen ogen gezien hoe voorkomend hij naar u toe is. Hij keek u met zo veel devotie aan, het leek zo liefdevol.'
'Ik vrees dat hij dat voor u deed. Henry is een goede toneelspeler.' Zwijgend probeerde ze vervolgens haar emoties de baas te worden. Uiteindelijk zei ze: 'Soms ben ik bang dat hij om een echtscheiding zal vragen.'
'Een *echtscheiding*?' riep Charles uit. 'Nee, dat is onmogelijk!'
'Is dat zo?' zei Katherine droevig. 'Hij heeft nog steeds de troonopvolger niet naar wie hij zo vurig verlangt, maar toch heeft hij al bijna twee jaar mijn bed niet bezocht.'
Geschokt staarde Charles haar aan.

Die nacht droomde Henry van Anne... Hij achtervolgde haar, joeg haar achterna door de kamers en duistere gangen van het paleis, terwijl hij af en toe een glimp opving van een bleke huid en donker haar, of de beweging van een om een hoek verdwijnende rok. Zijn bloed suisde terwijl hij achter haar aan beende. Hij was de jager; Anne was zijn prooi; zijn verrukkelijke, donkerharige konijntje.
Eindelijk was ze in een hoek van een duistere kamer gedreven. Hijgend liet ze zich onderdanig op de vloer zakken, haar bleke nek blootgesteld aan zijn starende ogen. Hij boog voorover en tilde haar zachtjes op. Ze was zo dichtbij dat hij de geur van haar huid kon opsnuiven, haar zachte warme adem kon voelen, de roze lippen die ze zenuwachtig met haar tong bevochtigde bijna kon proeven.
'Bent u bereid?' vroeg hij.
Ze glimlachte, maar schudde haar hoofd. 'Nee,' zei ze, en haar stem was zacht en zoet, als wilde honing. 'Niet op deze manier.'
'Hoe dan?' vroeg Henry haar.
'Verleid me... schrijf brieven aan me. En gedichten. Betover me met uw woorden. *Verleid me*.' En toen was ze verdwenen.
Henry slaakte een gekwelde kreet en zat rechtop in bed. Hij wekte zelfs de kamerheer die aan het voeteneinde van zijn bed sliep. Die sprong op en greep naar zijn zwaard. 'Majesteit! Wat is er?'
'Het was maar een droom,' zei Henry hem. Maar hij wist nu wat hij moest doen.

Het moment was gekomen om het nieuwe verdrag tussen Spanje en Engeland te ondertekenen in het bijzijn van getuigen. De vooraanstaande edellieden van het koninkrijk hadden zich verzameld om de gelegenheid bij te wonen. Brandon zat bij zijn vrienden en Boleyn bij de zijne.
Op een verhoging zaten de twee koningen, Koningin Katherine en Prinses

Mary. Wolsey toonde het nieuwe verdrag aan de Hoogheden met de woorden: 'Het is aan Uwe Majesteiten dit verdrag van uw onderlinge eeuwigdurende vriendschap en eendracht te tekenen, en in het bijzijn van deze getuigen de verloving van Charles, de Heilige Roomse Keizer, met Hare Hoogheid Prinses Mary, wanneer zij de leeftijd van twaalf jaren bereikt, te bezegelen.'
Hij zweeg even en vervolgde toen: 'Ik zeg u opnieuw, als pauselijk gezant en kanselier van Engeland, dat u dit verdrag van vriendschap over en weer moet tekenen en nooit verbreken, zo helpe u God.'
Henry en Charles tekenden het document en brachten hun zegels erop aan. Toen omhelsden ze elkaar onder luid applaus.
Naderhand boog Charles voor Katherine en kuste haar hand. Hij fluisterde: 'Ik beloof u mijn eer en mijn trouw. U moet mij altijd vertrouwen. Altijd.' Hij keek haar recht in de ogen.
Terwijl het gezelschap uit elkaar viel, keek Henry ietwat onzeker om zich heen en nam toen Wolsey apart. 'Waar is Mijnheer Pace?' vroeg hij aan Wolsey. 'Hij had hier moeten zijn.'
'Majesteit, ik heb helaas ontdekt dat Mijnheer Pace het vertrouwen van Uwe Majesteit beschaamd heeft. Dus ik heb hem ontheven uit zijn functie.'
Henry wierp hem een verbaasde blik toe. 'Bent u daar zeker van?'
'De Fransen betaalden hem een toelage.'
Henry keek ontzet. 'Juist ja.' Even later zei hij: 'Ik vertrouw erop dat u een geschikte vervanger voor me zult vinden.'
Wolsey boog en Henry liep weg. Hij passeerde de Hertog van Norfolk, die wachtte tot de koning hem voorbij was voordat hij Thomas Boleyn apart nam. Hij mompelde tegen Boleyn: 'En? Hoe staat het met onze zaken?'
'Die verlopen zeer voorspoedig, Uwe Excellentie,' deelde Boleyn hem mee. 'De koning toont geen openlijke belangstelling... maar het valt te bespeuren in de manier waarop hij naar haar kijkt – alsof hij haar, in gedachten, naakt kan zien.'
Norfolk knikte. Hij staarde naar Wolsey, die iets verderop stond. 'Maar wanneer kunnen we ons ontdoen van die ondraaglijke prelaat?'
Boleyn volgde zijn blik. 'Alles op zijn tijd. Het een volgt op het ander.' Hij aarzelde, knikte in de richting van Brandon en suggereerde toen zachtjes: 'Misschien is het een goed idee om de Hertog van Suffolk bij onze plannen te betrekken.'
Norfolk was ontsteld. 'Hertog? Hij is nauwelijks een heer.'
'Hij is de beste vriend van de koning,' bracht Boleyn zijn verwant in herinnering. 'En ik geloof dat hij Wolsey net zo haat als wij. Hij zou een natuurlijke bondgenoot zijn... tenminste voor een tijdje!' Hij glimlachte.

Na het ondertekenen van het verdrag was er een steekspel, dat 's avonds werd gevolgd door vuurwerk en schouwspelen, een feestmaaltijd en een bal. De koning, vermoeid maar uitbundig na een succesvolle dag op het toernooiveld, stond lachend en pratend bij zijn vrienden, terwijl de muzikanten hun vrolijkste deuntjes speelden en mensen dansten, en zich het eten en de drank goed lieten smaken.
Te midden van al het rumoer en gekrioel merkte Henry opeens een man op die rustig stond te wachten tot Henry hem in het oog zou krijgen. Henry liep enthousiast naar hem toe en dirigeerde hem vervolgens naar een voorkamer. 'En, goudsmid,' zei hij toen ze alleen waren. 'Hebt u die stukken waar ik om gevraagd heb?'
De goudsmid boog. 'Ja, Uwe Majesteit.' Heel voorzichtig haalde hij een stuk fluweel tevoorschijn en vouwde dat op een tafel open. Daar lagen vier prachtige gouden broches. De eerste was van Venus met cupidootjes. De tweede was van een dame die een hart in haar handen droeg. De derde broche verbeeldde een edelman die op de schoot van een dame lag. En de laatste een dame die een kroon in haar handen hield.

Hoofdstuk 8

'Zijne Heiligheid uitte zijn verbazing over het feit dat u tijd had gevonden het pamflet te schrijven. Hij kent geen andere koning die zoiets zou doen, of zelfs zou kúnnen doen.' Sir Thomas More was zojuist teruggekeerd van zijn reis naar Rome en had zich meteen naar de privévertrekken van de koning begeven om hem op de hoogte te brengen van al het nieuws.

Henry was verrukt. 'Is dat echt zo?'

More knikte. 'Inderdaad. En dat is niet alles. Om blijk te geven van zijn erkentelijkheid jegens u, heeft de paus besloten u een nieuwe titel te schenken. Sterker nog, hij geeft u drie keuzes: Zeereerwaarde Rechtgelovige, Angeliek of Defensor fidei.'

'Defensor fidei bevalt me wel: Verdediger van het Geloof. Het is een eer.' Henry was duidelijk geraakt.

'Het zal u per pauselijke bul worden uitgereikt. Eh... Uwe Majesteit moet weten dat Martin Luther ook gereageerd heeft op uw werk.'

Henry's ogen versmalden zich. 'Wat heeft hij gezegd?'

'Hij beschuldigde u van tekeergaan "als een lichtekooi in een vlaag van razernij".'

Henry keek ontzet. '*Wat*? Heeft *hij* dat gezegd, over *mij*?'

'Ik weet het. Luister naar wat hij nog meer zegt.' More haalde Luthers pamflet tevoorschijn en las eruit voor. '"Als de Koning van Engeland zichzelf het recht toe-eigent om onwaarheden te spuien, geeft hij mij het recht die weer terug in zijn strot te duwen."' Hij zweeg. 'En zo gaat hij nog wel even door.'

'Hoe durft hij! Dus ik spui onwaarheden? Als een lichtekooi in een vlaag van razernij?' Henry pakte een groot bord op en smeet het door de kamer. Toen het in honderden stukjes brak, schreeuwde hij: 'Hij zou *verbrand* moeten worden! *Verbrand!*'

Henry zat erg in zijn maag met de kwestie Anne Boleyn. Nog nooit had een vrouw hem zo geraakt – het leek wel of hij niet eens bij haar in de

buurt kon komen. Als een van de hofdames van de koningin zou ze in de buurt en bij de hand moeten zijn, maar in plaats daarvan was ze op een vreemde manier ongrijpbaar.
Zelfs in de kerk, waar ze als dienares van de koningin naartoe kwam, kon of wilde ze niet naar hem kijken. Na weken van gestolen blikken, opgevangen glimpen en één of twee woorden in het openbaar stond Henry op springen.
Hij had haar de broches gestuurd. Hij had haar die eerst een voor een willen sturen, als een zich ontrollend relaas. *Verleid me*, had ze in de droom gezegd.
Maar hij was ongeduldig geworden en had ze allemaal tegelijk gestuurd, prachtig verpakt in goudlaken en met de instructies aan zijn dienaar ze discreet te overhandigen aan de dame wanneer zij alleen was. En nog steeds had hij niets van haar gehoord. Tot dusver geen woord, geen teken dat ze blij was met het geschenk.
Hij kon zich nergens toe zetten. Zelfs de jacht boeide hem niet meer. Anne Boleyn: hij ijsbeerde door zijn privévertrekken als een gekooide leeuw, niet in staat aan iets anders te denken of iets anders te doen.
De deur ging open en de kamerheer verscheen. 'Uwe Majesteit, Lady Anne...'
Henry draaide zich snel om, zijn hart sloeg over.
'Lady Anne Clifford,' maakte de kamerheer zijn zin af. Een jonge vrouw met rode konen kwam binnen en maakte een reverence. Ze droeg een pakketje van gevouwen goudlaken.
'Wat is dat?' vroeg Henry fronsend.
'Uwe Majesteit.' Verlegen overhandigde ze de koning het pakketje, sloeg toen haar ogen neer en zweeg.
Met een nors gebaar zond Henry haar weg. Hij vouwde de stof open in de wetenschap wat hij zou aantreffen: de vier gouden broches die hij had laten maken voor Anne.
Er zat ook een brief in. Hij scheurde hem open en liep naar het raam om hem beter te kunnen lezen.

Uwe Koninklijke Hoogheid,
Het doet mij veel pijn en verdriet de geschenken die u mij heeft gegeven terug te sturen. Helaas, ze zijn te mooi, en ik ben onwaardig ze te ontvangen. Ik denk dat ik Uwe Majesteit nooit reden heb gegeven ze mij te schenken, aangezien ik niets ben en u alles zijt. Geef ze, bid ik u, aan een dame die de genegenheid van Uwe Majesteit meer verdient.

Henry's hand trilde licht tijdens het lezen.

> *Ik vertrek nu naar het huis van mijn familie in Hever. Ik zal tijdens de reis erheen aan u denken.*
> *Uw liefhebbende dienares, Anne Boleyn.*

Henry las het laatste stuk opnieuw, hardop: '"Uw liefhebbende dienares, Anne Boleyn."' Hij staarde naar haar handschrift en streek met zijn vingertop zachtjes over haar naam.
Toen haalde hij zijn schrijfgerei tevoorschijn. *Verleid me met uw woorden*, had ze in zijn droom gezegd.

Anne Boleyn zat in een gezellig hoekje in de keukens van Hever Castle. Het was het warmste plekje in het huis; er brandde een enorme open haard en rijen ovens straalden warmte uit.
Ze las de brief hardop voor aan haar broer George: '"Het stemde me droef dat u mijn broches niet wilde accepteren. Ze waren voor u vervaardigd, niet voor een ander. En waarom bent u onwaardig als ik u wel zo acht? Het moet u nu ongetwijfeld duidelijk zijn dat ik verlang naar een plek in uw hart..."'
'Wacht! Geef hem aan mij!' George, die een paar jaar ouder was dan Anne, probeerde de brief te pakken te krijgen.
Anne trok hem met een ruk buiten zijn bereik, maar liet zich toen lachend vermurwen en gaf hem de brief.
George las verder: '"... een plek in uw hart en uw diepgaande genegenheid."' Hij keek op naar Anne. '"Diepgaande genegenheid"?'
Hij floot waarderend en ging verder met lezen: '"Zeg me dan ten minste dat we elkaar in het geheim kunnen ontmoeten. Ik doel op niets meer dan een kans om met u te praten."' Vals trok hij een wenkbrauw op. '"Ik smeek u, kom terug naar het paleis. Snel. En neem nu alvast dit nieuwe geschenk aan... en draag het, voor mij."'
Hij keek weer naar Anne. 'Welk geschenk? En waar is het?'
Met een gracieus handgebaar wees Anne naar haar hals. Daar hing een dubbel parelsnoer met een klein massief gouden kruisje ingelegd met een diamant.
George Boleyn staarde ernaar. 'Allejezus!'

In de haven van Dover waren stoere zeelui en paleisbedienden in livrei bezig de zware eiken kisten met koperbeslag waarin de kleding van Prinses Margaret en haar bruidsschat verpakt zaten op het schip te laden dat haar naar Portugal zou brengen.

De oogleden van de prinses waren gezwollen van het huilen. Ze had haar broer Henry in Londen vaarwel gezegd en hem herinnerd aan zijn belofte dat ze, de volgende keer dat ze trouwde, zelf haar echtgenoot mocht kiezen. Hij had het niet bevestigd; hij had haar slechts gemaand haar plicht te vervullen en haar nieuwe echtgenoot te beminnen. Alleen de ontmoeting met hem zag ze al met angst en beven tegemoet. Ze was nog steeds boos op Henry.
Ze was ook boos op Brandon. Hij had de koning beloofd voor Margaret te zorgen alsof ze zijn eigen zuster was.
Brandon bood haar zijn arm om haar het schip op te vergezellen. Ze accepteerde die met arrogante minachtig.
'Hier is uw passagiershut,' zei hij tegen haar. 'Ik hoop dat die de goedkeuring van Uwe Hoogheid kan wegdragen.'
Hij was groot voor een scheepshut en had een prachtige houten lambrisering en mooi meubilair, dat weelderig was versierd. Margaret bekeek hem oppervlakkig. 'Hij voldoet,' zei ze onverschillig.
'De bedden zijn smal, maar adequaat,' zei Brandon. 'En als we tot actie moeten overgaan, zullen al die panelen verwijderd worden.'
Ze keek hem aan. 'Actie?'
'Als we worden aangevallen,' zei hij nuchter.
'Wie zal ons aanvallen?'
'Piraten,' deelde Brandon haar met onbewogen gezicht mee.
Opeens had de prinses zijn spelletje door. Bits zei ze: 'Mij lijkt het dat we meer te vrezen hebben van een aantal piraten dat al aan boord is, Uwe Excellentie!' Ze keerde hem haar rug toe en begon haar dames bevelen te geven.
Hij drentelde weg; een lichte glimlach op zijn lippen.

Die nacht lag Margaret in de smalle kooi naast haar hut, die vaag verlicht werd door een schommelende lantaarn. Ze had moeite de slaap te vatten. Het schip stampte en rolde langzaam op de deining en het gekraak van de houten latten was uiterst storend.
Door het dunne tussenschot dat haar passagiershut scheidde van de kapiteinshut hoorde ze mannenstemmen, gelach en het klinken van kroezen: een andere wereld. Ze lag in haar kooi en luisterde.
Ze kon de kapitein, twee van diens officieren en Brandon horen. Vooral Brandons stem was zeer duidelijk. De mannen speelden kaart, gokkend en drinkend en lachend.
Margaret luisterde, terwijl ze wezenloos naar de betimmerde wand staarde die hen scheidde en het allemaal in gedachten voor zich zag. Opeens ont-

dekte ze een klein gaatje in de houten wand. Misschien kon ze erdoor kijken? Haar nieuwsgierigheid won het.
Ze staarde door het gat. Ze kon niet de hele ruimte zien, maar wel Brandon en de kapitein die zaten te spelen.
De kapitein gooide een kaart op. 'Alstublieft, Uwe Excellentie. Mijn koning heeft uw koningin.'
Het was even stil. Toen haalde Brandon zijn schouders op en zei: 'Ik hoop te eerlijk gezegd dat de boer de koningin zou krijgen, kapitein.'
De mannen lachten, maar Brandon tilde zijn hoofd op en keek recht naar de wand, alsof hij op de een of andere manier wist dat Margaret hem van de andere kant bekeek.
Ze sprong achteruit; haar wangen waren rood van schaamte.

Kardinaal Wolsey peinsde over de vraag wie Richard Pace moest vervangen. Zijn oog viel op een klerk die ijverig achter zijn bureau aan het werken was en cijferlijsten schreef.
Thomas Cromwell. Wolsey had hem enige tijd geleden al in dienst genomen. Hard werkend, zacht sprekend, jong – in de dertig – en zowel intelligent als subtiel scherpzinnig; hij zou wel eens de man kunnen zijn naar wie Wolsey op zoek was.
'Mijnheer Cromwell!' zei Wolsey.
Cromwell keek op van zijn werk. 'Eminentie?'
'Mij zijn uw talenten voor het werk en uw ijver bij het uitvoeren van mijn zaken al enige tijd opgevallen... evenals uw discretie.'
Nederig zei Cromwell: 'Ik ben Uwe Eminentie erkentelijk.'
'U stamt uit een onopvallend geslacht,' zei Wolsey, 'maar goed, dat geldt ook voor mij. Dat zou men u niet mogen aanrekenen.' Hij pauzeerde en maakte een afweging. 'Ik ga u wellicht een voorstel doen.'
'Dank u, Uwe Eminentie.'
Wolsey keek op zijn klok. 'De koning wacht op mij. We zullen er later over praten.' Hij vertrok, zich bewust van Cromwells ogen in zijn rug.

'Naar de regels van het verdrag met de keizer zijn wij verplicht zijn oorlogspoging financieel te steunen. Momenteel strijden zijn legers tegen de Fransen in Italië. In de buurt van Milaan.' Wolsey wierp een blik op de koning, die door de kamer ijsbeerde en geen belangstelling toonde. 'Helaas heb ik berekend dat wij, om aan die verplichtingen te voldoen, genoodzaakt zijn de belastingen te verhogen.'
Belastingen waren altijd al een gevoelig onderwerp voor Henry geweest, maar hij reageerde nog steeds niet. Wolsey ging verder: 'Bij de volgen-

de zitting van het parlement zal een wetsvoorstel worden ingediend.'
Henry knikte afwezig. 'Goed. Goed.'
'Ik vertrouw erop dat het wetsvoorstel wordt aangenomen.'
Henry zei: 'Ik weet zeker, Uwe Eminentie, dat dit met uw leidende hand zal gebeuren.'
'Ons bondgenootschap met de keizer is in ieder geval populair. Soms vraag ik me af waarom dat zo is.'
Henry keek hem aan. 'Omdat hij niet Frans is!' Henry lachte niet eens om zijn eigen grap. Hij zette zich weer rusteloos in beweging.
Wolsey gooide het over een andere boeg. 'Het nieuwe oorlogsschip wordt vervaardigd in Portsmouth.' Maar zelfs dit kon de koning niet boeien. Hij beende verveeld en geërgerd door de kamer. Wolsey dacht even na.
'Ik heb Uwe Majesteit iets vergeten te vertellen: we hebben een nieuwe gast aan het hof, Prinses Marguerrite van Navarra. Ik heb haar gisteren ontvangen en vond haar voorwaar een zeer schone jonge vrouw, met een groot – en toegeeflijk – gemoed.' Hij vernam een zwakke vlaag van belangstelling in Henry's houding en voegde eraan toe: 'Ze bekende een zeer grote bewondering voor Uwe Majesteit te hebben.'
Hij observeerde het profiel van de koning. Hij leek in ieder geval half te luisteren. Subtiel zei Wolsey: 'Zal ik maatregelen treffen...?'
'Ja. Doet u dat!' zei Henry ongeduldig. 'Anders nog iets?'
'Ik ben van plan om, met Uwe Majesteits permissie, een nieuwe secretaris te benoemen, in plaats van Mijnheer Pace.'
Henry knikte ongeïnteresseerd.

De konstabel van de Tower haalde de deur van Richard Pace' cel van het slot en liep naar binnen. Er brandde één zwak vlammetje, dat de uitgemergelde figuur daarbinnen vaag verlichtte. Zijn hofkleding was vuil en tot op de draad versleten, maar ondanks het voorbijglijden van eindeloos veel maanden gedroeg de man zich nog steeds als een heer.
'Mijnheer Pace,' begroette de konstabel hem.
Pace boog. 'Tot uw dienst, heer.'
'U wordt vrijgelaten.' Hij wachtte op een reactie.
'Ik weet niets,' zei Pace. Hij plukte aan zijn kleren; zijn handen waren voortdurend in beweging.
De konstabel fronste. 'Wat zegt u? Ik zei dat u vrijgelaten wordt.'
Pace ging verder alsof hij niets gezegd had: 'Ik heb het mijn vrouw verteld. Ik heb tegen haar gezegd: ik weet niets. Helemaal niets.' Zijn hoofd wiebelde op en neer, terwijl zijn vieze lange vingers zijn kleding niet met rust lieten.

'U... hebt het tegen uw vrouw gezegd, Mijnheer Pace? Wanneer?'
Pace knikte. 'Ja, heer, ssst. Ze ligt daar... Ze slaapt.' Hij lachte zacht. 'We praten samen. Ik dacht dat ze gestorven was bij de geboorte van onze zoon. Ik wist zeker dat ik op haar begrafenis ben geweest en gehuild heb. Maar nu zie ik dat ze leeft en het net zo goed maakt als ik.' Hij aarzelde en zijn vingers stopten met hun zenuwachtige bewegingen. 'Kunt u...' Zijn gezicht verkrampte. 'Kunt u haar niet zien?'
Verontrust bracht de konstabel zijn kandelaar bij het gezicht van Pace. Diens ogen staarden hem nietszeggend aan. Richard Pace, voormalig secretaris van de koning, was krankzinnig geworden.
De konstabel zette de kandelaar neer en zei rustig: 'Ja, Mijnheer Pace. Ik zie haar.'
Pace, gerustgesteld, glimlachte breed. Zijn handen begonnen weer met plukken.

'Uwe Majesteit,' zei Wolsey, 'mag ik u voorstellen aan Prinses Marguerrite van Navarra.'
'Madame,' begroette Henry haar.
De prinses maakte een reverence; haar jurk was zo laag uitgesneden dat Henry haar zeer grote boezem wel moest taxeren.
Hij hielp haar teder overeind. Zij fixeerde hem met een blik die bijna dierlijk was. '*Majesté*,' zei ze.
'U bent hier op bezoek?' vroeg Henry haar.
'Ja, Majesté, de graaf, mijn echtgenoot, moest in Frankrijk blijven,' – ze gluurde vanonder haar wimpers naar hem – 'helaas.'
Henry trok een wenkbrauw op. 'Werkelijk? Zeer spijtig, madame. Maar daar moet u voor gecompenseerd worden. U moet genieten van wat... leuke dingen tijdens u verblijf hier.'
De prinses glimlachte.
Norfolk bekeek het tafereel vanaf een afstandje met een zure blik. Thomas Boleyn voegde zich stilletjes bij hem, terwijl hij mompelde: 'Ik heb een nieuwtje dat Uwe Excellentie wellicht zal interesseren.'
Norfolk keek om zich heen en knikte toen naar Boleyn ten teken dat hij verder kon gaan. 'Als de nieuwe schatbewaarder van de koning,' vertelde Boleyn, 'heb ik wat, laten we zeggen, curieuze feiten ontdekt wat betreft de financiële handel en wandel van een bepaalde prelaat.' Hun beider blik verplaatste zich naar de plek waar Wolsey stond.
Norfolk boog naar hem toe. 'Vertel!'
'Het blijkt dat hij geld van de koning heeft gebruikt om te investeren in zijn nieuwe universiteit in Oxford, via zijn privéfonds.'

'Wat?'
Boleyn verklaarde: 'Hij sluit de slechtste kloosters, haalt daar alle waardevolle bezittingen uit – wat hij verondersteld wordt te doen – maar in plaats van alle opbrengsten over te brengen naar de civiele lijst, laat hij die verdwijnen.'
Norfolks mond viel open. 'Ongelooflijk! Hoeveel rijker wil die man nog worden?'
'Dat is nog niet alles,' zei Boleyn tegen hem. 'De Bisschop van Winchester is een halfjaar geleden gestorven. Winchester is de rijkste parochie in Engeland. Het is aan Wolsey om zijn vervanger te benoemen.' Hij pauzeerde even voor het effect. 'En dat heeft hij zojuist gedaan. Hij heeft zichzelf benoemd.'
Norfolk siste van woede. 'Dat moet u aan de koning vertellen! Nu meteen! Vertel het hem! Wolsey zal kapotgemaakt worden.'
'Nee,' zei Boleyn. 'Het spijt me, Uwe Excellentie, maar we moeten het juiste moment afwachten! Wolsey heeft de koning zo in zijn greep dat die – hoe groot het bewijs tegen de kardinaal ook is – het nooit zal geloven. Hij zal Wolsey vragen hem de waarheid te vertellen; en hij zal Wolseys leugens geloven. Maar' – hij stak een vinger op en keek Norfolk sluw aan – 'er zal een moment komen. Het juiste moment. Wanneer het vertrouwen van de koning in zijn minister in de waagschaal gesteld zal worden. En dan, Uwe Excellentie, zullen wij onze waarheid in die schaal gooien. En dan zal de balans doorslaan.'

Aan een tafel verderop zat Thomas Tallis samen met de bedienden om, in plaats van zich bezig te houden met de voorbereidingen van het muzikale amusement, eens een keer deel te nemen aan de maaltijd. Zijn eten stond er echter onaangeroerd bij, omdat hij notities maakte op een vel muziekpapier. Zijn gedachten waren, zoals gebruikelijk, mijlenver weg van de hofintriges.
Twee jonge hofdames, een tweeling, stonden naar hem te kijken. Ze fluisterden en giechelden zoals jonge meisjes dat doen. 'Thomas? … Thomas Tallis?'
Verstoord keek Tallis op. 'Ja?'
De tweelingmeisjes, die erg knap waren, schonken hem een warme glimlach. 'Hoe maakt u het, Thomas?'
'Goed.'
De eerste zuster zei: 'We wilden u alleen maar vertellen hoeveel we van uw muziek houden, Thomas.'
Tallis keek naar beneden en mompelde: 'Dank u.'

De meisjes gleden over de bank steeds dichterbij, tot hun soepele jonge lichamen licht tegen het zijne aan drukten. De tweede zuster zei zachtjes: 'Wij delen een kamer. Wilt u met ons mee, Thomas?'
Er viel een stilte. Tallis keek van de een naar de ander. Ze glimlachten terug, zeer lieftallig, zeer zelfverzekerd.
'Nee, dank u,' zei hij ernstig. 'Ik wil dit lied afmaken.'
Ze pruilden. 'Dat kunt u morgen doen.'
Tallis schudde zijn hoofd. 'Nee, dan ben ik het vergeten.'
'U vergeet ons ook, is het niet?' zei de tweede zuster.
Tallis lachte verontschuldigend. De meisjes maakten zich uit de voeten en Thomas boog zich, zonder er ook maar even bij stil te staan, weer over zijn muzieknotaties.
Er viel een schaduw op het papier en hij keek op, in de veronderstelling dat de meisjes waren teruggekeerd. Zijn ogen werden groter toen hij zag wie het was: William Compton, een van de beste vrienden van de koning, stond slechts enkele centimeters bij hem vandaan en keek op hem neer. Compton knikte en liep toen, zonder iets te zeggen, verder om zich bij de koning te voegen.
Tallis staarde hem na – even was hij zijn lied vergeten. Hij schudde zijn hoofd en richtte zich weer op zijn muziek.
Compton zag meteen dat Henry en Knivert al flink wat gedronken hadden. Henry was in een vreemde bui: ogenschijnlijk joviaal, maar met een geïrriteerd randje. 'Wat vindt u van Prinses Marguerrite van Navarra?' vroeg hij.
Knivert en Compton monsterden haar. 'Ze is goed gebouwd,' zei Compton. 'Maar haar bovendek ziet er een beetje zwaar uit.' Ze lachten.
'Ze is de zuster van Koning Francis,' zei Henry. 'Dat weet ik toevallig.' Hij knipoogde en ze barstten opnieuw in lachen uit.
Henry ontdekte Sir Thomas More, die zich een weg baande door de menigte. Hij stond op en omhelsde More hartelijk. Hij leek behoorlijk aangeschoten.
'Mijn beste Thomas!'
'Majesteit.'
'Toe, blijf in het paleis. Ik heb u nodig. Ik geef u uitstekende kamers. Compton heeft uitstekende kamers. U mag de zijne hebben!' Hij lachte.
More glimlachte. 'Hoeveel genegenheid ik ook voor Uwe Majesteit voel, ik heb graag dat mijn familie zich in mijn kamers bevindt.'
Henry glimlachte en werd toen opnieuw abrupt afgeleid, omdat hij een jongeman met donker krullend haar zag arriveren. Hij liep regelrecht op de man af.

Knivert zei tegen More: 'Ik wed dat Zijne Majesteit u boven alles liefheeft, Mijnheer More.' Compton knikte instemmend.
More trok een grijns. 'Dat mag dan misschien waar zijn, heren, maar toch, als mijn hoofd hem een kasteel in Spanje zou kunnen opleveren, weet ik zeker dat hij dat eraf zou hakken.' Met een raadselachtige glimlach liep hij verder.
De man die Henry in de menigte had opgemerkt was de dichter Thomas Wyatt. 'Mijnheer Wyatt,' riep hij. 'U bent dichter.'
Wyatt boog. 'Ik schrijf gedichten, Majesteit. Ik weet niet of ik mezelf dichter mag noemen.'
'Ik heb een aantal van uw gedichten gelezen,' vertelde de koning hem. 'Ze bevallen me.'
Wyatt sloeg zijn ogen neer. 'Ik weet niet wat ik moet zeggen.'
Er viel een lange stilte. Toen zei Henry opeens: 'Was u verliefd op Anne Boleyn?' Ineens werd duidelijk dat de koning helemaal niet dronken was.
Wyatt, die overrompeld was, aarzelde: 'Ik eh...'
'Wolsey vertelde me dat u bijna verloofd was.'
Wyatt schudde zijn hoofd. 'Nee! Dat is niet waar.'
Henry staarde hem doordringend aan. 'Hield u van haar?'
Wyatt woog zijn woorden zorgvuldig af. 'Lady Anne is zo beeldschoon dat het de plicht van iedere man is van haar te houden. Natuurlijk hield ik van haar – maar van een afstand.' Hij voegde eraan toe: 'Ik heb een vrouw.'
Er viel een gespannen stilte en toen maakte Henry een berustend gebaar. 'Heel goed,' zei hij, Wyatts uitleg blijkbaar accepterend. Hij leegde zijn beker wijn. 'Ik ga naar bed,' zei hij, terwijl hij een blik op Knivert wierp. Knivert knikte discreet.

De kamerheren en bedienden van de koning zaten in de zijkamer van diens slaapvertrek. Ze keken elkaar niet aan en probeerden hun gezicht onbewogen en strak in de plooi te houden. Elk geluidje uit het bed van de koning was te horen. De grote houten koninklijke sponde schudde hevig en de prinses was erg vocaal en ongegeneerd wat betreft de genoegens die ze ontving.
'Oui, Henri... C'est ça, Henri... Oui, Henri... Ooh... C'est ça... Mon Dieu!'
De toehoorders konden zich nauwelijks inhouden; ze beten op de binnenkant van hun wangen om kriebelende lachsalvo's binnen te houden.
Het bed schudde nog heftiger. *'Mon Dieu, Henri... ou... ou... Mon Dieu... ah, oui... ah, oui... Henri...'*
Een van de luistervinken kon zich niet meer bedwingen. Dit stak de anderen aan.

Met zachte stem begon een van de kamerheren haar na te doen: *'Ah, oui... Henri.'* Ze proestten het allemaal uit, maar deden hun best het stil te houden.
Een tweede kamerheer deed een duit in het zakje: *'C'est ça... oh... ah...'*
De stem van de prinses steeg nu luidkeels op uit de andere kamer en de eerste kamerheer zei, wiebelend met zijn wenkbrauwen: *'Mon Dieu, Henri!'*
Ze hoorden een laatste kreet en toen werd het stil.
De tweede kamerheer verbrak de stilte door zachtjes te zeggen: *'C'est fini!'*
De ruimte vulde zich met het geluid van besmuikt gelach.

In de passagiershut van het schip dat op weg was naar Portugal hoorde Prinses Margaret Brandon aan de andere kant van het tussenschot ronddrentelen. Ze had haar nachtgewaad al aan. Hij maakte zich klaar om te gaan slapen. Ze staarde naar het gaatje in het hout en wendde toen haar blik af. Ze ging op haar bed liggen, maar na een tijdje kon ze zich niet meer inhouden.
Ze klom omhoog en legde haar oog tegen het kijkgat. Ze zag hem zijn hemd uittrekken en op bed gaan liggen, vlak onder haar ogen. Zijn naakte bovenlichaam was zo dichtbij dat ze het bijna aan kon raken. Hij was sterk, jong, mooi gespierd. Ze staarde met droge mond, verlustigde zich in de aanblik van hem en duwde haar oog dichter tegen het gaatje.

'Een bode van de keizer, Uwe Majesteit,' kondigde Knivert aan. Hij liet een ruiter binnen. De man, die van top tot teen onder de modder zat, zag er uitgeput uit toen hij voor de koning op zijn knieën viel.
'Ja,' zei Henry ongeduldig. 'Wat is er?'
'De keizer heeft een grote overwinning behaald op de Fransen,' vertelde de bode.
Henry's ogen lichtten op; hij kon zijn oren nauwelijks geloven. 'Wat zegt u?'
De man, die nu hij zijn missie bijna volbracht had weer wat op krachten kwam, dreunde op: 'Bij de slag van Pavia, vijf dagen geleden, hebben de strijdkrachten van de keizer die van de Fransen volledig onder de voet gelopen. Het Franse leger werd in de pan gehakt.'
'Mijn god! Is dit waar?' Henry keek grinnikend rond naar de toehoorders.
'Niet alleen dat!' zei de bode, wiens ogen triomferend oplichtten. 'Ook de Franse koning zelf is op het slagveld overmeesterd.'
Het duurde even voordat zijn woorden tot Henry doordrongen. 'Francis?' riep hij ongelovig uit. '*Overmeesterd*?'
'Ja, Uwe Majesteit. Hij is nu de gevangene van de keizer.'

Zonder acht te slaan op de bemodderde toestand van de man boog Henry zich voorover en omhelsde hem. De koning was in de wolken, bijna schaterlachend. Hij zei tegen de bode: 'U bent hier zo welkom als ware u de engel Gabriël!'
Hij wendde zich tot Knivert en de anderen in de ruimte. 'Welk een heuglijk nieuws is ons vandaag gebracht! Er moet gegeten en gedanst worden – ter viering van deze uiterst voortreffelijke gebeurtenis!'

Bij het feestmaal en het bal hoorde – onvermijdelijk – een steekspel: het theatrale oorlogsvoeren. Het toernooiveld leek een grote kermis. Wimpels wapperden in de wind en iedereen kwam in zijn mooiste kleren.
In het koninklijke paviljoen sloeg Koningin Katherine onder een koninklijk baldakijn van goudlaken, geborduurd met de Tudorroos, Katherines symbool de granaatappel en de verstrengelde initialen van haar en Henry, het schouwspel gade. Naast haar, op een ereplaats, zat de bode die het goede nieuws aan de koning had verkondigd.
Een grote menigte juichte en klapte toen Knivert en een andere ridder naar elkaar toe stormden en hun lansen versplinterden. Op zijn weg terug passeerde Knivert Compton, die zich voorbereidde om het strijdperk te betreden.
'Goed gedaan,' riep Compton.
Grimmig zei Knivert: 'Ik zeg u, William, ik zal nog voor deze dag voorbij is tot ridder geslagen worden, of anders nooit.' Knivert en Compton waren allebei jaloers op Brandons titel.
Wolsey en More behoorden tot degenen die toekeken toen Henry het toernooiveld op reed. Er brak een luid applaus los, want het was bijzonder om getuige te zijn van de koning van Engeland die ten strijde trok.
Henry naderde het koninklijke paviljoen en het gejuich werd oorverdovend toen Katherine opstond en haar kleuren aan zijn lans bond om aan te geven dat hij haar kampioen was.
Wolsey sloeg de ceremonie met een zuur gezicht gade. Sinds de Franse nederlaag was hij niet meer zijn sympathieke zelf. Hij boog voorover naar More en zei geringschattend: 'Moet u zien hoe populair zij is bij het volk! Terwijl ze niet eens Hampton Court goed kan uitspreken. Ze noemt het nog steeds "Antoncort"!' Hij snoof. 'Maar ondanks dat hebben de mensen haar in hun hart gesloten.'
More antwoordde: 'Ze is de dochter van Isabella en Ferdinand, Eminentie, dus wellicht denken ze dat zij is zoals een koningin moet zijn.'
Ze draaiden zich verstoord om toen de massa onrustig werd en het begon te gonzen van de speculaties. Op aanwijzingen van Compton droegen twee

dienaren een lange boomstam het strijdperk op. Het waren stevige kerels, maar toch wankelden ze onder het gewicht van de boomstam.
Geïntrigeerd tilde de koning zijn vizier op en liep op een drafje naar Compton. 'Wat is dit?'
Compton grinnikte. 'Gewoon een trucje! Kijk!' Hij overhandigde zijn lans aan zijn page. De twee dienaren tilden de zware stam over het zadel, zodat Compton het uiteinde kon vasthouden alsof het een lans was. Deze was echter een stuk langer en woog heel wat zwaarder.
De toekijkende menigte werd steeds nieuwsgieriger – en vervolgens verbaasd. Nieuwigheden, van welke aard dan ook, waren altijd welkom en krachttoeren heel gewoon, maar dit was echt iets nieuws!
Ze keken met open mond toe toen Compton een teken gaf en het hele gewicht van de stam overnam. Met een verkrampt gezicht van de inspanning en gezwollen aderen in zijn nek reed hij langzaam het strijdperk op.
De menigte hapte naar adem. Alle ogen waren gericht op Compton en de massieve boomstam.
Katherine koos dit moment, waarop alle ogen gericht waren op het strijdtoneel, om zachtjes te spreken tegen de Spaanse bode die naast haar zat.
'Kijk me niet aan,' zei ze op een lage, indringende toon. 'Maar ik vraag u in vertrouwen om iets voor me te doen. Breng deze brief naar de keizer.'
Ze schoof de brief met een discreet gebaar naar hem toe en deze verdween, al net zo discreet, onder zijn kleding.
'Zult u dit voor mij doen – en hem aan niemand anders laten zien?' fluisterde ze tegen hem. 'Noch er met iemand een woord over spreken?'
Hij knikte nauwelijks waarneembaar.
Boleyn en Norfolk zaten naast elkaar en sloegen Compton emotieloos gade.
'Wanneer brengt u mijn nicht terug naar het hof?' vroeg Norfolk zacht.
'Snel, denk ik,' zei Boleyn. 'Nu hij lekker is gemaakt.' Ze wisselden een glimlach uit.
Het applaus zwol aan toen Compton het andere eind van het strijdperk naderde. Zijn gezicht was vertrokken van de pijn en de aderen in zijn nek stonden op springen. Zijn spieren begonnen te trillen. De spanning was zichtbaar voor het publiek, dat enthousiast toekeek hoe hij worstelde om zijn arm stevig om de stam te houden. Hij kreunde van de pijn, maar de mensen juichten hem nu toe en duwden hem in gedachten vooruit. En hij haalde het!
Toen hij zijn doel bereikt had, liet Compton de stam opgelucht vallen. Met zijn helm in zijn hand en een brede grijns op zijn gezicht nam hij het eerbetoon van de menigte in ontvangst, terwijl hij triomfantelijk rondreed.

Hij passeerde Henry, die klaarstond om het strijdperk weer te betreden. De koning grinnikte en knikte naar hem.
Henry zette zijn helm op, pakte zijn schild en lans van de page aan en reed onder luid gejuich en applaus naar voren.
Aan de andere kant nam zijn tegenstander, Knivert, zijn plek in.
Henry gaf zijn paard de sporen.
Plotseling begon het publiek op een andere toon te schreeuwen. Er was iets mis.
'Kijk!' wees Boleyn. 'De koning is vergeten zijn vizier neer te laten!'
'Wacht! Wacht! WACHT!' schreeuwde de menigte. 'De koning! DE KONING! WACHT!'
Maar door het tumult en het daverende hoefgetrappel kon Henry de kreten niet verstaan... en Knivert, die zijn vizier wel had neergeslagen, zag het niet. Ze stormden op elkaar af. Dichterbij, dichterbij. Hun paarden naderden elkaar in volle vaart. Iedereen hield zijn adem in.
Krak! Kniverts lans sloeg tegen de voorkant van de helm van de koning, waardoor zijn hoofd met een misselijkmakend geluid achteroverklapte. Vol afschuw hapte de menigte naar adem.
De lans was verbrijzeld. Henry bracht zijn hand naar zijn gezicht en zakte voorover in elkaar. Er viel een abrupte, geschrokken stilte, die alleen doorbroken werd door het geflapper van de wimpels en het gesnuif en gestamp van de paarden.
Katherine stond ongerust op en ineens was het strijdperk een en al bedrijvigheid: kamerheren, dienaren en bijna elke edelman van het land snelden naar de getroffen koning.
Voorname handen tilden Henry van zijn paard. De doodsbange Knivert steeg van het zijne en gooide zijn helm aan de kant.
Voorzichtig verwijderden ze Henry's helm. Zijn gezicht was bloederig, de huid doorboord met splinters. Uiterst zorgvuldig verwijderde Boleyn de ongeveer zeven splinters die nog uit het vlees van wangen en voorhoofd staken.
'Ik ben niet gewond. Geef me een doek!' beval Henry versuft. Hij kreeg er een. Hij veegde zelf het bloed weg en grijnsde toen naar hun verschrikte gezichten.
'Ziet u wel?' zei hij. 'Geen ernstige schade.'
Knivert, bij wie de tranen in de ogen stonden, boog zijn hoofd. 'Zal Uwe Majesteit mij ooit kunnen vergeven?' zei hij met gebroken stem.
'Het was allemaal mijn eigen schuld,' stelde de koning hem gerust. 'En om u – en de mensen hier – te bewijzen dat mij niets mankeert, zal ik nogmaals strijden.'

Iedereen keek hem stomverbaasd aan.
'Kom, Anthony!' drong Henry aan. 'Strijd tegen mij!'
Zijn metgezellen waren verbijsterd, maar hij was de koning en mocht niet tegengesproken worden. Henry liep enigszins opgepept in de richting van de verhoging naar Katherine, die nog steeds in een shocktoestand verkeerde.
'Madame, vrees niet voor mij,' gaf Henry haar te kennen. 'Het was een ongeluk en ik ben van plan u en allen hier te tonen dat ik perfect in orde en onbeschadigd ben.'
'Als u daarop staat – maar ik zou veel liever hebben dat u het niet deed. Ik bid God dat u geen ander letsel zal overkomen, mijn geliefde echtgenoot.'
Henry's mond vertrok van afkeer. Hij forceerde een glimlach en liep terug naar zijn paard.
Langzaamaan begonnen de mensen door te krijgen wat hij van plan was en een traag en bezorgd gemompel groeide aan tot een wild gejuich.
Henry, die het erg naar zijn zin had, riep naar Knivert aan de andere kant: 'Kom, Anthony! Bewapen jezelf,' en reed naar het uiteinde van het strijdperk.
Knivert, nog steeds van slag door hetgeen waaraan hij zojuist op het nippertje ontsnapt was, reed naar het andere uiteinde. Ze namen elk een nieuwe lans en maakten zich klaar om te gaan rijden.
De menigte viel stil. Er hing nu een totaal andere sfeer: hun koning was zo-even bijna gestorven. Het had iedereen eraan herinnerd dat dit niet louter een spel was – het ging om leven en dood.
Henry en Knivert stormden op elkaar af. *Krak!* Hun lansen schampten af op hun schilden.
Ze draaiden zich weer om. Opnieuw nam het volume toe, want de mensen kregen er meer vertrouwen in. Hun Godgegeven koning was onkwetsbaar.
Weer deden ze een uitval. Henry's lans knalde tegen Kniverts schild. Kniverts lans miste volkomen. Zelfs voor het publiek was te zien dat hij dat opzettelijk deed.
Vanaf het uiteinde van het strijdperk sloeg Henry zijn vizier omhoog en schreeuwde: 'Een eerlijke aanval, Anthony. Geen angst. Geen gunsten.'
Knivert leek te knikken. Henry kreeg een nieuwe lans – en stormde weer vooruit. Ze galoppeerden naar elkaar toe en hun wapens knalden met luid kabaal tegen elkaar aan.
Kniverts lans schampte zonder schade aan te richten van Henry's schild af – wederom een opzettelijke misstoot – maar Henry's lans raakte Kniverts helm. Daarbinnen spoot het bloed alle kanten op.

Verblind en niet in staat zijn paard onder controle te houden, zwaaide Knivert op een weerzinwekkende manier heen en weer op zijn zadel.
'Help!' schreeuwde Henry. 'Help hem! Help hem!' Mensen haastten zich in de richting van Knivert. Hij viel voorover op zijn zadel terwijl het bloed uit zijn helm stroomde, langs de flank van het paard.

Hoofdstuk 9

Brandon betrad de passagiershut met de eikenhouten lambrisering van Prinses Margaret aan boord van het schip dat op weg was naar Portugal. De hut, die weelderig gestoffeerd was met fluweel en zijde, leek bijna op een van de kleinere kamers aan het hof. Margaret zat aan een tafeltje patience te spelen.

Hij wachtte. Margaret bleef doorspelen. 'Uwe Hoogheid had naar mij gevraagd.'

Ze draaide een kaart om. 'Alleen om te vragen hoe lang we nog moeten varen.'

'Als de wind zo blijft nog twee dagen.'

Margaret reageerde niet. Brandon boog opnieuw en draaide zich om om te vertrekken, maar ze zei: 'Speelt u kaart, Uwe Excellentie?'

'Soms... Uwe Hoogheid.'

Margaret gebaarde dat hij moest gaan zitten. Ze stapelde de kaarten op en keek hem, voor het eerst sinds hij binnen was, aan. 'Welk spel zullen we spelen?' vroeg ze. Hun ogen hielden elkaar vast.

'Kiest u maar,' zei Brandon.

Ze dacht even na en zei toen: 'Introever.'

Ze begonnen te spelen; ze pakten kaarten van de stapel en legden andere terzijde. Geen van beiden was met de aandacht bij het spel.

Na een tijdje vroeg Margaret: 'Wijn?'

'Gaarne.'

Ze gebaarde naar een van haar dames, die twee kelken inschonk. Het spel ging verder. 'Uwe Hoogheid zal wel erg uitzien naar uw huwelijk?' zei Brandon.

Margaret wierp hem een dreigende blik toe, maar zei niets.

Brandon ging verder: 'Ik heb gehoord dat de koning een groot ruiter was... in zijn tijd. En beroemd om zijn beeldschone maîtresses.'

'Plaag me niet. Daar houd ik niet van.'

'Zou u het fijn vinden als een oude man probeert met u de liefde te bedrijven?'

Haar ogen flikkerden. 'Uwe Excellentie gaat te ver. Nu al.'
Brandon haalde zijn schouders op. 'Er staat in het Evangelie dat de waarheid u zal verlossen.'
Ze sprong op achter de tafel en hij ging ook staan. 'Dat is blasfemie!' zei ze. 'Mijn arme dames zouden u niet mogen horen!' Margaret stuurde hen weg; haar dames liepen achter elkaar naar buiten en sloten de deur achter zich.
Opeens voelde de hut een stuk kleiner dan daarvoor. Ze stonden daar maar en staarden in elkaars ogen. Margaret ademde zwaar. Brandon slikte.
Ineens trok Margaret Brandon naar zich toe en kuste hem hartstochtelijk. Ze staarde in zijn ogen en zei: 'Ik wil dat u vertrekt.' Maar ze liet hem niet los.
'Echt?' vroeg Brandon zachtjes.
Haar ogen schitterden van de wellust. 'Ja. Nu!' Ze begon aan zijn kleren te trekken, hem op zijn gezicht en hals te kussen en haar lichaam tegen het zijne aan te drukken.
Hun kussen werden uitzinnig. De kaarten vielen op de grond.
'Jammer,' grapte Brandon. 'Ik had net zulke goede kaarten.'
Margaret duwde hem weg. 'Verdwijn.' Maar haar daden weerspraken haar woorden.
Ter beantwoording perste hij zijn mond op de hare en drukte haar hard tegen zijn lichaam.
De boot maakte een opgaande beweging en ze wankelden en vielen tegen de wand van de hut. Brandon draaide zich om en klemde Margaret tussen hem en de wand, drukte haar daartegenaan terwijl ze kusten, en kusten, en kusten.
Hun liefkozingen werden koortsachtiger. Hij begon haar rokken op te tillen.
'Nee... nee... nee!' kreunde Margaret, maar haar lippen zaten vast aan de zijne en haar armen trokken hem nog dichterbij, drukten zijn smalle heupen in de kruising tussen haar benen.
Brandon ging bij haar naar binnen, net zo hartstochtelijk als hij haar kuste, en ze sloeg haar benen om hem heen, wilde hem, wilde de passie en de bevrijding en de vergetelheid.

De avond na het ongeluk op het toernooiveld werd Henry brullend van de pijn wakker. Hij ging rechtop in bed zitten en greep met beide handen naar zijn hoofd. Kamerheren haastten zich het slaapvertrek in.
'Majesteit!'
Henry gromde en begon met zijn hoofd tegen de bedstijl te slaan. Een van de kamerheren probeerde hem tegen te houden. Henry wierp hem van zich af en ging door met rammen.
'Het doet pijn, het doet pijn!' brulde hij.

'Haal een arts!' beval een kamerheer. 'Snel! Schiet op!' De eerste kamerheer rende ervandoor.
Henry bleef kronkelend van de pijn en bonkend met zijn hoofd achter, terwijl drie artsen werden gehaald. Ze stonden om hem heen en bespraken op felle fluistertoon de beste manier waarop hun brullende vorst behandeld kon worden.
Al die tijd bleef de koning – *bonk bonk bonk* – tegen de bedstijl slaan. Uiteindelijk werd overeenstemming bereikt en kwam een van de artsen timide naderbij. 'Uwe Majesteit, wij zouden graag wat bloed aftappen om de gal die Uwe Majesteit zo veel pijn bezorgt weg te laten lopen.' Hij wachtte even en voegde er toen aan toe: 'Met uw toestemming?'
'Als ik maar van deze pijn afkom!' zei Henry.
De artsen, gadegeslagen door verschillende raadsleden die voor de gelegenheid waren ontboden omdat de gezondheid van de koning een staatszaak was, troffen voorbereidingen voor de aderlating van de koning.
Ze rolden Henry's mouw op en bevestigden een tourniquet om zijn arm. Er werd een zilveren schaal onder de arm neergezet. Toen een van de artsen een scherp mes omhoogstak om in het koninklijke vlees te gaan snijden, sloegen de toeschouwers een kruis. De kamer vulde zich met het zachte geprevel van gebeden.
Er ontstond een stilzwijgend twistgesprek tussen de artsen: niemand wilde degene zijn die het mes hanteerde. Het mes ging van de een naar de ander totdat een van hen er genoeg van had, het mes greep en het lemmet dwars over de opgezwollen ader van de koning haalde. Bloed spoot naar buiten; het gutste in de zilveren schaal.
Henry zelf leunde achterover tegen een kussen. Zijn gezicht baadde in het zweet, maar het was duidelijk dat hij zich iets beter voelde. De drie artsen tuurden in de schaal om de kleur en de samenstelling van het bloed te bestuderen. Iedereen in de kamer ontspande zich een beetje.

De volgende avond was Henry volledig hersteld. Hij kuierde door het paleis met Wolsey. 'Zend een boodschap aan de keizer,' beval Henry. 'Vertel hem hoe verheugd en voldaan wij zijn over zijn grote overwinning in Pavia en zijn gevangenneming van de Franse koning.'
'Ja, Uwe Majesteit.'
'Vraag hem wat hij van plan is met Francis te doen. En of het al dan niet, nu Francis gevangenzit, een goed moment is om te overwegen tegen Frankrijk zelf ten strijde te trekken. Vertel hem dat ons goud, onze mankracht en schepen geheel tot zijn beschikking staan en dat we erop gebrand zijn te strijden en iets van de roem met hem te delen.'

'Dat zal ik doen.' Wolsey trok de aandacht van een jonge man die tussen de hovelingen stond en knikte naar hem. Wolsey zei tegen Henry: 'Ah! Uwe Majesteit, hier is uw nieuwe secretaris.'
Thomas Cromwell stapte naar voren en boog voor de koning.
'Thomas Cromwell is een ervaren raadsman, een wetenschapper en een ijverig werker,' zei Wolsey. 'Ik hoop dat hij uiterst nuttig voor Uwe Majesteit zal blijken te zijn.'
Henry bekeek Cromwell van top tot teen en knikte: 'Mijnheer Cromwell.'
Henry en Wolsey liepen door en gingen een al net zo druk bevolkte zaal binnen. Aan het andere eind van de zaal zag Henry Katherine op hem wachten. Ze hield de hand vast van hun dochter. Henry knikte naar Katherine en begon haar kant op te lopen.
Toen zag Henry Anne Boleyn. Ze droeg zijn geschenk – de parelketting.
'U bent weer terug aan het hof, zie ik.' Hij verlustigde zich even in haar aanblik en zei toen discreet: 'Kan ik u ergens in het geheim ontmoeten?'
Anne stemde toe en ze maakten een afspraak. Toen liep Henry verder om zijn echtgenote en dochter te begroeten. De kleine prinses rende op hem af en hij tilde haar op en zwaaide haar lachend in het rond.
'Lieverd.' Henry kuste haar. Na een kort gesprek kuste hij haar opnieuw en zette haar op de grond. Terwijl hij dat deed trok hij even Annes aandacht.
Katherine keek met samengeknepen ogen naar Wolsey en sloot zich toen aan bij Henry, die verder liep door de zaal. 'Waarom opent Wolsey mijn brieven?' wilde Katherine fluisterend weten. 'Ben ik niet de koningin van Engeland?'
'Weet u zeker dat hij dat doet?'
'Ja.'
'Dan zal ik er een einde aan maken,' zei Henry tegen haar. 'Soms is de kardinaal overijverig. Maar het is altijd in ons belang' – hij keek haar even aan – 'tenzij u geheimen hebt!'
Ze beantwoordde zijn blik, maar op hetzelfde moment kreeg Henry Anne in het oog. Ze stond te praten en te lachen met een knappe jonge man. De intimiteit straalde ervan af.
Het tafereel schokte Henry, die vergat dat hij midden in een serieus gesprek met zijn vrouw zat.
Katherine keek naar zijn gezicht. Ze zag de afgunst, het verlangen… de liefde. Diep gekwetst sloeg ze haar ogen neer. Ze zei niets. Er viel niets te zeggen.
Henry liet haar arm vallen en wandelde naar het audiëntievertrek, waar Norfolk en andere hovelingen zich al verzameld hadden. Knivert bevond zich onder hen. De wond bij zijn oog was nog steeds goed te zien; de huid

eromheen was ernstig gekneusd. 'U had bijna een oog verloren, Anthony,' zei Henry.
Knivert haalde zijn schouders op. 'Ik gebruik dat oog toch niet veel.'
Henry glimlachte en gebaarde toen naar Norfolk dat hij naar voren moest komen. Met een fluwelen kussen waarop een ceremonieel zwaard lag liep Norfolk naar hem toe. Hij boog en Henry tilde het zwaard op.
'Kniel,' beval hij Knivert.
Henry liet het platte zwaard op elke schouder van de geknielde Knivert neerkomen. 'Sta op, Sir Anthony Knivert.'
Knivert stond op en Henry omhelsde hem. De deuren zwaaiden weer open en de kamerheer verkondigde: 'Mijnheer William Compton.'
Compton kwam binnen. Knivert keek van hem naar de koning en besefte dat Henry het ceremoniële zwaard nog steeds vasthad. Zijn mond viel open.
Henry kon deze uitdrukking ogenblikkelijk plaatsen. Hij vroeg: 'Vanwaar die afkeurende blik, Sir Anthony?'
'Majesteit,' antwoordde Knivert, 'ik ben bijna een oog kwijtgeraakt voor hetzelfde resultaat!'
Henry grinnikte; hij genoot ervan. 'Ah, maar u hebt nooit een boom gedragen!' Hij lachte. 'Kniel, Mijnheer Compton.'

Korte tijd later maakte Henry zich los van zijn hovelingen en haastte zich naar zijn ontmoeting met Anne Boleyn.
Ze wachtte op hem in het privévertrek waar ze hadden afgesproken.
'Ik heb heel lang van dit moment gedroomd,' vertelde hij haar. 'Anne, u moet weten dat ik met heel mijn hart naar u verlang.'
Ze sloeg haar ogen neer. Teder pakte Henry haar kin en tilde haar gezicht op. 'Wie was hij? De jonge man met wie ik u zojuist zag flirten?'
Anne glimlachte. 'Ik denk dat u op mijn broer George doelt.'
Bij die woorden ontspande Henry zich. Hij streelde haar wang en trok haar zachtjes naar zich toe. Omdat het eerder zo lastig was geweest om bij haar in de buurt te komen, had hij enige weerstand verwacht, maar daarvan was totaal geen sprake. Ze gleed in zijn armen alsof ze daar thuishoorde.
Henry kuste haar, lang en intens. Eindelijk, eindelijk. Hij staarde in haar prachtige ogen, die op eigen kracht leken te schitteren, zelfs in die donkere doorgang.
'Kus me opnieuw, mijn lief,' zei Henry. Opnieuw kusten ze en het was precies als in zijn dromen; beter nog. Hij sloeg zijn armen om haar heen en kuste haar voor de derde keer, maar er klonken voetstappen in de gang en ze gingen schuldbewust uit elkaar.

'Ik moet gaan,' fluisterde ze. 'Hare Majesteit verwacht me.'
Henry, gek van verliefdheid, knikte glimlachend. 'We zullen elkaar later weer zien, lieveling.'
Anne knikte, maakte snel een reverence en haastte zich weg in de schaduw, net op het moment dat Knivert en Compton de hoek om kwamen. 'Wie was dat, Uwe Majesteit?' vroeg Compton.
'Gewoon een meisje,' zei Henry zacht. 'Gewoon... een meisje.'

In een rustig deel van Londen klopten die avond bezoekers in donkere mantels zachtjes op de deur van een indrukwekkend koopmanshuis. Elke keer ging de deur krakend open en wachtte een bediende op een fluisterend uitgesproken wachtwoord voordat hij de bezoeker binnenliet. Binnen trokken de mannen hun donkere mantels uit. Hun kleding was eenvoudig en voor het merendeel donker, maar uit de kostbare stof bleek dat dit welvarende en belangrijke mannen waren.
In de grote kamer van het huis had zich een gezelschap verzameld. De laatkomers namen plaats. Een eenvoudig geklede pastor was al aan het spreken. Hij was Hollands en sprak Engels met een zwaar accent.
'... de paus, verre van een afstammeling van Sint-Petrus, is een zondaar en een hypocriet, een handlanger van de duivel en de levende antichrist op aarde.' Hij keek de kamer rond. 'Dit is wat Luther ons leert, met de bedoeling ons te bevrijden van valse afgoden en valse verering...'
Zijn publiek luisterde met ernstige aandacht. Ze waren hier niet zomaar uit nieuwsgierigheid gekomen. Ze hadden niet voor niets het risico genomen om een van Luthers volgelingen te horen preken. Iets wat de meesten in het rooms-katholieke Engeland ketterij zouden noemen.
Ketters eindigden op de brandstapel.
Onder de toehoorders bevond zich een jonge, dunne man, gekleed in eenvoudige donkere kleren. Thomas Cromwell, de nieuwe secretaris van de koning en Kardinaal Wolseys nieuwste protegé, zat met een onbewogen gezicht samen met de anderen te luisteren.
De pastor ging verder: 'Onze boodschap – van hoop, van vrijheid, van waarheid – verspreidt zich al door Europa, van de ene uithoek naar de andere. Hier in Engeland hebben we een zaadje geplant dat, door gebed en daden en wellicht zelfs door offers, op een dag zal uitgroeien tot een grote boom met takken die zich over het hele koninkrijk uitstrekken en de corrupte kloosteroorden van de antichrist zal vernietigen. En deze boom zal de Boom der Vrijheid worden genoemd, en op zijn takken zullen de engelen van de Heer halleluja zingen.'

Prinses Margaret stond in het ochtendduister achter in haar passagiershut naar buiten te staren. Een straal eenzaam maanlicht verlichtte het kielzog van het schip als een zilveren lemmet.
Langzaam vervaagde het maanlicht. Door haar andere raam begonnen de stad en de haven van Lissabon in het zwakke schemerlicht op te doemen. Ze staarde er vol verbittering naar en sloot toen haar ogen.
Ze voelde Brandon achter zich. Hij legde zijn handen op haar schouders en keek samen met haar naar buiten. 'Uw nieuwe koninkrijk,' mompelde hij. Ze zei niets; ze keek slechts zwijgend toe hoe het steeds lichter werd.
Brandon vervolgde: 'De koning moet wel...'
'Doe dat niet! Ik verbied u daarover te spreken!'
Hij kwam dichter bij haar staan; de warmte van zijn lichaam drong tot het hare door. Ze huiverde. 'Ik zou u moeten haten!'
'Maar dat doet u niet,' zei Brandon. 'Ik weet dat u dat niet doet.'
Er viel een lange stilte. Uiteindelijk draaide Margaret zich om en keek hem aan, haar ogen vol tranen. 'Wat moet ik doen?'
Brandon streelde bedroefd haar wang. Er viel niets te zeggen.

De volgende dag wandelde Prinses Margaret het Portugese paleis binnen. Haar pad werd geflankeerd door ernstig kijkende monniken en nonnen die haar zonder enig teken van gastvrijheid aanstaarden. Margaret wandelde met opgeheven hoofd, maar trilde vanbinnen. Ze putte troost uit het feit dat Brandon één stap achter haar liep.
Binnen wachtte een ontvangst van Portugese bisschoppen, aristocraten en officieren met gepluimde helmen. Er waren enkele vrouwen aanwezig, maar het merendeel van het gezelschap bestond uit oudere mannen. Ze bekeken haar met kille ogen en een norse gezichtsuitdrukking. Er werd door niemand gastvrij geglimlacht, er was niet eens een vriendelijke blik. Ze voelde zich een opgeprikt insect.
De koning van Portugal kwam naar voren, langzaam schuifelend met een stok. Er was haar verteld dat hij in de zestig was, maar hij zag er veel ouder uit. Zijn lichaam was uitgemergeld en zijn dunne haar lag boven op een doodskopachtig gezicht. Hij zag er stokoud uit, maar had het – bizar genoeg – voor elkaar gekregen gekleed te gaan als een veel jongere man.
Toen zijn verschijning in haar richting schuifelde, deinsde Margaret bijna zichtbaar terug. 'Red mij,' fluisterde ze.
Maar er was geen redden meer aan. De koning boog voor haar en de wellustige ogen in hun knokige kassen gingen langzaam op en neer over haar lichaam.

Met trillende knieën slaagde Margaret erin een reverence te maken. 'Uwe... Majesteit.' Ze slikte en proefde gal.
De koning begon in het Portugees te spreken. 'Margaret, u bent nog mooier dan uw portret. Ik prijs me gelukkig dat u weldra mijn koningin zult zijn. Alles staat hier te uwer beschikking. Ik wil dat u gelukkig bent en dat u mij gelukkig maakt.'
Margaret knipperde met haar ogen. Ze sprak geen Portugees en niemand had eraan gedacht haar te vertellen dat haar nieuwe echtgenoot geen woord Engels sprak. Er kwam iemand naar voren die zachtjes begon te vertalen wat de koning zei – en toen wenste ze dat hij dat niet gedaan had, want wat de koning daarna zei was zelfs nog afschrikwekkender.
'En dan zullen we samen kinderen maken, u en ik,' vervolgde de koning. Zijn reumatische oude ogen klaarden op toen ze weer over haar lichaam bewogen. Hij likte over zijn lippen, die al vochtig waren, en ging verder: 'Veel kinderen... met Gods hulp!'
Margaret wierp Brandon een deerniswekkende blik toe.
Hij staarde voor zich uit met een uitdrukkingsloos gezicht.

Margarets trouwceremonie begon met een luid gebeier van kerkklokken. De bruid zag er schitterend uit, behalve haar ogen: die waren rood en gezwollen van het huilen.
Bij de deur van de kathedraal zwol de muziek aan; de plechtige mars was uiterst geschikt voor een begrafenis, dacht Margaret. Met vierentwintig dames die de zware sleep achter haar droegen begon ze de lange weg naar het altaar af te leggen.
Brandon liep, als vertegenwoordiger van de koning, met haar mee; hij zou de bruid weggeven. Ze klemde zich trillend vast aan zijn arm, maar hield haar hoofd trots omhoog.
Er hing een akelige sfeer. De kathedraal was tot op de laatste plaats bezet met de crème de la crème van de Portugese beau monde en familieleden van de koning, van wie niemand dit huwelijk scheen goed te keuren. Ze staarden haar openlijk vijandig aan en leverden luid mompelend commentaar in het Portugees.
'Daar heb je haar – die Engelse slet van de koning.'
'Daar is dat hebberige kreng!'
'Ik wil haar ogen uitkrabben!'
Margaret wist niet precies wat ze zeiden, maar de strekking ervan was overduidelijk. Zelfs de kinderen maakten vunzige gebaren en staken hun tong naar haar uit. De weg naar het altaar leek eindeloos. Wat Margaret betrof, was ze er veel te snel.

De koning stond te wachten. Toen zij naderde draaide hij zich om en grijnsde naar haar als een menselijk lijk met vieze, afgebroken tanden. Ze stokte, maar Brandon duwde haar stevig vooruit.
'Wat doet u?' siste Margaret hem toe.
'Wat de koning mij bevolen heeft te doen!'
Eindelijk bereikten ze het altaar. De bisschop gebaarde bruid en bruidegom te knielen. Met enige moeite slaagde de koning daarin – hij moest geholpen worden vanwege zijn jicht.
In het Latijn begon de aartsbisschop hen in de echt te verbinden.
In het Engels begon Margaret te bidden.

De dag kroop voorbij en ten slotte was het moment van Margarets huwelijksnacht aangebroken. Haar dames bereidden haar – als een offerlam – voor op het huwelijksbed; ze vlochten parels door haar haar en besprenkelden haar met verschillende parfums. Gedurende dat alles bad een priester voor haar in het Portugees. Hij zegende het bed met wijwater. Margaret werd erin gelegd.
Onbedwingbaar trillend wachtte ze. Ze sprong bijna uit haar vel toen opeens muzikanten verschenen, die de koning op zijn weg naar het slaapvertrek vergezelden.
Margarets kersverse echtgenoot stond zich te verlustigen aan de jonge prinses, terwijl zijn bedienden zijn kamerjas uittrokken. Daaronder droeg hij een felgestreept nachthemd. De felle kleuren vertoonden een schokkend contrast met zijn waskleurige perkamenten gezicht. Zijn kamerheren verwijderden de pruik die hij tijdens zijn huwelijk gedragen had, om schaarse grijze stoppels te onthullen die de knokige schedel nauwelijks bedekten.
Terwijl hij zijn vingertoppen in het wijwater doopte en zichzelf zegende, grijnsde hij als een doodshoofd naar Margaret. Langzaam kroop hij naast haar in het bed. Ze lag daar verstard toen de gordijnen rond het bed uiterst plechtig en langzaam werden gesloten. En de hofhouding wachtte.
Het bestijgen van een nieuwe bruid door een koning was een staatszaak waar men getuige van moest zijn.
Margaret lag verstijfd van angst en afschuw in bed. De oude man rook naar parfum en muskus, maar die konden de stank van een niet al te schone, geile oude man niet verhullen.
Ze kromp ineen toen zijn gerimpelde oude handen zich onder haar nachtgewaad wrongen en dat steeds verder omhoogduwden. Ze hield haar ogen stijf gesloten en dwong zichzelf aan iets anders te denken, terwijl hij hijgend en kwijlend haar lichaam verkende en af en toe verrukt gromde.
Hij schoof haar benen uit elkaar en ze voelde hem tegen zich aan drukken.

Hij probeerde zich – steeds amechtiger hijgend – uit alle macht bij haar naar binnen te stoten, maar er gebeurde niets. Hij graaide rond op haar lichaam, andere standjes uitproberend, en zette zijn vieze oude voeten tegen de bedstijlen om meer druk uit te kunnen oefenen.
De bedgordijnen gingen kort uit elkaar toen zijn voeten erdoorheen glipten; Margaret ving een glimp op van een rij plechtig toekijkende gezichten. Er zat bloed in haar mond; ze had de binnenkant van haar wang stukgebeten in een poging niet te gaan braken.
Het bed kraakte, en kraakte opnieuw. Al snel vertoonde het gekraak een onmiskenbaar ritme dat steeds luider werd. Het gehijg kreeg gezelschap van gegrom, gekreun en een vreemd piepend gehinnik van de koning.
Het leek eindeloos door te gaan, maar toen huiverde de koning met een soort trillend geluid en kwam hij tot bedaren. Margaret slaakte één enkele kreet om aan te geven dat zij haar rol in deze afschuwelijke schijnvertoning had vervuld.
Toen was het stil, afgezien van het luide gehijg van de koning.
Iedereen wachtte, twijfelend over de volgende stap. Toen stapte een kolonel uit het koninklijke leger naar voren en trok het bedgordijn opzij.
Daar lag Margaret in een verfrommeld nachtgewaad. De koning lag op zijn rug; hij had een rood gezicht van de inspanning en ademde moeilijk.
De kolonel richtte zich tot Margaret. 'Is Zijne Majesteit…?' Hij zweeg discreet. Iedereen wachtte.
Margaret knikte. En onmiddellijk begon iedereen in het vertrek te applaudisseren. Terwijl het geroezemoes en het geklap luider werden, keek Margaret naar haar kersverse echtgenoot.
De fysieke inspanning van het liefdesspel had hem verschrikkelijk uitgeput. Hij lag daar als een vis op het droge naar adem te happen; aan niets was te merken dat hij zich bewust was van zijn schijnbare triomf. Hij moest vechten voor elke ademtocht, zag ze. Zijn ogen stonden glazig en met een gerimpelde hand greep hij naar zijn borst. Er zou duidelijk niet veel nodig zijn…
Wellicht hoefde ze dit niet zo lang te verduren als ze had gedacht.

Anne Boleyn lag in haar nachtgewaad op bed de laatste brief van Henry te lezen.

> *Ik smeek u, noem een plek waar we elkaar kunnen zien, en waar ik u waarlijk een genegenheid kan tonen die verder gaat dan een gewone bevlieging.*

Ze keek naar zijn handtekening.

Geschreven met de hand van uw dienaar, H.R.

Ze glimlachte en stopte de brief onder haar keurslijf. Een geluid deed haar opkijken. Haar vader stond in de deuropening. Hij liep snel naar haar toe en greep de brief. Hij las hem snel door en keek toen duidelijk vergenoegd naar zijn dochter.
'Uitstekend werk, dochter! Nu is hij uw "dienaar". Met wat subtiele aandacht en de verlokking van uw vlees zou hij misschien nog wel iets intiemers kunnen worden.' Hij streek over haar hoofd, blies de kaars uit en wandelde de kamer uit.
Anne lag met open ogen in bed. De glimlach was van haar gezicht verdwenen. Verdriet overspoelde haar. Ze had niet verwacht dat ze zich zo zou voelen, helemaal niet.

Het was een schitterende, zonnige dag, de eerste na een lange periode van regen, en Henry had besloten op valkenjacht te gaan. Met Knivert, Compton en andere leden van zijn intieme entourage ging hij op pad, op korte afstand gevolgd door een verzameling dienaren.
Aan de middaghemel cirkelde loom een buizerd. Henry's gezelschap galoppeerde, uitgesponnen als een processie, over een uitgestrekt veld naar beneden. Toen de eerste ruiters bij een brede, laaggelegen sloot kwamen, hielden ze met een ruk halt. Compton riep naar de anderen: 'Wacht! Wacht!'
Henry draafde naar hem toe. 'Wat is er aan de hand?'
Compton testte rondrijdend de grond. 'De grond is te drassig voor de paarden. We moeten langs die kant gaan.' Hij wees.
Henry fronste. 'Dat is een grote omweg. Waarom kunnen we niet hierlangs?'
'We kunnen niet over die sloot springen,' zei Compton hem.
Henry wierp hem een smalende blik toe. 'U bedoelt dat ú er niet overheen kunt springen!' Hij sprong van zijn paard en liep naar de sloot. Iedereen wachtte terwijl de koning de sloot inspecteerde en zich vervolgens, tot hun verbijstering, onderzoekend boog over een bosje jonge bomen dat er dichtbij groeide.
Hij riep om een bijl en toog aan het werk; hij hakte de takken van een stevig boompje van ongeveer drie meter hoog. De anderen wisselden verbaasde blikken uit.
Knivert steeg af. 'Wat bent u aan het doen, Uwe Majesteit?'
Als antwoord hakte Henry het boompje om. 'Waar lijkt het op? Ik ga over

deze stomme sloot springen. Ik weiger te accepteren dat die mijn sport in de weg staat.' Iedereen lachte.
'Weet u dit zeker?' vroeg Compton.
Henry grinnikte. 'Kijk, mijn vriend, en zie waartoe de koning van Engeland in staat is.'
Lachend en weddenschappen afsluitend gingen ze bij elkaar staan om te kijken hoe Henry een paar stappen achteruit deed en zijn aanloop uitmat. Eerst testte hij de buigzaamheid van zijn stok en toen rende hij naar de sloot.
Uiterst behendig stak hij de paal in het midden van het water en verliet de grond, om onder luid gejuich en geklap in een magnifieke sprong door de lucht te suizen.
Halverwege knakte de paal en Henry viel met zijn hoofd naar beneden in de zware klei van de sloot.
Henry's hoofd en schouders waren verdwenen onder de modder. Zijn benen schopten komisch heen en weer. Zijn metgezellen hielden hun buik vast en gierden het uit.
Alleen een van de kamerheren, Edmund Mody, zag de ernst van de situatie in. Hij rende naar voren en wierp zichzelf in de sloot; als een bezetene worstelde hij zich door de dikke zwarte modder om bij zijn meester te komen, die levend begraven was. Wanhopig begon hij te graven en aan het lichaam van de koning te sjorren.
Te laat realiseerden de metgezellen van Henry zich dat hun koning bezig was in de modder te verdrinken. Ze sprongen van hun paarden en renden naar de rand van de sloot op het moment dat Mody Henry's gezicht eruit trok.
Dodelijk bevreesd zagen ze hoe de man zijn hand in Henry's mond stopte en er grote klonten modder uit schepte. Nog steeds ademde de koning niet. Opnieuw stopte Mody zijn hand in Henry's mond, om nog meer modder uit zijn luchtpijp te halen.
Knivert en Compton en alle anderen staarden verstijfd van angst naar het tafereel. Toen ademde Henry met een afgrijselijk geluid diep en pijnlijk in en stroomde er weer lucht naar zijn longen.
Zijn kameraden dromden vreselijk geschrokken om hem heen. Ze hadden lachend staan toekijken, terwijl de koning bijna stierf.

Die avond zat Henry te kijken naar zijn dansende hovelingen. Hij piekerde. Katherine zat naast hem. Henry kon zichzelf er nauwelijks toe brengen haar aan te kijken.
God had het hem nu duidelijk gemaakt. Hij had Henry en Katherine geen

levende zoon geschonken – dat was Henry's straf voor het feit dat hij getrouwd was met zijn broeders echtgenote. God had hem als boodschap een gezonde bastaardzoon gegeven: hij kon wel zonen krijgen, maar niet met de weduwe van zijn broer.

Vervolgens had God Anne Boleyn op zijn pad gebracht en was Henry voor het eerst in zijn leven verliefd geworden. En toen was hij bijna gestorven, op beschamende wijze ondersteboven begraven in de modder.

Het betekende allemaal iets. Hij ontbood Wolsey.

'Ik ben bijna gestorven,' vertelde Henry hem.

Wolsey knikte. Hij had het gehoord. 'Ja, Uwe Majesteit.'

Er viel een stilte. 'Nee!' Henry schudde zijn hoofd en beende naar voren om oog in oog met de kardinaal te gaan staan. Hij staarde hem aan; hun gezichten waren slechts centimeters van elkaar vandaan. 'Niet "Ja, Uwe Majesteit". IK BEN BIJNA GESTORVEN! SNAPT U DAT DAN NIET?' schreeuwde hij.

Wolsey zweeg, zeldzaam geïntimideerd.

Henry begon te ijsberen. 'Vanaf dat moment heb ik heel veel nagedacht. Als ik gestorven was, wat had ik dan achtergelaten? Ik heb geen opvolger – alleen een dochter en een bastaardzoon.' Hij draaide zich plotseling om en keek Wolsey boos aan. 'Begrijpt u dat, Wolsey? De Tudordynastie – weg! Al mijn vaders werk. Het is allemaal afgelopen. En dat is *mijn* schuld. Het is mijn schuld.'

Hij hervatte het ijsberen. 'Ik heb te veel voor mijn plezier geleefd. Ik ben getrouwd met de vrouw van mijn broer en God heeft me gestraft. Ik dacht nooit aan de toekomst. Ik ben zo stom geweest.'

Weer viel er een stilte. Langzaam liep Henry terug om voor Wolsey tot stilstand te komen. 'Alles is nu veranderd,' zei Henry. '*Alles*. Ik wil een echtscheiding. En u gaat dat voor mij regelen!' Hij wierp Wolsey een felle blik toe en marcheerde toen de kamer uit.

In Portugal werd een bal gehouden ter ere van het koninklijk huwelijk. De jicht van de koning weerhield hem ervan zelf te dansen, dus hij en zijn jonge bruid keken toe hoe de anderen dat deden.

Brandon kwam naderbij en boog diep voor de koning. 'Met Uwe Majesteits permissie, mag ik dansen met uw echtgenote?'

Een hoveling vertaalde wat hij had gezegd en de koning knikte bruusk.

Brandon begeleidde Margaret naar de dansvloer en ze begonnen te dansen.

Na een tijdje vroeg Margaret hem: 'Wanneer vertrekt u?'

'Morgen.'

Paniekerig keek Margaret hem aan. 'Dat kan niet.'

Brandon lachte vaag. 'Waarom niet? Ik heb me van mijn plicht gekweten. Waarom zou ik blijven? U hebt een eigen leven.'
'Nee!' zei ze heftig.
Ze dansten verder. De koning hield hen scherp in de gaten.
Brandon zei: 'Het is vreemd, maar er zijn mannen die lijken te blaken van gezondheid, die nog steeds jong en vol levenslust zijn, en ineens bezwijken en sterven.' Ze bewogen van elkaar af en kwamen weer bij elkaar. Hij vervolgde: 'En tegelijkertijd zijn er oude mannen, wier lichamen versleten lijken, wier levensloop ten einde lijkt te zijn... en die nog jaren voort kunnen... jaren... en jaren.' Hij wachtte even en zei toen: 'Vindt u dat niet vreemd?'
Margaret zweeg en deed er alles aan niets te laten blijken. Ze was zich maar al te bewust van het feit dat het hele koninkrijk naar haar keek, en niet met vriendelijke bedoelingen.
'Plaagt u mij omdat u dat amuseert?' zei ze ten slotte.
'Waarom anders?' zei hij luchtig.
Margaret keek hem aan. 'Omdat u van me houdt.'
Brandon stond ineens met zijn mond vol tanden. Hij staarde in haar ogen en ze dansten zonder na te denken; onbewust onthulden ze zo hun onderlinge vertrouwdheid en verlangen.
De koning keek naar hen en werd zichtbaar bozer. 'Wie is die kerel, verdoeme?'

De zon kwam op boven de eeuwenoude stad Londen en sommigen in de stad stonden op. Dat waren echter grotendeels de armen, de bedienden, de bedelaars; zij die zich in een harde wereld staande moesten zien te houden. De meeste aristocraten draaiden zich nog even om.
Maar niet de koning. Hij zat gebogen over een brief en schreef.

> *Misschien begrijpt u het niet. Maar ik kan niet slapen, ik kan nauwelijks ademen door het denken aan u. Uw beeld staat mij elke waakzame seconde voor ogen. Ik zou misschien zelfs mijn koninkrijk opofferen voor een uur in uw armen...*

Margaret staarde uit het raam naar de ochtendschemering boven de stad Lissabon. In de haven lag een Engels schip voor anker, dat Brandon terug naar Engeland zou brengen.
Na een poosje liep ze terug naar het bed. Haar echtgenoot, de koning, lag te slapen maar was onrustig. Hij ademde moeizaam en oppervlakkig.
Ze keek uitdrukkingsloos op hem neer. Vooral op het kussen leek zijn ge-

zicht op een doodshoofd. Bijna alsof hij al aan de andere zijde vertoefde. Voorzichtig en stilletjes pakte Margaret een kussen en drukte dat hard op zijn gezicht. Zijn ledematen schudden en schopten. Zijn handen graaiden naar haar lichaam en hij maakte verstikte geluiden.
Het klonk en voelde bijna net zoals toen hij met haar de liefde had bedreven. Ze huiverde bij de herinnering. Nooit weer. Ze bleef op het kussen drukken tot er geen zenuwtrekkingen, geen sidderingen en geen geluiden meer waren.
De koning van Portugal was dood.

Hoofdstuk 10

In het voorjaar verleende Henry aan Sir Thomas Boleyn de titel van Lord Rochford. Ook benoemde hij zijn driejarige zoon bij Bessie Blount tot Hertog van Richmond en Somerset, en Graaf van Nottingham. Het kind was nu hoger in rang dan iedereen in het koninkrijk, met uitzondering van zijn vader. Koningin Katherine was woedend. Ze wist wie hier verantwoordelijk voor was: Wolsey! Ze stuurde hem een boodschap dat hij direct na afloop van de ceremonie bij haar moest komen. Ziedend wachtte ze in haar privévertrekken tot een van haar dames Wolseys komst aankondigde.

'Ik zie dat Zijne Majesteits bastaardzoon tot hertog is benoemd! Betekent dat–' Katherine stokte en probeerde haar woede in te slikken. 'Betekent dit dat hij nu in rang meteen na de koning komt? De eerste in lijn voor de troon? Vóór mijn dochter?'

'Ja,' zei Wolsey. 'Formeel gezien staat hij boven alle anderen, met uitzondering van een wettelijke zoon.'

Razend knipperde Katherine haar tranen weg. 'Zijne Majesteit houdt van onze dochter,' zei ze. 'Daar heeft hij bij vele gelegenheden blijk van gegeven, zowel in het openbaar als privé. Ik kan niet geloven dat het zijn bedoeling is zijn bastaardkind boven haar te plaatsen.'

Wolsey zweeg.

'Ik geloof niet dat Zijne Majesteit persoonlijk verantwoordelijk is voor deze daad. Tenslotte is onze dochter verloofd met de keizer!' Ze wierp hem een uitdagende blik toe.

Wolsey schraapte zijn keel. 'Heeft Uwe Majesteit het dan niet vernomen?'

'Wat vernomen?'

'De keizer is getrouwd met Prinses Isabella van Portugal.'

Katherines mond viel open.

'Blijkbaar heeft hij besloten dat het niet de moeite waard was om te wachten tot uw dochter groter was. En wie zal het zeggen, wellicht is hij beïnvloed door het feit dat de beeldschone Isabella een bruidsschat van een miljoen pond met zich meebracht.' Hij liet het enorme geldbedrag even bezinken. 'Hij heeft zijn belofte verbroken.'

Katherine kon geen woord uitbrengen; ze was zo geschokt, voelde zich zo verraden. Eerst door haar echtgenoot en nu door haar neef. Met stomheid geslagen staarde ze Wolsey aan, alsof hij een of andere weerzinwekkende pad was.
Hij glimlachte sereen terug.

In het huis van de koning in Jericho maakte Lady Blount een reverence voor haar kleine zoon. 'Uwe Excellentie.' Toen lachte ze en spreidde haar armen, waar de kleine jongen in vloog.
Ze kuste hem, veegde een traan weg en keek hem verdrietig aan. Toen zei ze op bemoedigende toon: 'Luister even naar me, Henry: u krijgt nu een eigen huis en veel bedienden om u te helpen en voor u te zorgen.'
Het kind knikte zonder zich bewust te zijn van de implicaties. 'Dat weet ik, mama.'
'U moet beloven een brave jongen te zijn,' zei zijn moeder, die probeerde haar gezicht in de plooi te houden. 'Wees attent en aardig voor de mensen om u heen. U mag dan boven hen geplaatst zijn, maar als ik merk dat u verbeelding krijgt, zal me dat verdrietig en ontevreden stemmen.'
De kleine jongen keek ernstig. 'Ja, mama. Dat beloof ik.'
Met een glimlach zei Lady Blount: 'Goed, en ik beloof dat ik u zo vaak mogelijk kom bezoeken. Ik weet zeker dat uw nieuwe huis geweldig zal zijn!'
Ze dreigde overmand te worden door haar emoties, dus ze pakte hem stevig vast en fluisterde in zijn oor, zodat niemand het kon horen: 'Ik houd van u, mijn lieve jongen. Ik houd van u.'

Henry ijsbeerde geagiteerd heen en weer in zijn vertrekken. Hij klemde een document in zijn vuist. 'Mijn arme zuster!'
'Inderdaad,' mompelde Wolsey. 'Slechts een paar dagen koningin. Het is bijna niet te geloven. Een tragedie.'
Henry knikte. 'Arme Margaret. Wanneer ze terugkeert, moet ze in de watten worden gelegd zolang ze rouwt.'
Henry legde de brief neer en keek Wolsey aan. 'En nu...'
Wolsey wist waar hij op doelde. 'Wat betreft de... de belangrijke kwestie van Uwe Majesteits nietigverklaring: ik heb een kerkelijke rechtbank met Aartsbisschop Warham in het leven geroepen om deze zaak in beraad te nemen en tot een besluit te komen. Deze zal in het geheim bijeenkomen, als Uwe Majesteit daarmee instemt.'
Henry knikte nors. 'Zorg dat ze snel tot de juiste beslissing komen.' Hij begon weer te ijsberen.

Wolsey boog zijn hoofd. 'Ik heb nog meer nieuws,' zei hij. 'Aangaande de keizer.' Hij wachtte. Henry wierp hem een ongeduldige blik toe.
'Hij heeft Koning Francis vrijgelaten,' deelde Wolsey hem mee.
Henry stond abrupt stil. '*Wat?*'
'Ik heb het uit betrouwbare bron,' zei Wolsey zacht.
'Op welke voorwaarden?' wilde Henry weten.
'Dat moet ik nog achterhalen.'
Henry sloeg met zijn vuist op tafel. 'Hij had mij moeten raadplegen! We zijn toch bondgenoten! Wat voor spelletje speelt die man? Ik wil zijn ambassadeur spreken!'
Opeens opende hij zijn vuist en keek bezorgd naar wat erin zat. Maar het zilveren medaillon was nog heel. 'Ik moet de ambassadeur spreken,' zei hij langzaam. 'Maar eerst heb ik nog een afspraak...'

Gehaast reed Henry, vergezeld door twee soldaten van de koninklijke garde, over de aangestampte onverharde weg. De paardenhoeven joegen wolken stof de lucht in. Hij had een afspraak op Hever Castle, met een dame.
Op Hever werd hij naar een kamer met galerijen geleid. Anne wachtte aan de andere kant op hem.
'Anne,' mompelde hij. Hij trilde bijna van de hartstocht. Hij staarde in haar ogen en herhaalde: 'Anne.' Toen drukte hij gretig zijn lippen op de hare.
Hij was bedwelmd. Zijn armen omvatten haar, trokken haar nog dichterbij. 'Anne,' zei hij voor de derde keer. Hij glimlachte liefdevol naar haar; met stralende, zelfvoldane ogen.
'Ik wil u iets zeggen,' vertelde hij haar. 'Als het u behaagt mijn ware, loyale minnares en vriendin te zijn, uzelf met lichaam en ziel aan mij over te geven, dan beloof ik u dat ik u als mijn enige maîtresse zal nemen. Ik zal voor niemand anders ook maar enige genegenheid opvatten.'
Hij wachtte tot zij wat zou zeggen, maar zei toen, voor het geval zij het niet had begrepen: 'Als u erin toestemt mijn *maîtresse en titre* te zijn, dan zweer ik alleen u te dienen.' Hij wachtte.
Anne verstijfde. 'Maîtresse en titre? Uw officiële maîtresse?'
'Ja! En u zult alles krijgen wat u nodig hebt. Alles wat binnen mijn macht ligt u te geven.' Hij streelde haar wang. 'U hoeft het maar te vragen – en het zal van u zijn!'
Anne wendde zich met een terneergeslagen blik van hem af.
Henry fronste en greep haar hand, zodat ze naar hem moest kijken. 'Wat is er, lieveling? Wat is er?'

Ze keek hem met een verwijtende blik aan en zei bedroefd: 'Wat heb ik gedaan waardoor u mij zo behandelt?'
Henry was in de war. 'Gedaan? Welke fout heb ik begaan? Vertel het me!'
'Mijn maagdelijkheid is bestemd voor mijn echtgenoot. En wie hij ook is, alleen hij zal het krijgen.'
'Lieve Anne...'
Anne schudde haar hoofd. 'Nee! Want ik weet hoe het anders zal gaan. Mijn zuster wordt door iedereen de geweldige prostituee genoemd.'
Henry keek haar verbijsterd aan. Hij werd door tegenstrijdige gevoelens overmand. Geen enkele vrouw had hem ooit geweigerd, laat staan zijn bedoelingen als een belediging opgevat. Stijfjes zei hij: 'Het spijt me als ik u beledigd heb. Dat was niet mijn bedoeling. Ik heb slechts in alle oprechtheid mijn ware gevoelens met u gedeeld.'
Anne boog opnieuw haar hoofd. 'Majesteit.'
Henry had geen keus: hij draaide zich om en beende weg. Hij struinde met een rood aangelopen gezicht en duidelijk gegeneerd door de lange zaal. Onderweg passeerde hij Thomas Boleyn, die op hem stond te wachten. Boleyn deed een stap naar voren, hij keek verbaasd en bezorgd. Henry gaf hem niet eens een teken van herkenning. Hij stormde het kasteel uit, besteeg zijn paard en galoppeerde weg.
Boleyn luisterde naar het wegstervende hoefgetrappel en er verscheen een tevreden glimlachje op zijn gezicht. Hij ging op zoek naar zijn dochter en trof haar in haar eentje in een kleine, donkere ruimte.
'Dat was uitstekend, mooie dochter van me,' vertelde hij haar.
'O ja?' zei Anne stilletjes. Boleyn kwam naar voren en keek verbaasd naar haar gezicht. Ze had gehuild. Ze staarde haar vader even aan.
'O ja?' herhaalde ze bitter, en toen vluchtte ze huilend de kamer uit.

Toen hij op Whitehall was teruggekeerd, ontbood Henry de ambassadeur van de Heilige Roomse Keizer op audiëntie. 'Señor Mendoza, ik ben niet blij u te zien,' zei Henry ronduit, voordat de man klaar was met buigen.
Mendoza veinsde verbazing. 'Majesteit?'
'Uw meester heeft al zijn beloften verbroken,' zei Henry. 'Hij heeft ons geld aangenomen, maar het tegen onze belangen gebruikt. Hij heeft op eigen houtje vrede gesloten met de Koning van Frankrijk en Zijne Heiligheid de Paus... en ondertussen zijn bondgenoot en vriend genegeerd. Hij heeft zich niet aan zijn woord gehouden!' Hij keek Mendoza woedend aan. 'Charles heeft alleen mooie woorden voor mij! Daden bewaart hij voor anderen!'
Mendoza begon op geruststellende toon: 'De keizer zou Uwe Majesteit nooit verraden. Nooit! Hij beschouwt u als zijn oom. Hij...'

'Zijn verrekte oom! Hoe oud ben ik?' brulde Henry.
Behoedzaam zei Mendoza: 'Welnu, Uwe Majesteit moet niet vergeten dat u zich zelf wellicht ook niet altijd aan uw verplichtingen hebt gehouden. Wij hebben tenslotte maar de helft van de beloofde hoeveelheid goud ontvangen...'
Ziedend stapte Henry de verhoging af en priemde zijn vinger in Mendoza's gezicht. 'Uw beschuldigingen zijn volkomen uit de lucht gegrepen! Onacceptabel! Ik sta in voor mijn eerzame bewindvoering – wie mij dan ook wil tegenspreken!'
Met de koning viel niet te redetwisten. Mendoza liet zijn hoofd hangen en slaagde erin beschaamd te kijken. Een tijdje later werd hij weggestuurd.
Korte tijd daarna wandelde Mendoza over het hof en liet zijn ogen heen en weer dwalen, alsof hij iemand zocht. Uiteindelijk zag hij hem. Hij maakte een discreet gebaar en Sir Thomas Boleyn kwam naar hem toe.
Mendoza nam hem apart in een stille hoek. 'My Lord Rochford. De keizer zendt u zijn allerhartelijkste felicitaties met uw bevordering,' liet Mendoza hem weten.
Boleyn trok zijn wenkbrauwen op. 'En waarom heeft de keizer belangstelling voor mijn bevordering?'
'Hij wil graag vrienden hebben aan het Engelse hof,' zei Mendoza, en hij voegde daar zachtjes aan toe: 'en hij betaalt voor dat privilege.'
Boleyn wierp hem een gehaaide blik toe. 'En heeft de keizer al veel vrienden hier?'
'Verschillende. Uwe Excellentie kent hen wel.'
'En... wat levert die vriendschap op?'
Mendoza glimlachte. 'Duizend kronen per jaar.'
Boleyn sperde zijn ogen open. Dat was een fortuin. 'Ik zal het ruimhartige aanbod van Zijne Hoogheid zeker overwegen.'
Mendoza lachte en liep weg. Boleyn draaide zich om en zag de Hertog van Norfolk staan kijken. Stond Norfolk ook op de loonlijst van de keizer, vroeg hij zich af. En wie verder nog aan het hof?
Norfolk kwam naar hem toe. 'En hoe staat het met de jonge geliefden?' vroeg hij stilletjes.
'Hij heeft haar gevraagd zijn officiële maîtresse te worden,' deelde Boleyn hem mee.
Norfolk keek geïntrigeerd. 'Maar uiteraard heeft zij...'
Boleyn lachte zelfvoldaan. Norfolk knikte tevreden.
Een tijdje stonden ze zwijgzaam te kijken naar de activiteiten om hen heen.
Terloops vroeg Norfolk toen: 'Hoe vond u de keizerlijke ambassadeur?'
'Stimulerend,' antwoordde Boleyn behoedzaam.

Boven:
Jonathan Rhys Meyers (Henry VIII)
en Natalie Dormer (Anne Boleyn)

Onder:
Natalie Dormer (Anne Boleyn)
en Jonathan Rhys Meyers (Henry VIII)

Vanaf linksboven met de klok mee:
Natalie Dormer (Anne Boleyn) en Jonathan Rhys Meyers (Henry VIII);
Maria Doyle Kennedy (Katherine van Aragon), Sonya Macari (hofdame), Myia Elliott (hofdame); Natalie Dormer (Anne Boleyn) en Jonathan Rhys Meyers (Henry VIII)

Boven (van links naar rechts):
Callum Blue (Knivert), bediende, Gabrielle Anwar (Margaret), Sam Neill (Kardinaal Wolsey), Jeremy Northam (Thomas More), Maria Doyle Kennedy (Katherine van Aragon), Natalie Dormer (Anne Boleyn), edelman, Jonathan Rhys Meyers (Henry VIII), hovelinge, Henry Cavill (Brandon)

Onder (van links naar rechts):
Jonathan Rhys Meyers (Henry VIII) en Jeremy Northam (Thomas More);
Jeremy Northam (Thomas More)

Vanaf rechtsboven met de klok mee:
Sam Neill (Kardinaal Wolsey); Jonathan Rhys Meyers (Henry VIII); Henry Cavill (Brandon); Henry Cavill (Brandon) en Gabrielle Anwar (Margaret)

Boven (van links naar rechts):
Steven Waddington (Buckingham), Henry Cavill (Brandon), Jonathan Rhys Meyers (Henry VIII), Callum Blue (Knivert) en Kris Holden Ried (Compton)

Onder (van links naar rechts):
Sam Neill (Kardinaal Wolsey) en Jeremy Northam (Thomas More); Callum Blue (Knivert)

Vanaf boven met de klok mee:
Steekspel; Kris Holden Ried (Compton);
Jonathan Rhys Meyers (Henry VIII);
Jonathan Rhys Meyers (Henry VIII)

Boven:
Natalie Dormer (Anne Boleyn) en Jonathan Rhys Meyers (Henry VIII)

Onder (van links naar rechts):
Padraic Delaney (George Boleyn), Natalie Dormer (Anne Boleyn),
Jonathan Rhys Meyers (Henry VIII) en Bryan Murray (Jean de Bellay, de Franse ambassadeur)

'Inderdaad. Ik heb met hem gesproken. Ik vind hem een uiterst… principieel man,' zei Norfolk. Toen liep hij weg.

My lady, u hebt mij ontsteld achtergelaten, onkundig van uw ware gevoelens. Ik smeek u met heel mijn hart mij een antwoord te schenken – of u mijn verzoek nu inwilligt, dan wel verwerpt!

Anne lag in elkaar gekropen in haar slaapvertrek in Hever Castle Henry's laatste missive te lezen. Verspreid om haar heen lagen andere papieren: verschillende gedichten, een brief van een vriendin uit Frankrijk en een traktaat van Martin Luther dat ze aan het lezen was toen Henry's brief bezorgd werd.
Henry's brief vervolgde: *Ik zeg u, ik beloof u plechtig al mijn eerbied, liefde en dienstbaarheid.* Ze sloot haar ogen – wat een diepgaand gevoel lag er in die woorden. Ze had nooit gedacht dat ze dit zou voelen voor Henry. Als ze had…
Maar ze had de eerste stap gezet. Haar familie rekende op haar. Er was geen andere keus dan zich er tot aan het eind doorheen te slaan.
Plotseling werd de brief uit haar handen gegrist door haar broer George.
'Nee, George! Alstublieft. Geef hem terug!' smeekte Anne hem.
George sprong bij haar weg en las hardop voor: "Ik heb u mijn hart gegeven – nu verlang ik…"'
Overstuur deed Anne een nieuwe poging de brief terug te krijgen, maar George ontweek haar.
'Niet doen! Alstublieft!'
George ging verder: '"… nu verlang ik ernaar mijn lichaam aan u te wijden."'
Anne gaf het op en zakte in elkaar; moedeloos hoorde ze George het eind van de brief voorlezen.
'"Geschreven met de hand van hem die in hart, lichaam en wilskracht uw trouwe en meest betrouwbare dienaar is, H.R."' George tuurde naar de brief en grinnikte. 'En kijk nou! Hij heeft een hartje tussen de H en de R getekend.' Schaterend wees hij ernaar.
Hij keek naar zijn zuster. Annes gezicht was rood. George, die zich kostelijk amuseerde, fluisterde: 'De Koning van Engeland die mijn kleine zusje schrijft – belooft haar dienaar te zullen zijn! Het is ongelooflijk.'
'Geef mij de brief,' zei ze zachtjes.
George negeerde haar. 'Hij is verliefd op u,' kraaide hij.
'Geef die brief aan mij!'
Verbaasd door de hartstochtelijke heftigheid in haar stem, hield George op met lachen. Hij gaf haar de brief terug en keek toe hoe ze die wegstopte.

George bestudeerde haar profiel. Uiteindelijk zei hij op bezorgde toon: 'U bent toch niet verliefd op hem? – Of wel?'
Anne antwoordde niet.

In een kooi op een oorlogsschip dat op weg was naar Engeland lag de net weduwe geworden Koningin van Portugal in de armen van Brandon, Hertog van Suffolk.
Het zachte gekraak van de spanten en de ritmische deining van het schip op een vlakke zee hadden een kalmerend effect op Margaret. Ze wilde dat er nooit een einde aan deze terugreis zou komen.
'Het was een mooie dood,' zei Brandon, en hij kuste haar. 'Sterven na het vervullen van de echtelijke plichten – wat is er mooier? Uw "kleine sterven", en zijn grotere, meer permanente.' Hij glimlachte.
'Denkt u dat ze iets vermoedden?'
Brandon lachte. 'Natuurlijk vermoedden ze iets! Hebt u niet gezien hoe de dienaren naar u keken?' Hij trok een grimas. 'Maar zijn zoon was dol van vreugde! Ik bedoel: Zijne Majesteit was dol van vreugde. Hij had tenslotte vele jaren gewacht op de troon. Daar had de oude man zich onverbiddelijk aan vastgeklampt.'
Margaret huiverde overdreven. 'Herinner me niet aan zijn vastklampende gewoonten! Ik doe mijn best die te vergeten!' Ze lachten zacht, stilletjes, terwijl hun lippen elkaar liefkozend raakten.
Na korte tijd zei Margaret: 'Wat moeten we nu doen?'
'Is dit niet voldoende?'
'Nee! Nou ja, ja.' Ze kuste hem. 'En nee.' Ze zuchtte. 'Uiteindelijk komen we in Engeland aan.'
Ze dachten aan wat hun te wachten zou kunnen staan. Het zou consequenties hebben, dat wisten ze allebei. Brandon draaide haar gezicht naar zich toe en keek in haar ogen. 'Trouw met me,' fluisterde hij.
'Wat?' Ze staarde hem aan.
'U hebt me gehoord. Trouw met me!'
Margaret was verbijsterd door de brutaliteit van deze suggestie. Hij had haar geheime hartenwens onder woorden gebracht. Maar zij was een prinses – nee, een koningin – nog maar kort weduwe, en hij was een burger... onlangs in de adelstand verheven, dat was waar...
Maar als Brandon zonder toestemming van de koning met haar trouwde gold dat, formeel gezien, als verraad.

Compton baande zich een weg door een drukbevolkte Londense taveerne. Waarom wilde Brandon hem in hemelsnaam hier ontmoeten, op deze on-

smakelijke plek, terwijl ze makkelijk in het paleis hadden kunnen afspreken? Het was stampvol, lawaaierig, en het stonk naar ongewassen lichamen, bier, wijn en klamme wol.
Hij ontdekte Brandon, die zat te wachten en, naar het aantal kruiken en lege kelken op zijn tafel te oordelen, al behoorlijk aangeschoten was. Brandon omhelsde hem hartelijk. 'Mijn beste William. Kom, drink wat.' Hij schonk twee kelken vol en vervolgde: 'Wat fijn om u weer te zien.'
'Ja,' zei Compton. 'Maar waarom hier? Ik begrijp het niet. We hadden u op het paleis verwacht.'
Brandons glimlach verdween. Hij keek onzeker, bezorgd zelfs. 'Hoe maakt de koning het?'
'Hij wil dolgraag zijn zuster zien,' deelde Compton hem mee. 'En haar verdriet delen.'
'Ah... haar verdriet... ja.' Brandon leegde zijn kelk. Hij wierp Compton een berouwvolle, schuldige blik toe. 'We zijn getrouwd.'
Compton was beduusd. 'Wat? Wie?'
Brandon haalde zijn schouders op. 'Zij... en ik! We zijn getrouwd.'
Langzaam begon het tot Compton door te dringen; hij rolde met zijn ogen. 'U en...?'
Brandon knikte. 'Ja. U moet het hem vertellen. U moet het aan de koning vertellen.'
'*Ik* moet het hem vertellen? Waarom moet *ik* het hem vertellen?'
'Het is beter als hij het uit uw mond hoort.' Ze zwegen, denkend aan het enorme schokeffect van dit alles. Het zou Brandon de kop kunnen kosten.
Compton leegde zijn kelk, keek weer naar zijn oude vriend en begon toen onverwacht te grinniken. 'Wat is er aan de hand, Charles? Durft u het zelf niet?'
Brandon zakte ineen op de bank. 'Het is niet om te lachen.'
'Weet ik,' beaamde Brandon. 'Maar waarom hebt u het gedaan?'
Brandon maakte een ongemakkelijk gebaar. 'U kent me. Ik denk niet altijd na.'
Compton snoof. 'Dat doet u wel! Alleen niet altijd met uw hersens!'

Het was Goede Vrijdag en Koningin Katherine zat in de kerk. Het koor zong het Stabat Mater, terwijl de ceremonie die bekendstond als het Kruipen naar het Kruis plaatshad.
Blootsvoets kropen de mannelijke parochianen op handen en knieën naar een offertafel waarop een beeld van de Maagd stond. Zij had een groot 'prachtig delicaat verguld' crucifix vast dat de mannen eerbiedig kusten.
Toen de laatste man het kruisbeeld had gekust, tilde een monnik het op en

droeg het naar de onderste treden van het koor, waar hij het op een fluwelen kussen legde. De norse, bejaarde Bisschop van Rochester, John Fisher zelf – die de mentor van de jonge Koning Henry was geweest – kroop er blootsvoets naartoe en kuste het. Hij stond op, boog voor Katherine en nodigde haar met een handgebaar uit hem naar buiten te volgen. Toen Katherine verscheen, werd ze door de wachtende menigte begroet met een luid applaus.

Fisher richtte zich tot hen. 'Beste mensen van Lambeth. Op deze Goede Vrijdag zal Hare Majesteit de Koningin de aalmoezen van de koning verdelen onder deze onfortuinlijke doch ware en loyale onderdanen van de Koninklijke Hoogheden... in de christelijke geest van liefdadigheid en genegenheid.'

Katherine liep naar de eerste magere en haveloze man toe. Trillend viel hij voor haar op zijn knieën. Een van Katherines hofdames gaf haar een gouden muntstuk en zij drukte dat in de hand van de arme man, terwijl ze troostende woorden in zijn oor fluisterde.

Tranen rolden over de wangen van de arme man. Dit was het mooiste moment van zijn leven. Het aangeraakt en geestelijk geheeld worden door de koningin was van veel grotere betekenis dan de waarde van het geld. Het was alsof hij door een heilige was gezegend.

Katherine liep verder langs de rij en deelde de aalmoezen van de koning uit. Ze werd gadegeslagen door een glimlachende, huilende en zich gezegend voelende mensenmassa.

Een van de toeschouwers bekeek de ceremonie met duidelijk veel minder vreugde: Mijnheer Cromwell, de secretaris van de koning. Zijn gezicht was uitdrukkingsloos, maar zijn neus was enigszins opgetrokken, alsof hij iets verdorvens rook.

'Hij wil een *scheiding*?' riep Sir Thomas More ontdaan uit. 'Dat geloof ik niet!' Hij had een dringende oproep van Wolsey ontvangen en was, ondanks het late uur, meteen naar Hampton Court gekomen. Hij staarde Wolsey aan, niet in staat de enorme omvang van de eis van de koning tot zich door te laten dringen.

Wolsey schudde zijn hoofd. 'Het is geen scheiding. Hij wil een nietigverklaring op grond van het feit dat hij in wezen nooit met haar getrouwd is geweest.' Hij zag Mores blik en voegde eraan toe: 'Door met de echtgenote van zijn broer te trouwen, heeft hij zowel de burgerlijke wetten als de wetten van God overtreden. Hij wil dat simpelweg erkend hebben.'

'Maar de paus heeft hem speciale dispensatie verleend om met Katherine te kunnen trouwen!'

Wolsey haalde zijn schouders op. 'Dat is zo. Niemand ontkent dat. Maar de koning voelt zich meer verplicht aan God dan aan de paus. Hij wordt oprecht gekweld door zijn geweten. Hij heeft Gods bevel genegeerd en er is niets wat Zijne Heiligheid kan doen of zeggen om daar verandering in aan te brengen.'
More fronste. 'Maar de paus is de plaatsvervanger van God op aarde. Hij spreekt voor...'
Wolsey gooide zijn ganzenveer neer. 'Kom nou toch, Thomas. Wat pretendeert u nu? Het is heel normaal dat koningen scheiden. En pausen vinden altijd wel een excuus. Ik weet dat u een idealist bent, maar u bent niet gek. Als Henry zijn huwelijk nietig wil laten verklaren, wie zal hem dan tegenhouden?'
More keek Wolsey onderzoekend aan. 'Goed. Laten we realistisch zijn. U hebt het over feiten. Laat me u een feit noemen: Katherine van Aragón is niet alleen een geweldige koningin en de dochter van vooraanstaande vorsten, ze is ook immens populair in het hele land. God verhoede dat de koning haar verlaat – alleen om zijn geweten te sussen! Ik denk niet dat het Engelse volk hem dat ooit zal vergeven!'
Wolsey leek niet onder de indruk van dit argument.
Na een korte pauze zei More op lage toon: 'Weet zij het al?'
Wolsey gaf geen antwoord.
Hevig bezorgd liep More naar het raam en keek naar buiten. Massa's donkere wolken hadden zich veelbetekenend voor de maan verzameld. Er was storm op komst. Dat was toepasselijk, vond More. God wist wat hiervan zou komen.

'Gevangen!' Prinses Mary sprong vanachter een stoel tevoorschijn en greep haar moeder om haar middel.
'Maar, aha, nu heb ik u gevangen!' Katherine tilde Mary op en draaide het kind in het rond. Het meisje gilde het uit van de pret. Toen Katherine haar weer neerzette, wiebelde ze overdreven duizelig en giechelend op haar benen. Alle hofdames lachten.
Plotseling stierf het gelach weg. Katherine keek op en zag Wolsey bij de deur naar haar staan kijken. Ze verstijfde.
'Kom hier, schat,' zei ze tegen Mary, die, verbaasd door de abrupte stemmingswisseling, haar moeder een bezorgde blik toewierp.
Katherine glimlachte geruststellend en gaf haar een kus. 'Ga naar uw kamer,' droeg ze haar op. 'Ik zie u later.'
'Ja, mama,' zei het kind gehoorzaam. Een van de dienaren van de prinses kwam naar voren en leidde haar de kamer uit.

Katherine gebaarde dat al haar hofdames konden vertrekken. Ze keek Wolsey minachtend aan en zei op sarcastische toon: 'Opnieuw een bezoek, Uwe Eminentie? U bent altijd zo... druk.'
'Ik heb goed nieuws,' zei Wolsey minzaam. 'Aangezien Zijne Majesteit de Hertog van Richmond een eigen huishouding heeft geschonken, vindt hij het niet meer dan rechtvaardig en juist dat zijn geliefde Prinses Mary ook de hare krijgt.'
Katherine kneep haar ogen tot spleetjes. 'Wat bedoelt u?'
'Zijne Majesteit is van plan de prinses naar Ludlow Castle te sturen, op de Welsh Marches. Ze zal aan de zorgen van Lady Salisbury, haar gouvernante, worden toevertrouwd. Haar leermeester, Doctor Fetherston, zal haar ook vergezellen, evenals driehonderd leden van de huishouding van de prinses.'
Het duurde even voordat die woorden bezonken waren. 'Ze... ze wordt bij mij weggehaald?'
'Helemaal niet,' zei Wolsey. 'Zijne Majesteit verleent haar de eerbewijzen die een prinses waardig zijn.'
'Dit komt niet van Zijne Majesteit zelf!' zei Katherine op scherpe toon.
Wolsey spreidde zijn armen in een hulpeloos gebaar. 'Madame, ik word vaak beschuldigd van dingen die mij niet te verwijten vallen of waar ik niet verantwoordelijk voor ben. Sommige mensen zijn altijd geneigd kwaad te spreken en het ergste door te vertellen zonder op de hoogte te zijn van de waarheid. En wellicht hebben zij Uwe Majesteits mening over mij vergiftigd.'
Vol bitterheid zei Katherine: 'U ontneemt me mijn kind – *mijn kind* – mijn enige bron van geluk, de spil van mijn leven.' Haar stem steeg naar een van droefheid doortrokken hoogte. 'U rukt haar bij me weg alsof u haar uit mijn schoot rukt!'
'Ik doe slechts wat de koning mij opdraagt,' deelde Wolsey haar mee.
Katherine staarde hem vol minachting aan. 'Mijn vertrekken uit!'
Wolsey boog. 'Majesteit.' Hij vertrok en Katherine staarde hem radeloos en wanhopig na. Maar ze wilde en zou niet huilen. Niet om hem.

Katherine hoorde de regen en de donder toen ze voor haar kleine altaar knielde om te bidden. Na enige tijd besefte ze dat de geluiden die ze hoorde niet van buiten kwamen en ze stond op om te kijken wat er was.
Haar mond viel open toen ze Henry via de geheime doorgang haar kamer binnen zag komen. Héél even dacht ze dat haar gebeden – na al die jaren – verhoord werden, dat Henry zijn echtelijke bezoekjes hervatte. Maar toen zag ze zijn opgelatenheid, de spanning die van hem afstraalde, en haar hoop vervloog.

Ze maakte een diepe reverence en wachtte af.
Henry kon niet stil blijven staan; zenuwachtig liep hij een paar keer op en neer. Toen, met een botheid die niets voor hem was, zei hij: 'Ik moet u iets zeggen, Katherine. Wat mij betreft is ons huwelijk... is ons huwelijk voorbij.' Hij slikte en ging toen over op wat overduidelijk een voorbereid praatje was. 'Feitelijk hoeft iets wat er nooit geweest is niet beëindigd te worden. U en ik zijn nooit werkelijk getrouwd geweest. Er was sprake van een misverstand... een misvatting van de Heilige Schrift, en een... verkeerde toepassing van het kerkrecht door de paus...'
Katherine hoorde de woorden en haar ogen werden wazig van de tranen. Henry zag ze. Hij ging er een beetje door stotteren, maar hij was vastbesloten zijn verhaal af te maken.
'Het is waar dat ik dit niet eerder wist. Maar nu... nu deze zaken aan het... aan het licht zijn gekomen door gedegen advies...'
Er druppelden tranen uit Katherines ogen, die strepen trokken over haar wangen.
Henry wendde zijn blik af en ging stijfjes verder: 'Die drukken op mijn geweten. Ze... ze dwingen mij voor altijd uw tafel en bed te verlaten.'
Hij zweeg; de stilte werd alleen verbroken door de roffelende regendruppels en het gesnotter van de koningin.
Henry vervolgde: 'Voor u rest slechts... u rest slechts te kiezen... te kiezen waar u vanaf nu wilt wonen, en... en... u daar zo snel mogelijk terug te trekken.'
Hij wachtte op een reactie, alsof die hem zou kunnen helpen, maar Katherine huilde alleen maar; ze staarde hem met betraande ogen aan.
Henry's keel zat dichtgeknepen. Hij haatte dit, dat hij dit moest doen. Hij wilde dat het voorbij was, afgelopen, over. Op vleiende toon zei hij: 'Alstublieft, Katherine, ik smeek u, houd dit geheim. En ik beloof u... ik beloof u dat alles weer goed zal komen.'
Katherine keek hem slechts met een blik van diepe smart en verstokenheid aan, terwijl ze jammerlijk huilde.
Henry, die er niet meer tegen kon, draaide zich abrupt om en liep weg.

'Madame, Lady Salisbury is hier,' deelde een hofdame Katherine mee. Een streng kijkende, aristocratische dame werd Katherines vertrekken binnen geleid.
Met nauwgezette formaliteit maakte Lady Salisbury een reverence voor de koningin. 'Uwe Majesteit. Ik heb uw dochter hier gebracht om u vaarwel te zeggen.' Ze gaf een teken en een andere dame bracht Prinses Mary binnen. De prinses was als een stijve kleine miniatuurvolwassene gekleed in een

reiskostuum. Ze rende niet haar moeders armen in, wat ze normaal altijd deed, maar maakte een stijve en plechtige reverence, alsof ze een vreemde tegenover zich had. Dit was haar duidelijk aangeleerd.
Het brak Katherines hart. 'Mijn kindje,' mompelde ze gebroken.
Lady Salisbury zei met kille stem: 'Uwe Majesteit kunt gerust zijn. Er zal goed voor de prinses gezorgd worden, zoals past bij haar positie. U zult regelmatig verslagen ontvangen met betrekking tot haar gezondheid en prestaties. En uiteraard kunt u haar tijdens de hofreizen van Uwe Majesteit bezoeken.'
Er trok een huivering over Katherines gezicht, maar ze bedwong haar emoties; ze wilde haar smart niet aan een lagergeplaatste tonen – of haar dochter van slag brengen. Op de meest hoffelijke toon die ze kon opbrengen, zei ze: 'Dank u, Lady Salisbury. En zorg ervoor dat ze haar muziek repeteert. Ze heeft...' haar stem brak, maar ze herstelde zich en zei: 'Ze heeft een groot muzikaal gevoel.'
Lady Salisbury boog opnieuw.
Katherine staarde naar haar kleine dochter en ging verder in het Spaans: 'Wees sterk, mijn geliefde dochter. Vergeet niet wie u bent – de nakomeling van Isabella en Ferdinand van Castilië, de *enige* dochter van de Koning van Engeland. Wees sterk, en wees oprecht, en op een dag...' Ze aarzelde, want haar stem brak opnieuw. 'Op een dag zult u koningin zijn.' Ze kuste Mary liefdevol.
Mary maakte opnieuw een reverence voor haar. 'Ja, mama.' En dat was het. Het kleine meisje werd weggeleid door Lady Salisbury, weg van haar moeder, naar een onbekende toekomst.
En Katherine huilde.

Hoofdstuk 11

'Heeft hij er spijt van?' Henry keek Compton, met wie hij in een privégesprek verwikkeld was, kwaad aan. Compton had het nieuws van Brandons huwelijk met de zuster van de koning bekendgemaakt.
'Heeft hij er berouw over?' ging Henry verder. 'Vertel! Smeekt hij mij hem te vergeven?'
Compton voelde zich verschrikkelijk opgelaten onder de starende blik van zijn koning. 'Uwe Majesteit kent Zijne Excellentie,' zei hij ten slotte.
Henry staarde hem vol ongeloof aan. 'U bedoelt dat dat *niet* zo is?' zei hij op onheilspellende toon. Compton deed er het zwijgen toe.
Henry maakte een furieus gebaar en balde zijn vuisten. 'Laat mijn zuster hier komen!' snauwde hij.
Compton haastte zich naar buiten.
Henry legde zijn vingers op zijn slapen, alsof hij pijn had aan zijn hoofd.
Even later betrad Margaret stilletjes de kamer. Ze maakte een diepe reverence en hield haar ogen naar de grond gericht.
'U draagt geen zwarte kleding!' constateerde Henry kil.
'Nee, Uwe Majesteit.'
'Maar u bent in de rouw. Uw echtgenoot is dood.'
Margaret reageerde niet.
Op dreigende toon zei Henry: 'Ik *zei*: uw echtgenoot is dood!'
Ze tilde haar hoofd op en keek hem opstandig aan. 'Nee, hij leeft!' zei ze tegen hem. 'Mijn echtgenoot leeft.'
Henry stampte naar haar toe en pakte haar kin in zijn hand. 'Ik heb u geen toestemming gegeven om met Brandon te trouwen – noch zou ik dat ooit doen.'
Margaret trok haar kin uit zijn hand. 'U hebt het me beloofd! Ik was vrij om te kiezen.'
'Ik heb het u nooit beloofd. U vergist zich.' Hij zag de opstandigheid in haar ogen en zei kwaad: 'Waag het niet mij aan te kijken! Ik ben uw heer en meester! Niet uw broer!' Hij wachtte.

Stuurs sloeg Margaret haar ogen neer, alsof ze hem gehoorzaamde. Maar dit gebaar maskeerde nauwelijks haar diepe weerzin.
'De ministerraad eiste zijn hoofd. Dat heb ik hun bijna gegeven – wist u dat?'
Dat wist Margaret. Het was Wolsey, had ze gehoord, die de koning ervan had overtuigd Brandon niet te onthoofden. Nogal ironisch, omdat haar echtgenoot de kardinaal haatte.
Henry stapte weer op de verhoging onder zijn baldakijn. 'U wordt beiden van het hof verbannen,' deelde hij haar mee. 'U doet afstand van uw huizen in Londen. U verdwijnt uit mijn gezichtsveld. Hebt u dat begrepen?'
Hij wachtte; toen brulde hij, aangezien ze geen reactie gaf: *'Hebt u dat begrepen?'*
Margaret zei binnensmonds: 'Ja, Uwe Majesteit.'
Witheet over haar opstandigheid keek hij haar aan. 'En Margaret?'
'Ja, Uwe Majesteit?'
'Ik moet nog beslissen of ik uw nieuwe bedgenoot al dan niet een kopje kleiner zal maken,' zei hij vals.
Margarets oogleden trilden. Ze staarde hem ontsteld aan. Hij zou haar echtgenoot toch niet echt onthoofden, zijn vroegere beste vriend – toch?

In zijn privévertrekken liep Henry als een rusteloze, gefrustreerde leeuw te ijsberen. Er kwam een kamerheer binnen.
'Wat is er?' snauwde Henry.
De kamerheer stak een klein pakketje naar voren.
'Van wie is dat?'
'Lady Anne Boleyn, Uwe Majesteit.'
Henry knikte ongeïnteresseerd, nam het pakketje aan en stuurde de jonge kamerheer weg. Maar zodra de man de kamer verlaten had, vouwde Henry het pakketje met trillende vingers open.
Er zat een zeer verfijnd bijou in: een kleinood in de vorm van een schip, met een piepklein figuurtje van een eenzame vrouw aan boord, en een diamanten hanger. Henry staarde ernaar en draaide het alle kanten op in een poging de geheime betekenis ervan te achterhalen.
'Een schip met een vrouw aan boord,' mompelde hij. 'Wat is een schip? Wat anders dan een symbool van bescherming, net als de ark die Noach redde?' Hij fronste. 'En de diamant? Wat stond er ook alweer in *Roman de la Rose*? Ja. "Een hart zo hard als een diamant, standvastig... onveranderlijk."'
Hij liep nadenkend heen en weer – toen schoot het hem ineens te binnen. 'Zij is de diamant,' riep hij uit. 'En ik ben het schip.'

Zwaar ademend stond hij stil. Hij zag zichzelf in de spiegel. 'Ze zegt ja!' zei hij tegen zijn spiegelbeeld. Zijn gezicht straalde van vreugde. 'Ze vertrouwt zichzelf toe aan mijn zorgen.'

Kardinaal Wolsey schraapte zijn keel en het onsamenhangende gemompel in de kamer stierf weg. 'Uwe Excellenties, ik denk dat u wel weet waarom we hier samengekomen zijn... in alle beslotenheid.' Hij bedoelde in het geheim. Bijna alle kerkelijke hoogwaardigheidsbekleders waren aanwezig.
'Wij zijn hier op bevel van Zijne Majesteit. Zijne Majesteit heeft verzocht om een onderzoek naar de aard van zijn huwelijk met Katherine van Aragón, ter geruststelling van zijn geweten en zijn zielenrust.' Niemand in de kamer verroerde zich.
Wolsey ging verder: 'Want er staat in Leviticus: "Een man die de vrouw van zijn broeder neemt – bloedschande is het; de schaamte van zijn broeder heeft hij ontbloot, kinderloos zullen zij zijn."'
Wolsey keek naar zijn medeprelaten en probeerde hun eerste reactie in te schatten. Hij stuitte op een massa zorgvuldig halfgesloten ogen.
'Als, Mijne Excellenties,' vervolgde hij, 'wij in staat zijn om onderling tot overeenstemming te komen dat het huwelijk – in feite – nooit legaal is geweest en zowel tegen de burgerlijke als de kerkelijke wetten in is doorgezet – tot welke overtuiging Zijne Majesteit, tot zijn grote spijt, is gekomen – dan ben ik van mening dat ik, als pauselijke legaat, zelf de macht en autoriteit heb het te ontbinden en te beëindigen.' Hij zweeg en keek naar Aartsbisschop Warham. 'Uwe Excellentie?'
Warham zei behoedzaam: 'Ik ben geneigd het met Uwe Eminentie eens te zijn... maar ik zal pas uitspraak doen als ik alle meningen gehoord heb.'
'My Lord Fisher?' Wolsey wendde zich tot de bejaarde Bisschop Fisher.
Fisher snoof. 'Ik zie geen ontvankelijkheid in de zaak van de koning, op deze wijze betuigd. Geen enkele. Als er enige sprake was van een belemmering voor dit huwelijk, dan is deze ondervangen door de dispensatie van de paus. Het huwelijk was derhalve legaal en, zoals Uwe Eminentie weet, echtscheiding wordt door de Kerk niet toegestaan.' Hij keek Wolsey recht in de ogen en zei resoluut: 'Dat is mijn mening.'
Er klonk een instemmend gemompel.
Wolsey keek bedachtzaam. Hij zag onmiddellijk dat het geen zin had om op zijn strepen te gaan staan. Terwijl hij vorsend naar de gezichten in de kamer keek, besefte hij dat dit absoluut niet zo simpel zou worden als de koning dacht.

Sir Thomas More ging langs bij Bisschop Fisher om de kwestie van het huwelijk van de koning te bespreken. 'Dit is een serieuze zaak,' zei More. 'Het is van belang om te weten welke mening uw medebisschoppen zijn toegedaan... vooral de aartsbisschop.'
Fisher knikte. 'Warham heeft mij in vertrouwen verteld dat hij achter de koningin staat.'
Dat deed More zichtbaar plezier. 'Goed. In dat geval zal het voor Wolsey onmogelijk zijn om verder te gaan. De zaak zal herroepen moeten worden door Rome.'
'Het lijkt mij dat deze zaak een bredere context heeft.'
More knikte. 'Dat weet ik.'
'De koning dreigt de autoriteit van de paus wat betreft de dispensatie voor zijn huwelijk niet te erkennen. Zulke dreigementen komen in Duitsland en op andere plaatsen steeds vaker voor, zoals u ongetwijfeld weet. Er zijn Engelsen die nu in het buitenland verblijven – zoals Tyndale – die de tradities van onze Kerk verachten.'
More knikte opnieuw. 'Dat weet ik ook. Weet u dat William Tyndale mij zelfs zijn Engelse vertaling van het Nieuwe Testament wilde sturen? Alsof ik dergelijke ketterij zou goedkeuren!'
Fisher schudde zijn hoofd. 'Al die mannen zijn net kleine Luthertjes. Uiteindelijk missen ze vertrouwen in de Heilige Kerk. En – God verhoede – als hun boodschap ooit aanvaard werd, zou dat zorgen voor de totale vernietiging van het christelijke geloof.'
'Het is waar.' More balde zijn vuisten. 'Ik vind dat slag mannen absoluut verachtelijk. Zo erg zelfs dat ik, tenzij ze weer bij zinnen komen, zo haatdragend mogelijk tegen hen wil zijn.'
De oude ogen van Fisher stonden zorgelijk toen hij hem aankeek. 'Ik hoop en bid, Sir Thomas, dat Zijne Majesteit het altijd met u eens zal zijn.'

'Koning Francis wil graag de betrekkingen met Uwe Majesteit herstellen,' vertelde Wolsey aan Henry. Hij was rechtstreeks van de geheime bijeenkomst met de andere geestelijken naar Henry's privévertrekken in het paleis gekomen. Henry leek nog rustelozer dan anders; nu eens banjerde hij loerend door de kamer, dan weer zakte hij onderuit op een stoel.
Wolsey vervolgde: 'Hij verafschuwt het verraderlijke gedrag van de keizer ten opzichte van Uwe Majesteit. Aangezien hij zelf net zo behandeld is, begrijpt hij het maar al te goed. Hij biedt u daarentegen een oprechte en wederzijdse vriendschap.'
'Het is waar dat de keizer onze verwachtingen heeft geschonden,' zei Hen-

ry, terwijl hij verward staarde naar het kleinood dat Anne hem gestuurd had en het liet schommelen in zijn hand.
'Wellicht is hij nooit oprecht geweest,' suggereerde Wolsey. 'Maar ondanks dat heeft hij nog steeds vrienden aan het hof.'
Henry veerde overeind. 'Welke vrienden?'
'Mijn tussenpersonen hebben deze brief onderschept.' Wolsey overhandigde hem aan de koning. 'Het is een brief van de koningin. Ze vraagt waarom de keizer haar niet vaker schrijft. Ze belooft altijd zijn dienaar te blijven.'
Henry las de brief vluchtig door en scheurde die toen woedend in stukken. Wolseys gezicht vertoonde een onuitgesproken flikkering van voldoening.
'Zijn dienaar, niet de mijne!' snauwde Henry. Hij stond op en begon heen en weer te lopen. Na een tijdje zei hij: 'Zeg tegen de Franse ambassadeur dat wij genegen zijn tot een verzoening met Koning Francis. Laat hen afgezanten hiernaartoe sturen. Laat ons bondgenoten zijn tegen de keizer.'
'Ja, Majesteit,' bromde Wolsey tevreden.
'En nu,' zei Henry, starend naar het kleinood in zijn hand, 'heb ik andere verplichtingen.'

'Mijn eigen hart. Mijn leven. Mijn lady.' Henry lag in bed met Anne in zijn armen; hij kuste haar hartstochtelijk en met aanhoudende verwondering. Ze beantwoordde zijn liefkozingen: eerst kuste ze zijn mondhoek en vervolgens sabbelde ze aan zijn onderlip. Ze liet haar vingers door zijn haar glijden en kuste hem terug – opende haar mond voor hem en drukte haar ranke lichaam tegen het zijne.
Hij tilde zijn hoofd op en keek haar smoorverliefd aan. 'Ik maak aanspraak op uw maagdelijkheid,' zei hij teder. Toen kuste hij haar borsten.
Anne glimlachte en huiverde van verlangen. 'En ik doe u deze belofte: als wij getrouwd zijn, bezorg ik u een zoon!'
Dat was wat Henry het allerliefste wilde horen. Het wakkerde zijn verlangen zelfs nog meer aan. 'Lieve Anne. O, lieve Anne.'
Hun liefkozingen werden nog vuriger en intiemer. Henry gromde dierlijk en drukte haar tegen zich aan, terwijl zijn handen koortsachtig over haar lichaam gleden. Hier had hij naar gehunkerd, van gedroomd, dag en nacht, Anne… Anne.
Zijn ogen stelden een vraag. De hare gaven toestemming; hij kon haar nu nemen als hij dat wilde. Henry streelde haar nog een keer en rolde toen met een diepe zucht van haar af. 'Nee,' zei hij.

Even begreep Anne het niet. Ze spatte bijna uit elkaar van lust. 'Wat is er?' hijgde ze.
Henry lag naast haar en deed hevig zijn best zich te beheersen. Ten slotte zei hij: 'Ik zal uw maagdelijkheid eerbiedigen tot we getrouwd zijn. Dat is het minste wat ik voor de liefde kan doen.'
Anne keek hem verwonderd aan. 'O, liefde. Dan zal ik u elke dag opnieuw bewijzen dat u mij zowel liefdevol als vriendelijk jegens u zult vinden.'
Henry leunde achterover en kuste haar – bijna kuis – op de lippen. Toen stond hij op en wandelde stilletjes de kamer uit.

'U zei dat het goed zou komen!' Margaret smeet een bord naar Brandon toe. Hij dook weg en het sloeg tegen de eetkamermuur van hun huis op het platteland. Het was laat in de middag. Eerder die dag was Margaret teruggekeerd van het hof en het gesprek met haar broer. Nee, niet haar broer, haar heer en meester, de koning.
'U zei dat hij u zou vergeven!' krijste Margaret. 'Dat zei u! Dat hebt u beloofd.' Er lagen aardig wat lege wijnkruiken verspreid over de tafel. Ze hadden sinds haar terugkomst zitten drinken en waren allebei behoorlijk aangeschoten.
Margaret pakte een lege kruik en wilde die naar hem gooien. 'In godsnaam, vrouw...' begon Brandon.
'Noem me geen vrouw!' snauwde Margaret. 'Ik wil uw vrouw niet zijn. Ik haat u!'
Brandon liep om de tafel heen en probeerde dichter bij haar te komen. 'Nee, dat doet u niet,' sprak hij haar tegen.
Als antwoord gooide ze de kruik naar hem toe. Die miste hem op een haar na. 'Ja, dat doe ik wel!' zei ze. 'Als u er niet was geweest, was ik nu nog koningin van Portugal! En wat ben ik nu?'
'U bent dronken,' vertelde haar liefhebbende echtgenoot haar. 'En u bent dwaas.' Op vleiende toon voegde hij daaraan toe: 'Natuurlijk zal de koning ons vergeven. Daar is hij nu gewoon nog te trots voor. We hebben zijn ijdelheid gekwetst, dat is alles.'
Brandon kreeg haar te pakken en vervolgde: 'Geloof me.'
'Waarom zou ik?'
Brandon trok haar dichter naar zich toe en begon haar te kussen. Eerst probeerde ze zich uit alle macht te verzetten, zich los te rukken, maar geleidelijk verdween haar weerstand. Zijn lichaamswarmte deed haar smelten en ze kuste hem hartstochtelijk terug.
Margaret deed een stap naar achteren en keek haar echtgenoot wanhopig aan. 'Ik weet niet of u nu echt dapper – of gewoon gestoord bent.'

Brandon glimlachte. 'Ik ook niet.' Hij wilde haar weer vastpakken. Schoppend en slaand verzette ze zich, maar hij duwde haar niettemin in de richting van de tafel. Ze trapte en beet hem vol vuur en rukte aan zijn kleren.
Brandon schoof haar op de tafel; kruiken en kelken vlogen alle kanten op toen ze elkaar onstuimig kusten. Hij duwde haar rokken omhoog. Haar benen gingen uit elkaar en sloten zich weer om hem heen. Vol wilde overgave bedreven ze de liefde.
Toen ze het hoogtepunt naderden, trok Brandon zich even terug en keek zijn vrouw aan. 'Ik ben nog steeds slechts een hertog!' zei hij grinnikend. Ze gaf hem een klap en trok hem dichter naar zich toe.

'Ik vraag het u nogmaals,' zei Bisschop Fisher indringend. 'Als de koning zo gekweld wordt door zijn geweten, waarom heeft hij dan zo lang gewacht met het naar voren brengen van deze kwestie?'
Wolsey had de kerkelijk leiders van Engeland weer in het geheim bijeengeroepen.
'Vanwege zijn liefde voor de koningin heeft hij de waarheid niet onder ogen durven zien,' legde Wolsey uit. 'Maar het feit dat zij niet in staat is geweest het leven te schenken aan een gezonde zoon is daarvan het bewijs.'
Aartsbisschop Warham nam het woord. 'Dus hij wil hertrouwen?'
'Als dit huwelijk nietig wordt verklaard, ja, dan weet ik zeker dat hij zal hertrouwen in de hoop een erfgenaam op de wereld te zetten,' zei Wolsey.
'Hij heeft een erfgenaam!' snauwde Fisher.
Wolsey schudde zijn hoofd. 'Ik geloof geen seconde dat het Engelse volk zijn bastaardzoon als een wettige erfgenaam zal beschouwen. En de koning ook niet.'
'Hij heeft een wettige dochter!' gaf Warham aan.
Wolseys liet zijn ogen langs alle mannen in de kamer dwalen; celibataire mannen, mannen van de Kerk. Hij zei: 'Mijne Excellenties, de Engelse geschiedenis is doortrokken van de tragedies van degenen die probeerden hun kroon door te geven aan een dochter.' Hij liet zijn woorden bezinken. Toen Keizerin Matilda in de twaalfde eeuw de troon van haar vader erfde, raakte het land verwikkeld in een rampzalige burgeroorlog. Niemand in de kamer wilde dat dit ooit weer zou gebeuren.
'Maar... heeft hij dan een nieuwe echtgenote in gedachten?' vroeg Fisher.
'Dat is aan de koning zelf om te bepalen, my lord,' zei Wolsey behoedzaam.
Fisher schudde zijn hoofd. 'Er zit een luchtje aan!'
Wolsey keek hem aan. 'Ik denk dat u voorzichtig moet zijn.'

'Net als u!' kaatste de oude heer bits terug. 'Een van de grote voordelen van het bezitten van een bibliotheek, Uwe Eminentie, is dat deze vol boeken staat. En sommige van die boeken bevatten kerkelijke wetten. En volgens die boeken beschikt u niet over de autoriteit om over deze kwestie een uitspraak te doen. Dat is alleen aan de paus – of degenen die hij aanwijst.' Hij keek Wolsey schuin aan en zei botweg: 'Het lijkt erop, Uwe Eminentie, dat deze kwestie voor u te hoog gegrepen is!'

Later had Wolsey een ontmoeting met Henry in diens privévertrekken in het paleis. 'Ik heb een Franse delegatie uitgenodigd voor een bezoek aan het hof van Uwe Majesteit om te praten over een nieuw verdrag dat ons in de eventuele confrontatie met de onbuigzaamheid en agressie van de keizer aan elkaar bindt.'
'Goed. Uitstekend,' zei de koning. Zoals gewoonlijk liep hij te ijsberen, maar deze keer was hij in een opperbeste stemming.
Wolsey vervolgde: 'En aangezien de keizer zijn belofte om met uw dochter te trouwen verbroken heeft, zou het misschien verstandig zijn om haar verloving met de dauphin nieuw leven in te blazen. Of, indien de dauphin al toegezegd is, met Francis' jongste zoon, de Hertog van Orléans.'
Henry leek het in zich op te nemen, maar hij was met zijn hoofd bij andere zaken.
'Hoe zit het met uw geheime bijeenkomsten?' vroeg hij. 'Is er al een besluit genomen? Wanneer kan ik de nietigverklaring verwachten?'
Wolsey, die wist dat hij zich op glad ijs begaf, zei: 'Uwe Majesteit hoeft zich geen zorgen te maken, maar we zijn niet in staat geweest om tot een conclusie te komen.'
Henry draaide zich abrupt om en staarde hem aan. 'Niet *in staat*?'
Wolsey trok een berouwvolle grimas. 'De kwestie is nogal gecompliceerd.'
Henry fronste. 'Werkelijk? Waarom?'
'Ik ben van oordeel dat we ons moeten richten tot Zijne Heiligheid Paus Clemens voor een uitspraak over deze kwestie. Ik ben ervan overtuigd dat hij – aangezien hij erg op Uwe Majesteit gesteld is – ten gunste van u zal beslissen.'
Henry keek Wolsey geërgerd aan. Hij was gewend dat Wolsey hem alles bezorgde wat hij wilde. Hij had hem nog nooit teleurgesteld. Henry hield niet van teleurstellingen, vooral niet als het ging om iets wat hem zo na aan het hart lag.
'Ik hoop het,' zei hij op kille toon. 'Ik hoop het echt, Wolsey. Voor uw bestwil.'

Er werd een diner gehouden ter ere van de komst van de Franse gezanten. Het knapenkoor van de Koninklijke Kapel zorgde voor de muzikale omlijsting en Thomas Tallis was de dirigent: het was een van zijn nieuwste composities. Niet iedereen was blij dat de Fransen weer in de gratie waren. Katherine was een van hen. Ze voelde zich eenzamer dan ooit.
Boleyn en Norfolk hadden, om zeer uiteenlopende redenen, hetzelfde gevoel. Ze keken geringschattend naar de Franse gedelegeerden in hun totaal andere, nogal chique kleding.
'Men haalt de Fransen er altijd uit,' zei Boleyn zuur.
'Ja,' beaamde Norfolk. 'Ze zijn verwijfd! En waarschijnlijk lezen ze nog boeken ook!' Het was een van zijn meest grove beledigingen.
Ze richtten hun aandacht op Wolsey, die, voor de zoveelste keer, ceremoniemeester was.
'Maar het was wel slim van ze om Wolsey een toelage te geven,' gromde Norfolk. 'Hij heeft hen nooit teleurgesteld.'
Sussend zei Boleyn: 'Dat valt nog te bezien. Als het rad van fortuin zijn hoogste punt heeft bereikt, kan het nog maar één kant op.' Hij wees met zijn ogen naar de plek waar Henry met Anne aan het dansen was.
Zelfs voor een blinde was het duidelijk dat die twee verliefd waren. Henry kon zijn ogen niet van Anne afhouden, en andersom gold hetzelfde.
Katherine zat de dansers bedroefd gade te slaan. Ze werd op haar wenken bediend, maar niemand zei iets tegen haar.
Plotseling klonk er een luid kabaal buiten het vertrek. De deuren knalden open. Een eenzame ridder, een knappe jongeling met een radeloze blik in zijn ogen, kwam binnen en viel voor de koning op zijn knieën. Henry liet Annes hand vallen en de muziek hield abrupt op.
'Uwe Majesteit, ik breng u afschuwelijk en rampzalig nieuws. Rome is veroverd en beroofd door de Duitse en Spaanse huurlingen van de keizer.' Het publiek hapte vol afschuw naar adem.
De jongeman vervolgde: 'Ze hebben de kerken geplunderd en bezoedeld, de relikwieën en heilige schatten vernietigd, duizenden priesters gemarteld en gedood.'
Ontzet door een dergelijke ongehoorde barbaarsheid in de Heilige Stad, sloegen de mensen een kruis.
'Monsterlijk!' mompelde iemand.
'Erger dan heiligschennis.'
Maar Henry's gedachten waren onmiddellijk bij de kern van de zaak. 'En Zijne Heiligheid?'
De ridder schudde medelijdend zijn hoofd. 'De paus zit opgesloten in het Castel Sant'Angelo.'

'Hij is een gevangene van de keizer?'
'Ja,' zei de ridder. 'Hij kan met hem doen wat hij wil.'
Henry zag er ontzet uit. Katherine ging rechtop zitten; ook zij was ontzet, maar ze zag er iets minder miserabel uit. De paus was in handen van haar neef.
Nu zou Henry zijn echtscheiding niet zo gemakkelijk krijgen.
In de geschrokken stilte begonnen mensen de feestdis te verlaten. Men kon niet eten als er zoiets afschuwelijks was gebeurd. Het was een aanval op alles waarin zij geloofden. Als de paus gevangengenomen kon worden, als de Heilige Stad geplunderd kon worden, als priesters en bisschoppen gemarteld en gedood konden worden, waar moest het dan heen met de wereld? Waar was God?
De Franse gezanten bogen stilletjes voor Henry en wachtten, zodat Katherine en haar hofdames als eersten konden vertrekken. Anne wierp Henry een wanhopige blik toe, want hoe groot was de kans op een scheiding als de paus in handen van de Spanjaarden was?
Henry staarde op zijn beurt naar de vertrekkende Wolsey. Het lag nu allemaal in zijn handen.

Lady Blount liep langzaam over de lange stenen passage in Ludlow Castle in Wales. Ze ging gekleed in het zwart en droeg een zwarte sluier voor haar gezicht. Achter haar wandelde een klein gevolg; sommigen van hen droegen brandende toortsen om de weg te verlichten. Ze huiverde. Het was hartje zomer en toch was het kil in het kasteel.
Ze werd een kamer binnen geleid. Er brandden kaarsen rond een staatsbed; een grote kandelaar op elk van de vier hoeken. Naast het bed stonden verschillende artsen en priesters plechtig kijkend op haar te wachten.
Op het bed lag een kleine, onbeweeglijke gestalte.
'Hij heeft de zweetziekte opgelopen,' legde een arts uit. 'We konden niets meer doen. 's Morgens zei hij dat hij zich ziek voelde. Tegen de avond was hij in de handen van God.'
Lady Blount hoorde hem nauwelijks. Het enige wat zij wist was dat haar zoon dood was.
Met een door verdriet getekend gezicht bewoog ze langzaam naar het bed waar haar prachtige zoon doodstil lag, alsof hij sliep.
'Zo'n kleine jongen,' fluisterde ze. Ze raakte zijn koude hand aan en boog zich voorover om zijn koude ogen te kussen… en toen, toen pas, brak ze en schreeuwde ze het uit van verdriet.
Ze huilde met grote, hartverscheurende, pijnlijke snikken. Haar dierbare, dierbare kind.

Henry zat alleen in het halfduister van zijn privévertrek. Een enkele kaars brandde op de tafel voor hem. Hij zat ineengezakt, vol vertwijfeling. Zijn ogen stonden dof. De afgelopen dagen had hij twee verschrikkelijke klappen te verwerken gekregen en dat was te zien.
Hij staarde naar de twee voorwerpen op de tafel voor hem: een kleine fluwelen staatsmuts en het kroontje van een hertog, klein genoeg voor een kinderhoofd.
Zijn zoon was dood.

Hoofdstuk 12

'Ik vertrek over drie dagen,' vertelde Wolsey de koning. 'Ik ga meteen naar Parijs om Koning Francis te bezoeken en het nieuwe verdrag tussen Uwe Koninklijke Hoogheden te ratificeren. En om de verloving van Prinses Mary met de Hertog van Orléans te regelen.'
'Ja, maar die andere kwestie dan?' Ze bevonden zich in de privévertrekken van de koning, waar Henry door drie van zijn kamerheren werd aangekleed. Een van de kamerheren hield een spiegel omhoog. Henry bekeek zichzelf nauwkeurig.
'Aangezien Zijne Heiligheid nog steeds gevangen wordt gehouden door de keizer, Majesteit, heb ik een conclaaf in Parijs bijeengeroepen. Het zal niet veel moeite kosten om de kardinalen – in afwezigheid van de paus – over te halen mij officieel toestemming en autoriteit te verlenen voor het vellen van een vonnis inzake Uwe Majesteits nietigverklaring.'
Henry stuurde de kamerheren weg. 'Gaat u met onze zegen. En met het vooruitzicht op uw welslagen, Uwe Eminentie. Waar wij vol ongeduld naar uitzien.' Hij keek Wolsey aan. 'Hebt u over deze kwestie al verdere gesprekken met de koningin gevoerd?'
Wolsey keek pijnlijk. 'Ik heb geprobeerd Hare Majesteit ervan te overtuigen dat het voor ons allemaal makkelijker zou zijn als ze zich neerlegt bij Uwe Majesteits beslissing een eind aan uw huwelijk te maken.'
'Wat zei ze?'
'Ik moet bekennen dat ze mijn opmerkingen uiterst gevoelloos opnam.'
Henry slaakte een zucht en stuurde hem weg. Wolsey was al bijna vertrokken, toen de koning zich ineens iets herinnerde. 'O, ik vergat nog iets. Er is iemand die u mee moet nemen: zijn naam is Thomas Wyatt.'
Wolsey keek verbaasd. 'De dichter?'
'Dat beweert hij althans!' zei Henry grimmig. 'Ik heb hem liever niet in mijn buurt. Hij was ooit...' Hij zweeg. 'Hij bezat ooit een sieraad dat ik had willen hebben.'
'Majesteit.' Wolsey boog en vertrok. Toen de kardinaal naar buiten kwam,

passeerde hij een groepje mannen – dat stond te wachten om bij de koning geroepen te worden – en één vrouw: Anne Boleyn.
'Lady Anne, wat doet u hier?' vroeg hij haar.
'Ik ga op audiëntie bij Zijne Majesteit.'
Wolsey glimlachte. 'Wat heeft een onnozel meisje als u de koning nu te vertellen?' Hoofdschuddend liep hij weg; een man met belangrijke zaken aan zijn hoofd die het 'onnozele meisje' meteen vergeten was.
Terwijl hij uit het zicht verdween, wierpen verscheidene mannen die zijn gesprek met Anne Boleyn hadden opgevangen elkaar verbaasde blikken toe. Was het echt mogelijk dat Wolsey niet wist hoe verliefd de koning op Anne Boleyn was?
Ondertussen werd Anne onmiddellijk de privévertrekken van de koning binnen geleid.
Henry begroette haar enthousiast. 'Anne, lieve Anne.' Hij nam haar in zijn armen en ze kusten elkaar. Lange tijd hield Henry haar – glimlachend – alleen maar stevig vast. Hij kuste teder haar oogleden en streelde haar haar.
'Uwe Majesteit,' mompelde ze.
'Hoe groot is mijn liefde voor u!' zei hij.
Anne zocht zijn ogen. 'Zeg me dat hij erin zal slagen.'
'Wie, liefste?'
'Wolsey. Het lukt hem – toch? Hij krijgt die nietigverklaring?'
'Natuurlijk. Daar moet u niet aan twijfelen.'
Ze glimlachte, maar toen betrok haar gezicht. Liefdevol liet Henry haar los.
'Wat is er?' vroeg hij.
Ze aarzelde, alsof ze probeerde moed te verzamelen. 'Is het niet vreemd?' zei ze ten slotte.
'Vreemd? Wat is vreemd?'
'Om, om een dergelijke belangrijke kwestie aan slechts één dienaar toe te vertrouwen – wie dan ook – als Uwe Majesteit duizenden dienaren heeft die met alle liefde uw bevelen zouden opvolgen. En wanneer juist uw eigen geluk van deze beslissing afhangt.'
'Zwijg, liefste.' Hij kuste haar. Ze opende haar mond om wat te zeggen, maar hij smoorde haar met een nieuwe kus. 'Daar hoeft u zich geen zorgen over te maken.'
Ze glimlachte lief en berouwvol naar hem. 'Vergeef me. Ik moet niet over deze dingen spreken.'
Henry schudde zijn hoofd en drukte haar hand tegen zijn lippen. 'Nee. Ik schenk u permissie, zodat we altijd vrijelijk met elkaar kunnen praten; oprecht, open en met ons hart. Voor mij is dat de definitie van liefde.'

'Morgen moet ik naar Hever terugkeren,' zei Anne even later. 'Mijn vader heeft daarom verzocht.'
Henry's glimlach vervaagde. 'Goed,' zei hij met tegenzin. 'Ik zou nooit tussen een vader en zijn dochter gaan staan.' Hij keek haar aan. 'Maar kom gauw terug, lieveling. Kom gauw terug.'

In de privévertrekken van de koningin viel de gloed van kaarslicht op een reeks iconen en crucifixen. Katherine knielde om te bidden.
Ze hoorde voetstappen en er viel een lange schaduw over haar heen. Ze stond op en zag dat het Mendoza was, de keizerlijke ambassadeur.
'Vergeef me, ambassadeur, dat ik u hier ontvang,' zei ze.
Mendoza boog. 'Ik sta geheel tot Uwe Majesteits beschikking.'
Katherine knikte over zijn schouder in de richting van de deur. Ze liep ernaartoe en deed hem zachtjes en discreet dicht. In het Spaans legde ze uit: 'Señor Mendoza, ik heb een boodschap die naar de keizer toe moet. Ik ken geen andere manier. Wolsey opent al mijn brieven. En nu heeft hij een aantal van mijn hofdames tot spionnen gemaakt.'
Mendoza was ontzet. 'Lieve God. Hoe kan ik u helpen?'
'De keizer is het hoofd van mijn familie. Ik wil dat hij weet dat de koning probeert van mij te scheiden. Hij wil het geheimhouden – maar hij heeft al van alles in gang gezet.'
'Nee!' riep hij uit, nog geschokter dan daarvoor. 'Dat is onmogelijk! Daar heeft hij toch zeker de toestemming van de paus voor nodig?'
'Dat is zo!' beaamde Katherine. 'Maar de paus is nog steeds de gevangene van de keizer, dus hoe kan hij ooit toestemming geven?'
Mendoza begreep meteen wat ze bedoelde.
Ze vervolgde: 'Señor Mendoza, wilt u in naam van onze Verlosser, Jezus Christus, en in naam van alles wat heilig is, mijn neef vertellen wat mij hier wordt aangedaan!'
Mendoza maakte een eerbiedige buiging voor Katherine. 'Laat het aan mij over. Ik zal een manier vinden om de spionnen van de kardinaal te ontwijken.'

'"Lieve schat, woorden schieten tekort om te zeggen hoezeer ik u mis. Ik wens mezelf – vooral 's avonds – in de armen van mijn lieveling, wier..."'
Anne stokte.
'Vooruit,' maande Norfolk haar. 'Ga verder.'
Anne vond het vervelend om de inhoud van zo'n intieme brief te delen met haar vader en oom, maar het was haar opgedragen deze aan hen voor te lezen. Blozend las ze: '"... wier prachtige borsten ik verwacht binnenkort te kussen. Noch de tong, noch de pen kan de pijn beschrijven die uw af-

wezigheid mij bezorgt. De enige compensatie is de opwinding die het vooruitzicht van ons volgend samenzijn teweegbrengt..."'
Ze bevochtigde haar droge lippen en ging verder: '"Want welke vreugde op deze wereld kan groter zijn dan te verkeren in het gezelschap van haar die het meest dierbaar is."' Ze vouwde de brief op en boog haar hoofd om haar emoties te verbergen.
'De koning is overduidelijk verliefd op u,' zei Norfolk smalend. 'Zoals hij schrijft! Als een of andere verliefde knaap die nog nooit verliefd is geweest en nu overgeleverd is aan zijn kwellingen. Begrijpt u het dan niet, nicht: dat maakt een man – elke man – uiterst kwetsbaar.'
Boleyn glimlachte. 'Hoe bevalt deze opdracht u, lieverd?'
'Ik...' ze aarzelde. 'Ik moet bekennen dat deze me in eerste instantie niet zo beviel. Ik was helemaal niet gesteld op de koning. Maar nu... nu ik...' Ze bloosde, sloeg haar ogen weer neer en maakte de zin niet af.
'Het is uw plicht deze liefde in ons voordeel aan te wenden,' deelde Norfolk haar botweg mee. 'Door zijn liefdesvuur brandende te houden mag u hopen op den duur, zo God het wil, de koningin te vervangen.'
Anne keek hem angstig aan, maar de twee mannen hadden het zo druk met het uitwisselen van triomfantelijke blikken over het succes van hun snode plannen dat ze het niet zagen.
Boleyn bleef om haar heen cirkelen. 'En ondertussen...'
'Ja, ondertussen moeten we voor het verwezenlijken van al onze ambities doorgaan met het zoeken naar een manier om die trotse prelaat ten val te brengen,' zei Norfolk. 'Het is onuitstaanbaar dat de koning zich verlaat op een slagerszoon.'
Boleyn stond stil voor Anne en richtte zich rechtstreeks tot haar. 'De kardinaal staat tussen ons en *alles* in. En nu ligt het in uw macht om hem grote schade toe te brengen. En wij verwachten van u dat u dat doet.'
Haar vader en haar oom staarden Anne aan. Ze knikte gehoorzaam. De plicht die ze tegenover haar familie had was duidelijk.

Die avond klopte Annes broer, George, zachtjes aan de deur en kwam haar slaapvertrek binnen. Anne zat eenzaam in het duister op haar bed.
'Anne,' vroeg hij, 'waarom zit u in het donker?'
Ze gaf geen antwoord.
George fronste en ging naast haar op bed zitten. 'Wat is er?' vroeg hij.
Na een tijdje zei Anne zachtjes: 'Ik moet morgen weer terug naar het paleis.'
'En? Wat is daar mis mee?' Hij tuurde naar haar. 'Ik dacht dat u dat juist fijn vond.'

Ze zuchtte. 'U begrijpt het niet.'
'Natuurlijk wel!' zei George luchtig. 'Ik ben toch uw broer?'
Ze was even stil en schudde toen haar hoofd. 'Was u nog maar zoals vroeger. Ik weet nog dat ik u alles vertelde. Al mijn geheimen.'
George staarde haar nieuwsgierig aan. 'U kunt me nog steeds uw geheimen vertellen.'
'Dat kan ik niet.'
'Waarom niet?'
'Omdat u ze verder zou vertellen,' zei Anne bedroefd.
Hij knipperde met zijn ogen, maar ontkende het niet. Wie zwijgt stemt toe. Hij sloeg zijn ogen neer; hij kon haar niet eens aankijken.
Ze wendde zich af. 'Ziet u wel?'
Na een lange pauze pakte hij haar hand en kneep erin. 'Bent u bang?'
Ze antwoordde niet.

'Vertelt u eens eerlijk,' vroeg More aan Wolsey. 'Wat hoopt u met deze missie te bereiken?'
Wolsey verzegelde een document voordat hij antwoord gaf. 'Ik hoop veel dingen. Ten eerste: het helen van de wonden die door jaren van Anglo-Franse vijandschap zijn veroorzaakt. En vervolgens hoop ik toe te werken naar een nieuw machtsevenwicht in Europa. Het plunderen van Rome, de gevangenneming van de paus. Deze zaken hebben heel Europa gedestabiliseerd.'
More trok een wenkbrauw op, maar knikte. 'Bewonderenswaardig. En de Kerk?'
'Ook de Kerk heeft behoefte aan bemiddeling,' antwoordde Wolsey. 'Tijdens het speciale conclaaf zullen we plannen maken voor een algemene synode die – bij afwezigheid van de paus – met de dringende kwesties van reformatie en ketterij moet afrekenen.'
'Al even bewonderenswaardig, Uwe Eminentie.' More overwoog de gevolgen. 'En de kwestie van de koning?'
'Die wordt ook behandeld,' zei Wolsey kortaf. 'Maar slechts als een van de vele andere zaken.'
'Juist ja.' More veinsde een paar boeken die op tafel stonden te bestuderen. 'Denkt u dat de kardinalen u de autoriteit verlenen om het af te handelen?'
'Ja.'
Licht glimlachend keek More hem nog een keer aan. 'Dan zult u feitelijk paus zijn.'
Wolsey reageerde niet.
More ging verder: 'En aangezien Zijne Heiligheid wellicht nooit meer vrijkomt, zult u p...'

'Zinloze speculatie!' onderbrak Wolsey hem. 'Wel, als dat alles is; ik heb nog veel te doen voordat ik naar Frankrijk vertrek, Sir Thomas.' En hij richtte zich weer op zijn documenten.

Het Franse hof verwelkomde Kardinaal Wolsey bijna alsof hij een koninklijke gast was. Er werden bloemen voor zijn voeten gestrooid en vooraanstaande Franse edellieden en hun dames bogen en maakten reverences.
More, die achter hen aan liep, kon goed zien hoe verrukt Wolsey over zijn ontvangst was; knikkend en lachend zegende hij de mensen om hem heen. Hij had een behoorlijk groot gevolg meegebracht: niet alleen More en de gebruikelijke secretarissen, assistenten en dienaren, maar ook de dichter Thomas Wyatt en de crème de la crème van Engelse musici, onder wie de steeds beroemder wordende Thomas Tallis.
De Koning en Koningin van Frankrijk begroetten Wolsey: 'Wij verwelkomen u, Kardinaal van de Vrede.' Francis omhelsde Wolsey. 'Mijn beste kardinaal, mijn vriend, mijn broeder.'
Koningin Claude bood hem haar hand. 'Eminentie.'
Wolsey kuste haar hand op een bijna sensuele manier. *'Madame, enchanté!'*
Hij vervolgde in het Frans: 'U bent zo beeldschoon dat het voor mij moeilijk is u recht in het gezicht te kijken, evenals het kijken in de zon dat is.'
Koningin Claude lachte geamuseerd en ontroerd. 'U bent zeer hoffelijk, *Monsieur Cardinal*. Als een Fransman.'
'Ziet u wel!' riep Francis uit. 'We behandelen u als een broeder, want dat is wat u bent: een oprechte en trouwe vriend van Frankrijk. We heten u' – hij maakte een wijds armgebaar om iedereen erbij te betrekken – 'en allen die bij u zijn welkom op ons hof en in ons hart.'
'Uwe Hoogheden bewijzen mij een grote eer. Ik ben diep geraakt,' zei Wolsey.
Francis glimlachte. 'Mijn beste kardinaal – dit is niets. Ik ben van plan u te verheffen tot Ridder in de Orde van de Heilige Michaël – de hoogste ridderorde in Frankrijk.'
Wolsey straalde. 'Dan, Majesteit, zal mijn beker overstromen!'
Francis pakte Wolsey bij de arm en leidde hem naar een aantal hoogwaardigheidsbekleders. De leden van het Engelse hof stond het hierop vrij om zich te mengen en te ontspannen.
Thomas Wyatt ging naast Tallis staan. Ze begroetten elkaar. 'Ik heb eens zitten denken,' zei Wyatt. 'Misschien dat u op een dag een gedicht van mij op muziek zou kunnen zetten.'
'Dat zou me een eer zijn,' vertelde Tallis hem. 'Hebt u er al een klaar?'
'Ik ben er met een bezig. Ik heb de eerste regel.'

Tallis glimlachte. 'Dan hebt u al bijna alles!'
Wyatt lachte en baande zich toen een weg door de menigte, terwijl hij een waarderend oog wierp op een aantal knappe Franse dames. Hij liep More tegen het lijf, die nu al nijdig naar het gebeuren stond te kijken.
Hij volgde Mores blik naar de plek waar een groepje uitbundig geklede en met edelstenen bezaaide Franse edelen zich met overdreven zwierige gebaren over Wolseys hand stond te buigen. Wolsey genoot met volle teugen.
'Ik heb naar u staan kijken,' mompelde Wyatt. 'U bent niet erg gesteld op de Fransen, is het wel, Sir Thomas?'
Er verscheen een klein lachje op Mores gezicht. 'O, ik heb niets tegen hen, Mijnheer Wyatt. Het is gewoon... wat ze ook doen... op de een of andere manier zijn ze altijd zo... Frans!' Ze schoten beiden in de lach.
Koningin Claude praatte met Wolsey. 'Hoe maakt Koningin Katherine het, Uwe Eminentie? Ik ben zo op haar gesteld.'
'Ze is goedgunstig als altijd, Uwe Majesteit,' vertelde Wolsey haar. 'Maar hoewel de koning van haar houdt, legt hij zich neer bij het feit dat hun echtscheiding onvermijdelijk is.'
Koningin Claude keek hem mistroostig aan. 'Het is zeer treurig, vindt u niet?'
Wolsey reageerde niet.

Een paar dagen later was Wyatt in de slaapzaal in Frankrijk waar alle Engelse musici en dienaren sliepen haastig op zoek naar Thomas Tallis.
Wyatt tilde zijn kandelaar hoog op en tuurde naar alle slapende figuren.
'Tallis? ... Tallis!' riep hij zachtjes.
'Ik ben hier,' antwoordde Tallis slaperig.
Wyatt kroop naast hem. Tallis knipperde vanwege het kaarslicht en zuchtte. 'Wat is er? Slapen dichters dan nooit?'
'Ik heb de eerste regels geschreven. Mag ik ze u voorlezen?'
Tallis knikte en ging overeind zitten.
Wyatt las vanaf een stukje papier.

'Zij die mij ooit zochten, ontvluchten mij.
Blootsvoets sluipend door mijn kamer:
zag ik hen gedwee, kalm en bedaard,
Die nu wild zijn en niet meer weten,
Dat zij hun leven waagden
Om uit mijn hand te eten: En nu verschillen zij
Druk zoekend naar aanhoudende afwisseling...'

Hij legde het papier neer. 'Meer heb ik nog niet.' Hij keek Tallis verwachtingsvol aan en wachtte op een reactie.
Tallis liet de woorden in stilte op hem inwerken. 'Het is prachtig,' zei hij ten slotte. 'Er zit muziek in. Maar waar gaat het over?'
'Een meisje,' zei Wyatt. 'Maar bij haar ben ik nog niet.'
'Welk meisje?'
'Laten we haar maar de brunette noemen,' zei Wyatt. 'Ik heb ooit van haar gehouden. En ik dacht dat ze van mij hield. Ze heeft zelfs een keer in mijn boek geschreven: "Ik ben de uwe, daar kunt u zeker van zijn / En dat zal ik zijn zolang ik leef."'
'Maar nu behoort ze een ander toe?'
Wyatt haalde zijn schouders op. 'Blijkbaar.' Hij boog zich naar Tallis toe en fluisterde in zijn oor: '"Raak me niet aan, want ik ben van Caesar!"' Hij vervolgde: 'Ze mag dan gewoon een meisje zijn, Mijnheer Tallis, maar ik zeg u dit: als zij haar zin krijgt, doet ze heel het land schaterlachen.' Hij maakte aanstalten op te staan.
Tallis greep zijn arm. 'Wyatt – wie is zij, dat ze ons land kan doen schaterlachen?'
Wyatt schudde zijn hoofd. 'Meer dan mijn leven me lief is. Neem dat maar van mij aan.'
Tallis was nieuwsgierig. 'Ja, maar... wie zij ook is: hebt u met haar geslapen – of was het slechts platonisch?'
Er viel een lange stilte. Toen zei Wyatt: 'Welterusten, Thomas Tallis. Slaap goed.' En hij verdween in de schaduwen.

Thomas Cromwell, die nu Henry's secretaris was, deed zijn zet toen Wolsey in Frankrijk was. Hij overhandigde de koning een stapel officiële papieren om te ondertekenen en legde, zodra dat gebeurd was, een grote bundel brieven voor hem neer.
'Brieven van Zijne Eminentie Kardinaal Wolsey,' verklaarde hij.
Henry kreunde bijna hardop. Hij slaakte een diepe zucht, schoof ze een beetje opzij en leunde achterover in zijn stoel.
Even deed niemand zijn mond open. Toen zei Cromwell zacht: 'Uwe Majesteit moet weten dat Zijne Heiligheid Paus Clemens is ontsnapt uit Castel Sant'Angelo.'
Henry keek verbaasd op. 'Hij is ontsnapt?'
'Het schijnt dat hij zich vermomd heeft als een oude blinde man en langs zijn bewaarders naar buiten is gelopen,' vertelde Cromwell hem.
'Waar is hij nu?'
'Volgens mijn informatie in een Italiaanse stad met de naam Orvieto, in

het bisschoppelijk paleis aldaar, met de overgebleven leden van zijn hof. Natuurlijk valt hij nog steeds onder de macht van de keizer.'
Henry ging fronsend rechtop zitten. 'En toch is hij vrij? Zou het mogelijk zijn...' Hij keek omhoog naar Cromwell. 'Zou het mogelijk zijn iemand naar hem toe te sturen? Hem een bericht te doen toekomen?'
'Dat zou inderdaad kunnen, mocht daar aanleiding toe zijn.'
Henry nam zijn secretaris, aan wie hij tot op heden geen aandacht had besteed, in ogenschouw. 'Hoe weet u dit soort dingen? Heeft Wolsey...?'
'Nee, Majesteit,' zei Cromwell minzaam. 'Ik heb mijn eigen bronnen.'
Henry stond op uit zijn stoel en begon, steeds geagiteerder, heen en weer te benen. 'Stel, ik wil een boodschap bij Zijne Heiligheid bezorgen.' Hij keek Cromwell aan. 'Is er iemand voor wie u kunt instaan? Met uw leven?'
Cromwell knikte. 'Mijn bron, Doctor Knight. Hij is een vriend, een diplomaat.' Hij keek de koning aan. 'Hij is een man Gods. En een waarachtig Engelsman.'
Henry overwoog de aanbeveling en zei toen gedecideerd: 'Breng hem bij me.'
Cromwell knikte en haalde Doctor Knight uit een buitenvertrek. Knight was een onopvallend, geleerd uitziend persoon. Hij boog diep voor de koning. Cromwell en Knight keken toe hoe Henry twee aparte vellen perkament verzegelde en die Doctor Knight toestak. 'Hier! Wij rekenen erop, Doctor Knight, dat u deze twee bullen aflevert bij Zijn Heiligheid in Orvieto. Ze zijn geschreven met onze eigen hand.'
'Majesteit.' Doctor Knight boog en werd naar buiten geleid.

Cromwell was niet de enige die de afwezigheid van Wolsey benutte. In zijn privéstudeerkamer in het paleis was Sir Thomas Boleyn, nu schatbewaarder van de koninklijke huishouding, verdiept in inventarissen, lijsten en handelsboeken.
IJverig bestudeerde hij nauwkeurig lange lijsten betalingen en afschrijvingen, voor het merendeel ten gunste van religieuze instellingen. Vaak ging het daarbij om zeer grote sommen. De schatbewaarder van de koning was vooral geïnteresseerd in alles wat verband hield met de naam Wolsey.
Boleyn fronste toen hem iets opviel op de lijst. Hij controleerde het, vergeleek het vervolgens met een andere lijst en controleerde het, met groeiende opwinding, opnieuw.
Hij haalde meer documenten tevoorschijn en legde betalingen aan Cardinal College in Oxford naast afschrijvingen, terwijl hij in de marge sommetjes maakte. En plotseling viel de puzzel in elkaar. Hij glimlachte, leunde achterover en staarde voldaan naar al die cijfers.
'Dus zo doet hij het!'

Henry verveelde zich. Hij deed een kaartspelletje met Compton en was zwaar aan de verliezende hand. Slechtgemanierd wierp Henry hem wat munten toe en duwde de kaarten weg. 'Ik haat kaartspelletjes! Ik haat het hof.' Hij stond op en begon te ijsberen. 'Ik haat de tijd zelf.'
'Uwe Majesteit,' zei Compton. 'Mag ik misschien een suggestie doen? Vergeet het hof. Laten we gaan jagen – zoals we het vroeger altijd deden.'
Henry stond stil en wierp hem een dwingende blik toe. 'Ja!' Hij kneep zijn ogen samen, wetende dat Compton nog iets anders suggereerde. 'Maar *zonder* Brandon.'
'Maar Charles is...' begon Compton.
'Ik zei nee!' onderbrak Henry hem. 'Ik heb Lord Suffolk niet vergeven. Ik kan hem niet vergeven. Hij heeft mij nooit toestemming gevraagd om met mijn zuster te trouwen. Een daad van onuitstaanbare en kwetsende arrogantie van zijn kant.'
Hij keek Compton verongelijkt aan. 'Wat had hij dan verwacht? Ik zeg niet dat hij voor altijd verbannen is – slechts zolang hij ademhaalt!' Hij lachte kil. 'Maar verder mag het gaan zoals vroeger.'
Even later reden Henry en Compton langzaam over een pad. Er waren honden bij en achter hen liepen dienaren die geweren droegen.
Maar Henry reed niet alleen. Anne zat achter hem op het met fluweel bedekte zadel.
Haar handen lagen losjes om Henry's middel. Er hing een boog over haar schouder en een koker met pijlen. Af en toe legde ze haar hoofd tegen Henry's rug.
Henry draaide zich half om en keek haar stralend en vreugdevol glimlachend aan. Hij keek achter zich naar de eenzame figuur van Compton en gebaarde hem naar voren te komen en hen gezelschap te houden. Henry lachte plagend naar hem. 'U ziet, William: niets kan ooit nog zijn zoals het was!' Toen gaf hij zijn paard de sporen en galoppeerde met Anne vooruit.
Ze hadden een heerlijke dag. Ze doodden een jong mannetjeshert en later zaten de jagers onder een baldakijn van sterren en genoten van een warme en vredige avond.
Er werd een hertenbout geroosterd boven een groot open vuur en de geur daarvan wakkerde de reeds bestaande eetlust nog verder aan. Dienaren sneden en serveerden het vlees. Een luitspeler maakte zachte muziek. Lantarens verspreidden een zachtgouden gloed. Het vuur knetterde, de vlammen dansten en lieten de schaduwen met zich meedansen.
Henry had alleen maar oog voor Anne. Ze zaten dicht bij elkaar en namen slokjes wijn uit de beker van de ander, terwijl ze zacht murmelden en intieme grapjes deelden.

Compton zat in zijn eentje een flink eind verder en staarde humeurig naar het stel. Een dienaar overhandigde hem zijn eten. Compton nam het aan en mompelde: 'Volgens mij is onze Harry verliefd.' De dienaar ging verder en Compton voegde eraan toe: 'Arme Harry.'

Henry en Anne aten het hertenvlees met hun handen. Henry boog zich voorover en duwde een mals stukje tussen haar lippen. Vervolgens deed Anne hetzelfde bij hem.

Ze staarden in elkaars ogen en voerden elkaar de warme, malse stukjes vlees; ze kusten, sabbelden en likten elkaar met vingers en monden die dropen van de sappen.

Henry likte Annes vingers schoon. Zij likte zijn mond en kuste hem toen langdurig. Geen van beiden had – al dan niet bewust – oog voor wie er eventueel toekeken. Het was alsof ze helemaal alleen waren.

Intiemer konden ze nauwelijks zijn – zelfs niet als ze naakt op bed de liefde aan het bedrijven waren geweest. Maar ze lagen niet naakt in bed en Henry mompelde vol verlangen en uiterste frustratie telkens opnieuw: 'O, god... O, god... O, god.'

Compton keek toe; alleen, eenzaam... en bezorgd.

Een bediende opende de deur van een kamer en bracht zijn meester op de hoogte van het bezoek. 'Lord Rochford.'

Brandon keek verbaasd op. Slechts weinig mensen brachten een bezoek aan zijn verbanningsoord op het platteland, maar Thomas Boleyn – onlangs begiftigd met de titel Lord Rochford – was wel de laatste persoon van wie hij zich kon voorstellen dat hij de lange reis hiernaartoe zou ondernemen.

'My lord?' begroette hij Boleyn.

'Uwe Excellentie.'

'Waaraan dank ik dit... genoegen?' vroeg Brandon.

Boleyns blik ging snel de kamer door. 'Kan ik vrijuit spreken?'

Brandon knikte en stuurde de bedienden weg. Hij schonk twee kelken wijn in en overhandigde er een aan Boleyn. 'Op uw gezondheid, my lord.'

'En de uwe.' Boleyn nam een slok en ging toen zitten. 'Norfolk heeft mij gestuurd,' deelde hij Brandon mee.

Brandon fronste; hij was nu nog verbaasder. 'Maar Norfolk haat mij. Ik ben tenslotte een nieuwe man. En hij is veel te belangrijk voor mij.'

Boleyn haalde op innemende wijze zijn schouders op. 'Ik vermoed dat hij ons allen om die reden veracht; en toch is hij gebaat bij bescherming en belangenbehartiging, net als wij allemaal. Hij moet ons voor zijn zaken nemen zoals we zijn.' Hij nam nog een slokje wijn en keek Brandon over de rand van de kelk aan. 'En er is tenslotte iemand die hij nog meer haat.'

Brandon wist wie hij bedoelde. 'De kardinaal.'
Boleyn boog zijn hoofd. 'Uiteraard.'
'Maar wat heeft dat met mij te maken?'
Boleyn leunde achterover, sloeg zijn benen over elkaar en tuurde uit het raam. Toen vroeg hij schijnbaar onverschillig: 'Mist u het hof, Uwe Excellentie? Misschien niet. Hier, in deze groene omgeving, geniet u vast van allerhande ontspannende bezigheden. Zo veel liederlijk vermaak.' Hij zweeg.
'Maar ik heb sommigen wel eens horen zeggen,' ging hij even later verder, 'dat de aanwezigheid van de koning als de zon is... en als men daarvan verwijderd is er slechts eeuwigdurende duisternis heerst.' Hij bestudeerde zijn wijn; hij draaide de kelk rond en bewonderde de mooie kleur.
Er verscheen een glimlachje op Brandons gezicht. 'U bent erg slim, Boleyn. Mensen zeggen dat over u. Ze zeggen dat u charmant bent... en slim. Maar ik vermoed dat u zelfs nog slimmer bent.' Hij leegde zijn kelk en vroeg op zachte toon: 'Wat wil Norfolk?'
'Hij wil dat u ons helpt Wolsey te gronde te richten,' vertelde Boleyn hem. 'En in ruil daarvoor zal hij de koning overhalen u te vergeven en weer te verwelkomen aan het hof.'
Brandon dacht na over het voorstel. 'Dank u, my lord,' zei hij zonder verder commentaar.
Boleyn boog en vertrok.
Meteen ging er een andere deur open en betrad Margaret de kamer. 'Wat hebt u gehoord?' vroeg Brandon haar.
'Alles,' antwoordde Margaret. 'Wat gaat u doen?'
Brandon keek haar aan. 'Wat moet ik doen?'
'U hebt me ooit verteld dat Wolsey wel eens vriendelijk voor u is geweest.'
Hij keek haar verbaasd aan. 'Echt?' zei hij. 'Dat was ik helemaal vergeten.'
Ze glimlachten allebei.

Hoofdstuk 13

Het gebonden verdrag tussen Engeland en Frankrijk lag opengeslagen klaar om ondertekend te worden. Wolsey kwam naar voren om het verdrag namens Koning Henry te tekenen. Vervolgens tekende Koning Francis. Terwijl hij dat deed, fluisterde Wolsey: 'Het zou voor Europa goed zijn als wij ook vrede konden sluiten met de keizer.'
Francis wierp hem een blik toe en toen de twee mannen elkaar ten behoeve van het applaudisserende publiek omhelsden, snauwde hij in Wolseys oor: 'Hoe kunt u dat zeggen? Hij heeft mij gevangengenomen! Hij heeft me in mijn eer aangetast! Ik heb hem miljoenen als losgeld moeten betalen. En mijn oudste zoon is nog steeds zijn gevangene.'
De twee mannen gingen uiteen en glimlachten naar de toeschouwers. Vanuit zijn mondhoek ging Francis verder: 'Hoe kan ik vrede sluiten met die duivel? Die hypocriet! Dat stuk vuil!'
Het applaus ter ere van het tekenen van het verdrag laaide op: het teken dat de festiviteiten konden beginnen. Het keukenpersoneel ging gebukt onder grote schalen met eten, terwijl de dienaren af en aan renden met wijn en bierpullen. Er klonk muziek en er werd gelachen en gedanst. Men had voor een verscheidenheid aan vertier gezorgd: van acrobaten, goochelaars, jongleurs, narren en vuurvreters tot maskerades en schouwspelen. De festiviteiten duurden de hele dag en gingen tot diep in de nacht door.
More betastte de ridderorde van de heilige Michaël die aan een lint om Wolseys nek hing. 'Uwe Eminentie is vast tevreden over de vorderingen die u tot nu toe geboekt hebt.'
'Dat ben ik,' beaamde Wolsey. 'Hoewel ik het zwaar vind om mijn oude, gebrekkige lichaam van land naar land te slepen.'
'U zou liever thuis zijn?'
Wolsey schudde zijn hoofd. 'Soms vrees ik dat de koning tijdens mijn afwezigheid door anderen beïnvloed wordt.'
More keek hem aan. 'Denkt u dat hij zo makkelijk te beïnvloeden is?'
'Ik denk dat hij nog steeds begeleiding nodig heeft. Het is mijn ervaring

dat alle mannen verleid kunnen worden door kwaadwilligheid, net als vrouwen door beloften.'
Sussend zei More: 'Na het conclaaf hoeft u zich geen zorgen meer te maken. Dan beschikt u over de macht hem te plezieren.'
Even was het stil. Toen zei Wolsey zacht: 'Onze koning plezieren is als het spelen met tamme leeuwen. Meestal is dat onschadelijk. Maar er is altijd angst voor letsel.' Hij wierp More een doordringende blik toe. 'En dan kan het fataal zijn.'

In een ander deel van de feestzaal las Wyatt, enigszins aangeschoten, zijn gedicht aan Tallis voor.

> *'Het fortuin zij gedankt, het is anders geweest*
> *Twintig keer beter; maar ooit in het bijzonder*
> *Met lichte opsmuk, na aangenaam voorkomen,*
> *Toen haar losse gewaad van haar schouders gleed,*
> *En zij mij in haar lange, smalle armen sloot,*
> *Me daarenboven o zo lieflijk kuste,*
> *en zachtjes zei: "Lief hart, hoe bevalt u dit?"'*

Wyatt, die bijna overmand werd door emoties, zweeg en legde zijn papier neer.
Even later zei Tallis zacht: 'Volgens mij hield u echt van haar.'
'Ja. Het is waar, ik hield van haar,' zei Wyatt somber. Hij zuchtte en zei toen op een andere toon: 'Maar denkt u zich eens in. Over een paar jaar is ze oud en lelijk. En dan is ze dood en vergeten. Maar als u dit gedicht op muziek zet, zou dat eeuwig kunnen voortleven.' Hij trok een wenkbrauw op naar Tallis. 'Dan wordt dus niet zij, maar ik herinnerd. En dan heb ik mij gewroken.'

'De koning!' verkondigde een heraut. Vergezeld door zijn gebruikelijke gevolg wandelde Henry over het hof.
Anne zag hem naderen. Zijn blik was op haar gevestigd, ook al beantwoordde hij de buigingen links en rechts van hem. Voor hen beiden was het alsof er niemand anders bestond.
De hovelingen zagen Henry stilhouden voor Anne. Ook Koningin Katherine keek toe.
'Mijn lieve lieveling,' mompelde Henry.
Anne glimlachte en maakte toen aanstalten zich terug te trekken.
'Nee, wacht! Wacht! Nog even. Blijf!' zei Henry. Ze stopte. Hij keek naar

haar en zei het eerste wat in hem opkwam: 'Ik soupeer vanavond met uw vader en oom.'
'Mijn vader zegt dat het allemaal meer is dan hij verdient,' zei Anne zachtjes.
'Nee,' zei Henry. 'Want als ik bij hen ben, ben ik ook dicht bij u.'
Hij ging dichter bij haar staan. 'Hier. Nog een bewijs van mijn genegenheid. Neem het aan. Van uw nederige dienaar.' Hij liet een klein pakketje in haar hand glijden, staarde naar haar hals en zuchtte: 'Uw hals. Ah. Ik bemin uw hals.'
Abrupt liep hij verder en Anne zonk in een reverence. Na het passeren van de koning brak er geroezemoes uit; sommige dingen die gezegd werden bereikten onbedoeld Annes oren.
De koning was altijd discreet geweest wat betreft zijn amoureuze avonturen – tot Anne. Het gonsde aan het hof over het nieuwe, onbeschaamde gedrag van Henry en zijn maîtresse.
Terwijl Anne zich door de menigte bewoog, werd ze doorboord met onderzoekende, beschuldigende blikken. Met enige opluchting zag ze haar broer George naderbij komen.
'Ik heb iets voor u,' zei hij met een grijns. Hij haalde een stukje papier uit zijn zak en vouwde het open. Het was een prachtige tekening van een roofvogel die in een granaatappel pikte.
'Snapt u het?' vervolgde hij. 'De valk is uw wapen en' – hij wierp een blik naar Katherine – 'de granaatappel is van haar!' Hij lachte.
Anne graaide het stuk papier uit zijn handen en verfrommelde het. 'U begrijpt het nog steeds niet, is het wel? Het is geen spelletje, George! Het is gevaarlijk!' Ze staarde hem aan in een poging het aan zijn verstand te brengen, maar zag toen dat Mijnheer Cromwell dichterbij kwam en ging een stukje bij haar broer vandaan staan.
'Vrouwe Boleyn,' zei Cromwell buigend.
'Mijnheer Cromwell.' Hij kwam dichter bij haar staan en fluisterde: 'Ik heb nieuws. De koning heeft een goede man, Doctor Knight, naar de paus gezonden met brieven over de echtscheiding.'
Anne glimlachte. 'Ik ken Doctor Knight. Hij was mijn leermeester.'
Cromwell boog zijn hoofd en zei raadselachtig: 'Inderdaad. Alles hangt samen.' Hij boog opnieuw en liep verder.
Anne vervolgde haar weg. Ze sloeg een hoek om en was eindelijk even alleen. Met snelle, gretige vingers maakte ze het pakketje open en ontdekte een schitterend halssnoer, bezet met saffieren en diamanten. Ze glimlachte en pakte het weer in.
Henry wandelde verder naar zijn privévertrekken en merkte dat Katherine

hem vooruit was gegaan. Hij hield even stil en wandelde toen naar haar toe om haar op de wang te kussen. 'Lieverd.'
Katherine bestudeerde zijn gezicht. 'U hebt me gezegd dat het allemaal goed zou komen. U zegt dat u van me houdt. Maar u toont het nooit.'
Henry trok een pijnlijke grimas en keek in het rond, alsof hij hoopte dat er iemand binnen zou komen. 'Er is nog niets beslist,' zei hij onbeholpen.
Katherine keek hem aan. 'Wat betekent dat?'
Henry staarde haar aan, niet in staat of van zins het uit te leggen.

Die avond zat Katherine in haar eigen vertrekken stilletjes in haar bijbel te lezen, terwijl Anne en twee andere hofdames bezig waren haar kamers op te ruimen en schoon bedlinnen en een kan water binnenbrachten.
Ondanks de gang van zaken tussen de koning, de koningin en Anne Boleyn, was Anne niet ontheven van haar taken als hofdame van de koningin. Anne verrichte haar werkzaamheden stilletjes en ingetogen, maar had ervoor gekozen het prachtige nieuwe halssnoer te dragen dat de koning haar eerder die dag geschonken had; iets wat, zoals zij wist, ongetwijfeld de aandacht zou trekken.
Katherine las alsof ze volledig in beslag werd genomen door haar bijbel, maar af en toe sloeg ze haar ogen op om te kijken naar het jonge meisje dat het linnen aan het vouwen was, en naar het prachtige halssnoer dat zij droeg.
Haar dames wensten Katherine goedenacht en begonnen zich terug te trekken, maar ze gaf Anne een teken nog even te blijven. Zodra ze alleen waren, zei Katherine: 'Dat halssnoer. Wie heeft u dat geschonken?'
Anne stond met neergeslagen ogen en zei niets.
'Antwoord mij!' beval Katherine.
Annes oogleden trilden; langzaam richtte ze haar blik op en staarde Katherine met die opmerkelijke ogen van haar recht aan. 'Zijne Majesteit,' zei ze. Het ingetogen meisje van zo-even was geheel verdwenen.
Katherine snoof. 'U bent zeker duur... een dure *hoer*.' Ze gebruikte het Spaanse woord ervoor, maar Anne snapte haar maar al te goed.
Annes ogen schoten vuur. 'Ik ben geen hoer... Uwe Majesteit. Ik houd van Zijne Majesteit. Ik denk dat hij van mij houdt.'
Katherine maakte een wegwuivend gebaar. 'Hij is verblind door u, zoals mannen dat vaak zijn door nieuwe dingen. Hij zal snel in de gaten krijgen hoe u werkelijk bent. En dan heeft hij genoeg van u... net als van al die anderen!'
Anne staarde de oudere dame zelfverzekerd aan. 'En als dat niet zo is?'
'Ik heb u niet gevraagd te spreken!' gaf Katherine haar woedend te kennen. 'U bent een bediende! Ga nu! Ga!' Door alle emoties sprak ze met een nog zwaarder Spaans accent.

Anne maakte een reverence en vertrok. Zodra de deur achter haar sloot, liet Katherine zich achterover in haar stoel zakken. Eindelijk alleen; eindelijk onbespied – het trotse, waardige gezicht betrok. Ze was zo moe, zo uitgeput. Maar ze mocht het niet opgeven. Ze zou het Henry en zo'n onbeduidend meisje niet toestaan haar leven – haar liefde – in een leugen te veranderen. Maar o, ze was zo moe...

'Mijne Excellenties, laten we drinken op de oplossing van de kwestie die ons allen het meest bezighoudt.' Henry hief zijn kelk. Hij dineerde met de Hertog van Norfolk en Thomas Boleyn. Ze proostten met hem.
'Binnen zeer korte tijd zullen wij een antwoord hebben,' deelde Henry hun mee.
'Ik zou het liever uit de mond van Doctor Knight vernemen dan uit die van Kardinaal Wolsey,' zei Norfolk.
Even was het stil. Henry wierp hem een scherpe blik toe. 'Waarom zegt u dat?'
Norfolk zei: 'Ik vrees dat de kardinaal geen belang heeft bij het welslagen hiervan.'
Henry kneep zijn ogen samen. 'Maar zijn belang en het mijne zijn dezelfde – toch? Wolsey is mijn dienaar.'
Opnieuw deed niemand zijn mond open.
Toen zei Boleyn behoedzaam: 'Zijne Excellentie bedoelt dat de kardinaal enige vooroordelen tegen mijn dochter heeft.'
Henry dacht daarover na en knikte toen. 'Dat weet ik. Hij noemde haar een onnozel meisje. Dat heeft ze me verteld.'
Norfolk en Boleyn wisselden een blik van verstandhouding. Norfolk zei: 'Er is... nog een andere kwestie. Iets waarvan u op de hoogte moet worden gebracht. Lord Boleyn wilde het u niet vertellen. Maar ik heb erop aangedrongen.'
Henry zette zijn kelk neer en keek Boleyn aan. 'Nou?'
Boleyn haalde diep adem. 'Majesteit, door uw grote vrijgevigheid ben ik benoemd tot schatbewaarder van Uwe Majesteits huishouden.'
Henry boog zijn hoofd ter erkenning van Boleyns dankbaarheid.
Boleyn vervolgde: 'En in die hoedanigheid heb ik... heb ik ontdekt dat wanneer corrupte religieuze instellingen worden gesloten, niet alle activa naar uw schatkist gaan, zoals zou moeten... maar in plaats daarvan vaak een andere bestemming krijgen.'
Henry fronste. 'Een andere bestemming? Welke andere bestemming?'
'Wolseys privéfondsen,' vertelde Boleyn hem. 'Voor de oprichting van zijn universiteit in Oxford.'

Er viel een korte, ongelovige stilte. Toen riep Henry uit: 'Hij *steelt* van mij?' Stilzwijgend bevestigde Boleyn dat.
Met een zorgelijk gezicht gebaarde Henry een dienaar zijn kelk bij te vullen. 'Uw mededeling schokt me,' zei Henry. 'Het kwetst mij. Evenals mijn kanselier. Wolsey is altijd mijn vriend geweest.'
'Op deze wereld, Majesteit, is een trouwe – en loyale – vriend het grootste geschenk dat een man kan hebben,' zei Boleyn. 'Want in al het andere geldt een vreemde gewoonte van verloochening.'
Ze zwegen weer. Henry had moeite het aan te nemen.
Na een tijdje nam Norfolk weer het woord, maar hij leek op een ander onderwerp over te stappen. 'De Hertog van Suffolk is mij komen bezoeken.'
'Brandon?' Henry keek op.
'Hij zei dat hij op handen en voeten zou kruipen om u om vergiffenis te smeken,' zei Norfolk. 'Hij houdt van u.'
Henry reageerde niet.

De koets slingerde en schommelde zich een weg door het beboste Franse landschap. In de koets zat Doctor Knight te soezen. Hij had al een groot stuk afgelegd – er lag nog een lange weg voor hem. Ze waren op weg naar Orvieto in Italië.
Hij werd gewekt door kreten. En een schot.
'Hooo!... Hooo maar!'
De koets maakte een plotselinge slingerbeweging. Doctor Knight werd bijna op de grond geworpen toen de koetsier de paarden met een ruk inhield.
Knight hervond zijn waardigheid en gluurde uit het raam om te kijken wat er aan de hand was. Verscheidende gewapende ruiters stonden om de koets heen. Bandieten? Heimelijk tastte hij naar zijn wapens, maar voor hij iets kon doen was een van de mannen al in de koets geklommen.
Tot Doctor Knights verbazing sprak de man hem in het Engels aan. 'Doctor Knight? Vergeef ons, sir. Wij moeten u vragen uw reis voor een dag of twee te onderbreken.'
Doctor Knight staarde hem aan. 'Onmogelijk! Ik heb een opdracht van de koning.'
'Ja, sir, dat weten we,' zei de ruiter. 'Daarom moet u met ons meekomen.'
Verbijsterd, maar zonder ook maar iets in te brengen te hebben, liet Doctor Knight zich achterovervallen in de koets, die onder begeleiding van een gewapende escorte een andere richting op werd geleid.
Hij werd naar het Franse hof gebracht en na talloze vruchteloze vragen aan zijn escorte en nog meer frustratie vanwege het duimendraaien in afwach-

ting van wie-weet-wat, werd hij uiteindelijk naar Kardinaal Wolsey toe geleid.
Hij knipperde met zijn ogen en stond stomverbaasd stil toen hij de kardinaal zag, die achter zijn bureau papieren zat door te bladeren.
Wolsey keek op. 'Ah, Doctor Knight. Kom binnen.'
'Uwe Eminentie, ik...' Knight wist niet wat hij moest zeggen.
Wolsey keek hem doordringend aan. 'Ik reken het tot mijn taken op de hoogte te zijn van de zaken van de koning. Dacht u dat u naar Orvieto kon gaan zonder dat ik daarvan op de hoogte zou zijn?'
Doctor Knight sloeg zijn ogen neer, wetende dat hij verslagen was.
Wolsey gebaarde naar de papieren voor hem. 'U moest deze bullen naar Zijne Heiligheid brengen?'
'Ja.'
'Het zijn nogal bijzondere documenten,' zei Wolsey. 'Weet u wat erin staat?'
Doctor Knight knikte. 'Een beetje. Ja.'
Wolsey trok zijn wenkbrauwen op. 'En toch hebt u ingestemd ze mee te nemen?'
Doctor Knight zei niets.
Wolsey raadpleegde de papieren nogmaals. 'Het eerste document,' begon hij, 'verzoekt Zijne Heiligheid uit naam van Henry, Koning van Engeland, hem toe te staan om – eenmaal gescheiden van Koningin Katherine – te trouwen met de vrouw van zijn keuze; ook wanneer dat zou gaan om iemand die normaliter verboden is vanwege een eerdere relatie met een van haar familieleden! Dit is door de koning zelf geschreven.' Wolsey keek Knight strak aan en zei: 'Ik begrijp het niet. Over welke vrouw heeft hij het?'
Knight wierp hem een ongelovige blik toe. Probeerde Wolsey hem voor de gek te houden? Zou de man die op de hoogte was van alles wat zich in Engeland afspeelde dit echt niet weten? Blijkbaar niet.
'Vrouwe Anne Boleyn,' vertelde hij Wolsey.
Wolsey kon het maar moeilijk geloven. 'Anne Boleyn? De koning... houdt van Anne Boleyn?'
'Ja, sir.'
Wolsey wees naar het document. 'En dit... wettelijke voorbehoud: over een eerdere relatie? Waardoor zijn nieuwe huwelijk hem verboden zou kunnen worden?'
Doctor Knight sprak meer uit bezorgdheid dan uit woede. 'Uwe Eminentie is ongetwijfeld op de hoogte van het feit dat Zijne Majesteit vleselijke gemeenschap heeft gehad met Annes oudere zuster, Mary. Wellicht ook met hun moeder. Althans volgens de geruchten.' Hij voegde er ernstig aan toe: 'Ik hecht geen geloof aan dat feit... voor zover het de moeder betreft.'

Lange tijd was het stil. Wolsey had zich nooit de moeite getroost om op de hoogte te blijven van de vele maîtresses van de koning – de vrouwen kwamen en gingen en hadden geen invloed op de staatszaken.
Nu realiseerde hij zich de gevolgen van zijn eigen onnozelheid. Hij had een ernstige beoordelingsfout gemaakt. Hij richtte zijn blik op een ander document en huiverde. 'Deze tweede bul. Hebt u die gelezen, Doctor Knight?'
'Nee, sir.'
'U hebt geluk,' deelde Wolsey hem mee. 'Ik zou niet graag in de schoenen staan van iemand die dit aan de opvolger van Sint-Petrus moest overhandigen.'
Doctor Knight staarde naar het document, maar zei niets.
Wolsey verloste hem uit zijn lijden. 'Het vraagt dit: als er geen manier gevonden kan worden om het huwelijk van de koning met Katherine illegaal of ongeldig te verklaren... dan moet de paus er eenvoudigweg mee instemmen dat het hem toegestaan is een tweede vrouw te trouwen.' Hij zweeg om zijn woorden te laten bezinken. Knights gezicht vertoonde geen tekenen van verandering.
Wolsey zei: 'Begrijpt u dat? Het vraagt de paus bigamie te sanctioneren!'
Knight slikte. Kordaat rolde Wolsey de twee documenten op en gaf ze terug. 'Aangezien de koning het bevolen heeft, moet u op weg gaan, Doctor Knight... Maar niet met hoop op succes, noch op ontzag.'
Hij gebaarde dat Doctor Knight kon vertrekken en richtte zich weer op zijn werk.

Nadat Doctor Knight zich uit de voeten had gemaakt, ging Wolsey op zoek naar Thomas More. Hij vond hem op een stalerf en vertelde hem wat hij gehoord had. 'Wat had ik moeten doen?' vroeg Wolsey.
'Ik weet het niet,' zei More. 'Maar ik ben het met u eens. Het is onaanvaardbaar en onbehouwen. Ik ben teleurgesteld in Zijne Majesteit.'
'Zult u zich neerleggen bij de uitspraak van de kardinalen?'
More haalde zijn schouders op. 'Wat maakt dat uit? De paus is nu vrij. Een conclaaf is niet langer noodzakelijk.'
'Integendeel. De noodzaak is groter dan ooit. De paus is nog steeds in de macht van de keizer en niet in staat zijn gezag over de Kerk uit te oefenen. Dus iemand anders moet dat doen – en ik vraag u opnieuw: zult u zich neerleggen bij de uitspraak van de kardinalen?'
More zweeg.
Wolsey keek hem aan. 'U wilt uw handen er niet aan vuil maken,' zei hij. 'Dat begrijp ik. Maar u hebt helaas geen keus. De hand van de schilder is altijd bezoedeld door het element waar hij mee werkt.'

Ze wandelden verder. En nog steeds zei More niets.
Wolsey ging verder: 'More, als u nu niet voor mij bent, bent u tegen mij. Er staat veel meer op het spel. Mijnheer Cromwell vertelde me dat de koning momenteel dineert met Norfolk en Boleyn.'
More trok zijn wenkbrauwen op.
'Zij zijn mijn gezworen vijanden,' legde Wolsey uit. 'Zij zijn voortdurend uit op mijn ondergang. En als u mij niet helpt, helpt u hen.'
More zei niets, maar Wolsey wist dat hij geconfronteerd zou worden met een crisis en liet al zijn gebruikelijke wellevendheid varen. 'Wij kennen elkaar nu al heel lang, Thomas. Ik weet heel goed dat u vaak geklaagd hebt over mijn methoden, mijn manier van zakendoen. Maar ik denk dat wij, ondanks dat alles, nog steeds veel gemeen hebben. We zijn nog steeds humanisten, hoewel de wereld onze overtuigingen aanvalt en onze daden in opspraak brengt.'
En toen nam hij zijn toevlucht tot een atypische grofheid: 'En bovendien hebt u alles wat u op deze wereld bereikt hebt aan mij te danken.'
More keek hem aan. 'Niets – geen enkel aards wezen – zelfs geen vorst, zal mijn daden ooit in opspraak brengen.' Hij draaide zich om, doopte zijn handen in een paardentrog en schepte er wat water uit. Hij vervolgde: 'Dit is mijn element. Het spirituele element. Het hogere element.'
Ze keken beiden toe hoe het water uit zijn handen terug in de trog liep. Vervolgens toonde hij zijn handen aan Wolsey. 'Zeg me: ben ik erdoor bezoedeld?'
Wolsey zei niets. In zijn karmozijnrode gewaad, dat als een bloedspat afstak tegen de grijze keien van het stalerf, stond hij zich af te vragen in welke mate hij bezoedeld was door zijn professie.

Henry staarde in zijn privévertrekken meedogenloos naar iets op de grond. Het was Brandon, die met gebogen hoofd nederig voor hem op zijn knieën zat.
Henry spotte: 'Ik heb gehoord dat u hier helemaal naartoe bent komen kruipen!'
Brandon reageerde stekelig en sloeg zijn ogen op. 'Zoiets.'
Henry staarde woedend terug en dwong Brandon zijn ogen weer neer te slaan. 'Let op uw woorden!' snauwde Henry. 'U praat altijd te veel.'
'Ja, Uwe Majesteit.'
'Bent u gekomen om mij om vergiffenis te smeken?'
'Ja, Uwe Majesteit.'
Henry stond op en liep langzaam naar de voorovergebogen gestalte. 'Smeek er dan om,' beval hij Brandon.

'Met heel mijn hart, met heel mijn ziel, met elke vezel van mijn lichaam. Mijn koning, mijn vorst, mijn gevreesde heer, ik smeek u uw armzalige dienaar, uw nederige, waardeloze, roekeloze dienaar, die zo weinig verdiende en door uw vrijgevigheid en genade zo veel heeft gekregen, te vergeven. Ondankbare stakker die ik ben. Uwe Majesteits liefde onwaardig.'
Na een paar tellen zei Henry: 'Kom hier!'
Brandon keek op. Henry, wiens gezicht nog steeds op onweer stond, was aan een kleine tafel gaan zitten. Hij zette er zijn elleboog op alsof hij armpje wilde worstelen. Brandon knipperde met zijn ogen; hij begreep het niet helemaal.
'Als u me kunt verslaan,' deelde Henry hem mee, 'kunt u terugkomen aan het hof.'
Was het een bedreiging – of een belofte? Brandon kwam overeind en ging tegenover de koning zitten. Hij zette zijn eigen elleboog op de tafel en greep Henry's hand.
Zijn hoofd tolde. Wat moest hij doen? Wilde Henry echt dat hij zou proberen te winnen? Wilde Henry echt verliezen? Hij haatte verliezen. Als Brandon won, zou hij dan winnen – of verliezen?
'Klaar?' ging Henry verder. Zijn gezicht verraadde niets.
Hij begon kracht uit te oefenen en drukte Brandons arm nogal makkelijk in de richting van de tafel. Maar toen reageerde Brandon: hij spande zijn spieren en duwde Henry's arm langzaam weer omhoog. De armen van de twee mannen trilden van de inspanning.
De spanning was voelbaar. Brandon had geen idee wat hij het beste kon doen: winnen of zich door de koning laten verslaan. Zijn hele toekomst hing af van het maken van de juiste keuze. Maar wat was de juiste keuze? Henry's gezicht gaf hem geen enkele aanwijzing: dat was star, vijandig. Zijn ogen straalden vurige vastbeslotenheid uit. Hij begon weer te duwen. Harder. Harder. Hij dwong Brandons arm naar beneden. Steeds verder.
Opnieuw voelde Brandon een golf van verzet en hij vocht terug. De spieren op de armen van beide mannen bolden op, spanden zich; hun gezichten waren vertrokken van de inspanning.
Geen moment haalde Henry zijn ogen van die van Brandon af. Hij staarde in Brandons ogen met duistere vastberadenheid.
Ze hijgden beiden van de inspanning. Henry begon, met een pijnlijk gegrom, Brandons arm weer omhoog te duwen. Als hij wilde, kon Brandon nu zonder al te veel gezichtsverlies de handdoek in de ring gooien. Hij moest nu beslissen.
Met een slikbeweging nam hij de beslissing. Hij duwde uit alle macht terug en bracht Henry's arm tot vlak boven het oppervlak van de tafel. De laat-

ste centimeters waren voor beide mannen een verschrikkelijke kwelling: hun armen, en bijna hun hele lichaam, trilden spastisch.
Plotseling gaf Henry het op en sloeg Brandon zijn arm met een klap op tafel. Hij had gewonnen.
Of niet?
Hij wachtte met een klomp in zijn maag van angst af, terwijl Henry zijn hand boos bevrijdde en Brandon kwaadaardig aanstaarde. Hij stond op, keerde Brandon zijn rug toe en begon weg te lopen.
Doodsangst flikkerde over Brandons gezicht. O god, hij had de verkeerde keuze gemaakt.
Henry was bijna bij de deur. Brandon stond stijf van de angst. Toen stopte Henry opeens, wachtte even, draaide zich om en zei met een brede grijns: 'Welkom terug.'

In Parijs werd Wolsey voor het eerst in zijn leven geconfronteerd met jammerlijk falen. Hij liet hiervan niets blijken toen zijn dienaar hem hielp zijn buitenste gewaden uit te trekken.
Koning Francis werd binnengeleid. 'Mijn beste kardinaal,' riep hij uit. 'Wat had ik moeten doen? Uwe Eminentie weet dat ik mijn kardinalen niet de wet kan voorschrijven. Ze nemen alleen bevelen aan van Zijne Heiligheid.'
Wolsey beaamde de woorden van de koning met een nauwelijks waarneembare buiging. Francis keek hem aan, aarzelde en vertrok toen.
Wolsey liet zich zwaarmoedig op een stoel zakken en staarde uit het raam. Hij zag de dag overgaan in de nacht. Het was symbolisch, eigenlijk. Een dienaar keek naar binnen, zag de kardinaal in het duister zitten en begon kaarsen aan te steken. Wolsey wuifde hem weg.
Zo trof Thomas More hem aan toen hij na het vernemen van de uitkomst van de bijeenkomst van kardinalen naar hem toe was gegaan. Hij staarde naar de onbeweeglijke Wolsey. 'Wat gaat u zeggen?'
Wolsey gaf geen antwoord. Dat had geen enkele zin. Er waren geen woorden om zijn jammerlijke en volslagen falen te verklaren – niet aan Henry.
'We vertrekken morgenochtend naar Londen,' deelde More hem mee voor hij vertrok.
Wolsey verroerde zich niet.

Wolsey baande zich een weg naar de privévertrekken van de koning. Cromwell kreeg hem in het oog en boog, waardoor hij hem de weg versperde.
'Mijnheer Cromwell,' zei Wolsey bits.
'Uwe Eminentie, de koning verwacht u, maar…'

'Maar wat?' snauwde Wolsey.
Verontschuldigend zei Cromwell: 'Hij is niet alleen.'
Wolsey fronste en wierp Cromwell een nijdige blik toe. Zijn audiënties bij de koning waren *altijd* besloten. 'Niet alleen?' Zijn vraag bleef in de lucht hangen, onbeantwoord.
Cromwell opende de deuren naar de privévertrekken. Wolsey liep naar binnen en stond abrupt stil toen hij merkte dat Henry op hem wachtte – met Anne Boleyn. Zij stond – zeer ontspannen – naast de grote open haard.
Wolsey boog en kon opeens geen woord meer uitbrengen. Hij had geen idee wat hij in het bijzijn van dit meisje tegen de koning moest zeggen. Hij was van zijn stuk gebracht door het zichtbare bewijs van wat er tijdens zijn afwezigheid allemaal veranderd was. Het zou toch zeker niet de bedoeling van de koning zijn om dit – dit *meisje* – te laten delen in belangrijke staatszaken?
'En?' hielp Henry hem op weg.
'Uwe Majesteit, ik hoopte eigenlijk...' Hij zweeg en zijn blik dwaalde naar Anne.
'U kunt tegenover Vrouwe Boleyn vrijuit spreken,' zei Henry. 'Zij weet alles.'
Wolsey keek naar Anne en zag een vage blik van triomf in haar ogen. Een meisje, dacht hij. Gewoon een meisje. En toch...
Een tijd lang zei Wolsey niets.
De koning gaf Wolsey de opening waar hij zo tegen op had gezien. 'Welnu! U bent terug uit Parijs! Vertel ons over uw triomfen!' Hij glimlachte. 'Breng ons op de hoogte van al uw nieuws. We zijn erg nieuwsgierig.' Hij wachtte af.
Wolsey slikte.
Ongeduldig riep Henry uit: 'In godsnaam, krijg ik mijn echtscheiding?'

Hoofdstuk 14

Sir William Compton lag te slapen in zijn herenhuis op Compton Wynates. Hoewel het geen warme nacht was en er geen vuur in zijn slaapvertrek brandde, parelde er zweet op zijn voorhoofd. Ook boven zijn lippen had zich een dun vochtig laagje gevormd.

De geluiden van de vroege morgen sijpelden zijn verduisterde vertrek binnen: zingende vogels, paardenhoeven op de keien van het erf, het rumoer van bedienden die zich van hun taken kweten.

In de boomgaard opende een imker een bijenkorf. Achter hem liet een stalknecht een paard uit de wei binnen. De wereld maakte zich klaar voor een nieuwe dag. De imker stopte even met zijn bezigheden; het leek wel of hij iets vreemds had gehoord. Toen keek hij in de richting van het grote huis. Bijen vlogen verstoord om zijn hoofd.

De dienaren binnen, die ter voorbereiding van de dag poetsend door het huis snelden, stonden stil toen uit het slaapvertrek kreunende en grommende geluiden klonken. Ze keken elkaar aan: de meester was alleen naar bed gegaan. Ten slotte betraden twee dienaren het vertrek. Het gegrom was veel luider geworden. Gealarmeerd rende een van hen naar het bed om de gordijnen opzij te trekken, zodat ze konden zien wat er aan de hand was. Toen het zonlicht in Comptons ogen stak, greep hij schreeuwend met twee handen naar zijn hoofd.

De bedienden waren doodsbenauwd. 'Jezus christus!' riep de eerste uit.

'Sir William!' gilde de tweede. 'Sir William! Wat is er?'

Maar Compton was te ver heen om iets te zeggen. Zijn lichaam bleef zich maar samentrekken; hij lag opgevouwen door inwendige pijnscheuten. Hij klappertandde en rilde hevig, alsof hij tot op het bot verkleumd was. Zijn ogen waren dichtgeknepen en hij rolde over het bed, terwijl hij nu eens zijn hoofd en dan weer zijn buik vastgreep, alsof hij op allebei die plekken gekweld werd door hevige pijn.

De dienaren staarden naar hem en vervolgens – in toenemende paniek – naar elkaar. 'Ga een arts halen!' riep de eerste naar degenen die zich bij de deur hadden verzameld.

De bedienden stonden zwijgend en vol afgrijzen in de deuropening naar hun gekwelde meester te gapen. Niemand bewoog.
'Ik zei: ga een arts halen!' schreeuwde de dienaar. 'NU!'
Ze stoven rennend uiteen.
Tegen de tijd dat de plaatselijke arts arriveerde, was Compton er slecht aan toe. Hij was, gesloopt door het rillen, bijna buiten bewustzijn. Zijn lichaam baadde in het zweet. Al het beddengoed was nat.
De arts kwam met een hand over zijn neus tegen de stank van het zweet naderbij. Hij raakte het lichaam aan en deinsde terug door de koortsachtige hitte. Hij wendde zich tot de dichtstbijzijnde dienaar: 'Goede god, man! Waarom heeft niemand hem gewekt? Weet u niet dat in deze gevallen slapen bijna altijd fataal is?'
De bedienden van Compton verdrongen zich voor de deuropening in een poging te zien wat er gebeurde.
'Ga weg! Ga weg, dwazen!' schreeuwde de arts hun toe. 'Uw meester heeft de zweetziekte!'
Meteen gingen ze ervandoor, maar de arts hield twee van hen tegen. 'U tweeën! Blijf! We moeten proberen hem te behandelen... die arme kerel. Draai hem om!'
Angstig en walgend kwamen de dienaren met de grootste weerzin naar de arts toe, terwijl ze hun neus en mond probeerden te bedekken tegen de verschrikkelijke stank.
De arts opende zijn tas en haalde er een operatiemes uit. Hij snauwde tegen de ineengekrompen dienaren: 'In godsnaam, schiet een beetje op! We kunnen hem misschien nog redden, hoewel...' Hij stokte toen de mannen het zwetende, gladde lichaam op de buik keerden.
'Wat gaat u doen?' vroeg een van de dienaren. De arts scheurde de achterkant van Comptons drijfnatte nachthemd open.
'In zijn rug snijden,' antwoordde hij bruusk. 'Ik heb gehoord dat dat soms werkt, omdat een deel van de giftige stoffen dan wegloopt. Houd vast!' De arts trok het mes over Comptons rug.
Er stroomde bloed tussen Comptons schouderbladen.

Voor de derde keer controleerde Wolsey zijn kledij en hij streek zijn haar naar achteren. Opnieuw inspecteerde hij zijn privéontvangstkamer in Hampton Court Palace om te kijken of alles zo was als hij opgedragen had. Hij was het niet gewend om nerveus te zijn. Het was niet een gevoel waarvan hij genoot, maar sinds zijn terugkeer uit Frankrijk had hij het gevoel dat alles op scherp stond...
Eindelijk hoorde hij zijn bezoekers arriveren. Een geluid achter hem deed

hem omdraaien. Hij staarde naar Joan, zijn maîtresse, die haar mooiste kleren droeg.
'Wat doet u?' vroeg hij ontsteld.
Joan keek ontzet. 'Mag ik de koning niet ontmoeten?'
'Nee, natuurlijk niet!' riep de kardinaal uit. 'Ga! Ga!' Verwoed gebaarde hij haar te verdwijnen en net toen de deur zich zachtjes achter haar sloot, gingen de hoofddeuren open en schreed Henry binnen, gevolgd door Anne Boleyn.
Wolsey begroette hen hartelijk: 'Uwe Majesteit. Vrouwe Anne. U bent beiden hartelijk welkom.'
Ze gingen zitten om te dineren. Wolsey had zich zeer veel moeite getroost om hen koninklijk te onthalen: met geroosterde fazant, een complete karper aangekleed met garnalen, en allerhande andere delicatessen.
Hij was een attente gastheer; hij zorgde ervoor dat de vele bedienden die langs de wanden van de kamer posteerden de kelken van zijn gasten gevuld hielden met de mooiste wijnen, en hun borden beladen met de meest uitgelezen hapjes.
Tijdens het diner wisselden Henry en Anne voortdurend intieme blikken uit – als geliefden in hun eigen wereld.
Op een bepaald moment glimlachte Anne naar Wolsey en zei: 'Ik moet Uwe Eminentie bedanken voor de prachtige broche die u me hebt gestuurd.'
Wolsey knikte hoffelijk. 'Ik ben zeer verheugd dat hij u bevalt. Het is Italiaans en ik vond het vakmanschap voortreffelijk.'
Maar Anne luisterde niet. Ze staarde voor de zoveelste keer in Henry's ogen.
Wolsey aarzelde en ging toen verder: 'Uwe Majesteit zal meer dan verheugd zijn met de geschenken die de Koning van Frankrijk gezonden heeft. Een gouden kelk! Goudzijden altaardoeken! En wandkleden ter waarde van dertigduizend dukaten!'
Henry rukte zijn ogen los van Anne en keek Wolsey aan. 'Dus we zijn opnieuw bondgenoten van Frankrijk?'
'Ja. En we zijn beiden officieel in staat van oorlog met de keizer.'
'Goed. Dat doet me deugd,' zei Henry. Toen betrok zijn gezicht. 'Net zoals het de keizer deugd deed de wereld kond te doen van de geboorte van zijn zoon! Bij de prinses voor wie hij mijn dochter heeft afgewezen!'
Hij staarde peinzend naar de tafel en ving toen Annes blik. Haar lippen vormden geluidloos de woorden: 'Ook u zult een zoon krijgen.' En zijn woede smolt weg.
Wolsey, die de uitwisseling had gezien, schraapte zijn keel. 'Nog wat garnalen, Lady Anne?' Hij wist dat ze daar veel van hield.

Anne glimlachte. 'Dank u, Uwe Eminentie. Genoeg. U bent te genereus – in alles.'
Wolsey, die van mening was dat je nooit te genereus kon zijn, boog bescheiden glimlachend zijn hoofd.
Na een tijdje vroeg Henry: 'En hoe staat het met... onze persoonlijke kwestie?'
'Majesteit, ik heb geregeld dat twee collega's van mij – twee jonge raadsheren, Stephen Gardiner, mijn secretaris, en Edward Foxe – de paus gaan bezoeken in Orvieto, in de buurt van Rome, waar hij nog steeds verblijf houdt.' Terloops voegde hij daaraan toe: 'Schijnbaar in beklagenswaardige omstandigheden.'
Henry en Anne gingen rechtop zitten; ze waren opeens een en al oor.
'Wat laat u deze raadsheren doen?' vroeg Anne hem.
Wolsey was beledigd omdat hij door een vrouw werd ondervraagd, maar liet daar niets van merken. Met een glimlach zei hij: 'My lady, zij zullen bij Zijne Heiligheid met alle beschikbare middelen aandringen op de noodzaak van zijn medewerking. Hij moet, zowel met betrekking tot de kerkelijke als de burgerlijke wetten, de ongeldigheid van Uwe Majesteits huwelijk erkennen.'
'En wat dat betreft bestaat er niet de geringste twijfel,' verklaarde Henry. 'Ik heb talloze boeken gelezen over deze kwestie; soms tot diep in de nacht, waardoor ik mezelf verschrikkelijke hoofdpijn bezorgde.'
Hij pauzeerde en lachte even. 'Maar ik ben meer dan ooit overtuigd van de wettelijke en geestelijke gerechtigheid van mijn zaak. Mijn geweten is zuiver!' De laatste woorden sprak hij met nadruk uit, terwijl zijn blik zich in die van Wolsey boorde.
'En zo hoort het ook,' zei Wolsey gladjes. 'En Uwe Majesteit mag erop vertrouwen dat deze twee heren, deze twee nijvere raadsheren, Orvieto pas zullen verlaten als ze tevreden zijn.'

De avond viel in schaduwen over het huis Compton Wynates. Een knappe, jonge vrouw met een lief en aardig gezicht kwam langzaam Comptons slaapvertrek binnen. Het was Ann Hastings, de vrouw met wie Compton volgens het gewoonterecht was getrouwd.
Op elke hoek van het bed brandden dunne kaarsen; die moesten de kamer reinigen van kwade sappen. Doctor Linacre, de privéarts van de koning, boog voor haar. 'Vrouwe Hastings.'
Ann was verbaasd hem hier te zien. 'Doctor Linacre?'
'Zodra hij het nieuws vernam, heeft de koning me hierheen gestuurd,' legde de dokter uit. 'Helaas... tevergeefs.'

'Ik... ik ben gekomen om hem te zien,' zei Ann, die probeerde langs de dokter te kijken.
'Natuurlijk,' zei Doctor Linacre. 'Maar, ook als ik bij machte was dat te doen, zou ik het u toch niet toestaan.' Hij ging vastberaden tussen haar en Compton in staan en ontnam haar opzettelijk het zicht op het bed.
Bedroefd zei Ann: 'Ik hield van hem.'
Doctor Linacres blik werd milder. 'Dat verbaast me niet. Hij was in alle opzichten een zeer lieve en liefdevolle man. Zijne Majesteit zal zijn kameraadschap node missen.'
'Laat me hem zien,' smeekte ze.
Doctor Linacre fronste en keek bezorgd. 'Er bestaat een groot risico op infectie – waarover wij nog zo weinig weten.'
'Alstublieft.' Ann keek hem treurig aan. Met een zucht liet de arts zich vermurwen en deed een stap opzij.
Ann liep naar het bed en staarde naar het lichaam van haar minnaar. Compton was dood. Zijn huid was lijkbleek en werd ontsierd door afgrijselijke blauwe plekken. En hoewel zijn ogen gesloten waren, stond zijn mond nog open in een zwijgende, bevroren doodskreet.
Haar ogen vulden zich met tranen. Ze sloeg een kruis. 'Mijn arme, lieve schat,' mompelde ze gebroken.
Comptons handen lagen al gevouwen op zijn borst. Ann haalde een zilveren kruisje uit haar borststuk en legde dat behoedzaam tussen zijn vingers. Ze begon te bidden.
'Vergeef me,' onderbrak Doctor Linacre haar geprevel. 'U moet al zijn beddengoed en kleding verbranden. Hij moet zo snel mogelijk de grond in.'
Anne knikte bedroefd. 'Ik had gedacht mijn hele leven met hem te delen. Gun me dan ten minste deze enkele minuten.'
Doctor Linacre knikte vol mededogen en verliet de kamer. Anne liet haar tranen nu de vrije loop en kuste en streelde het lichaam van haar dode minnaar. 'Vaarwel, mijn lief... Moge God u zegenen en over u hoeden tot we elkaar weerzien...'

'Heren,' zei Wolsey, 'ik heb hier een persoonlijke brief van de koning, waarin hij Zijne Heiligheid bij voorbaat dankt voor het zo welwillend honoreren van zijn verzoek.' Wolsey had de fijne kneepjes van hun taak uitgelegd aan de twee raadsheren die hij had uitgekozen om de zaak van de koning voor te leggen aan de paus in Orvieto.
De raadsheren, Gardiner en Foxe, wisselden een blik van verstandhouding.
'Hoe denkt u dat Zijne Heiligheid zal reageren?' vroeg Gardiner.
'Eerlijk gezegd, Mijnheer Gardiner, ben ik daar niet helemaal zeker van,'

vertelde Wolsey hem. 'De paus is een van zijn eer beroofde gevangene van de huurlingen van de keizer geweest. En ook al schijnt de keizer hem toegestaan te hebben naar Orvieto te ontsnappen, hij is er nog steeds niet veel beter aan toe.'
Wolsey vervolgde: 'Volgens alle reizigers die hem daar bezocht hebben leidt hij er een zeer treurig bestaan, opgesloten in een geruïneerd paleis. En dus' – hij ging op het puntje van zijn stoel zitten – 'kan men zich afvragen waarom hij de keizer, die hem niets dan ellende heeft bezorgd, gunstiger gezind zou zijn dan de Koning van Engeland, die hem nog nooit kwaad heeft gedaan.'
Foxe zei onbewogen: 'Het probleem is, Uwe Eminentie, dat de zwaarden van de Koning van Engeland veel verder weg zijn dan de zwaarden van de keizer. Diplomatie wordt bijna altijd bepaald door een dergelijke nabijheid.'
Wolsey glimlachte. 'Gesproken als een ware rechtsgeleerde! Maar ook dit dient u niet te vergeten: de paus is boven tijdelijke vorsten gesteld – want anders is hij niets! Zijn uitspraken horen niet zo opportuun en cynisch te zijn als die van wereldlijke heersers.'
Er viel een korte stilte en de raadsheren beseften dat hun audiëntie bij de kardinaal ten einde was.
Ze bogen en maakten aanstalten te vertrekken toen Wolsey er, op een onverwacht zeer nadrukkelijke toon, aan toevoegde: 'Ja, speel daarop in. Maar als al het andere faalt – gebruik dan dreigementen!'
Ze knipperden met hun ogen.
Wolsey ging verder: 'Zeg tegen Zijne Heiligheid dat wanneer de koning geen voldoening krijgt van het pauselijke hof... hij manieren zal vinden om zijn geweten te sussen en zichzelf te ontdoen van zijn huidige echtgenote.' Hij keek van de een naar de ander. 'Ben ik duidelijk?'
Ze knikten. 'Ja, Uwe Eminentie,' zei Foxe. 'We begrijpen het.'
Wolsey stuurde hen met een nors gebaar weg. Ze haastten zich de kamer uit.

'Dit heeft die arme Compton me nagelaten,' vertelde Henry bedroefd aan Brandon en Knivert. Hij stopte de sleutel in het slot van een ivoren kistje en opende het. De kleine lade daarin was gevuld met edelstenen, een schaakbord en een backgammonspel.
Henry was ontroerd toen hij dit zag en schudde zijn hoofd. 'Arme William! Is dit alles wat er rest van een heel leven?' Hij zuchtte. 'We moeten de edelstenen teruggeven aan zijn onfortuinlijke lady.'
Brandon leunde over zijn schouder en gluurde in het kistje. 'Backgammon!' riep hij uit. 'Zullen we een potje spelen?'

Henry en Knivert staarden hem ontsteld aan.
Haastig zei Brandon: 'Ter... ter herinnering aan hem, bedoel ik. Vanzelfsprekend.'
De anderen zeiden niets. Henry liep naar een grote kast. 'William is gestorven in zijn huis in Warwickshire – een heel eind hiervandaan. God verhoede dat de ziekte zich verspreidt. Maar we dienen er ons in elk geval tegen te wapenen.' Hij opende de deur van de kast en onthulde planken vol glazen potjes, kruiden, specerijen, pillen, lotions, smeerseltjes, suikers en allerlei plantensoorten: een ware farmacie.
'U bent beiden op de hoogte van mijn belangstelling voor medicijnen,' vervolgde Henry. 'Hier staan een paar van mijn nieuwste remedies.' Een voor een pakte hij voorwerpen uit de kast en gaf zijn vrienden uitleg over het gebruik en de werking ervan. 'Dit zijn pleisters om zweren te genezen. Dit is een zalf die verkoelend werkt bij ontstekingen en jeuk bestrijdt. En dit zijn smeerseltjes die goed zijn voor de spijsvertering en een droge huid kalmeren.' Hij knipoogde. 'Ik heb er zelfs een gemaakt die je lid verlichting geeft als dat pijnlijk is.'
Glimlachend gaf Henry Knivert er een potje van. Toen haalde hij wat pillen tevoorschijn. 'Dit zijn zogenoemde pillen van Rhazes, naar de Arabier die ze heeft uitgevonden. Er wordt gezegd dat ze goed werken tegen zweetziekte. Maar dit aftreksel is nog beter.'
Hij schonk wat van een smerig gekleurd goedje in een beker. Knivert keek er zorgelijk naar. 'Wat... is het?'
'Een mengsel van goudsbloem, *manus Christi*, zuring, veldbloem, lijnzaadazijn, ivoorschraapsel en dat alles gezoet met suiker,' legde Henry uit. Hij keek Knivert aan. 'Neem wat.'
Knivert deinsde aarzelend achteruit. 'Weet u... zeker dat het niet vies smaakt?'
'Vertrouw me,' deelde zijn koning hem mee.
Knivert sloot zijn ogen, slikte het aftreksel door en huiverde.
'Het is de bedoeling dat men er misselijk van wordt,' zei Henry.
Knivert keek hem wanhopig aan. 'Dat is zo,' zei hij kokhalzend.
Brandon lachte, maar Henry wendde zich tot hem en zei ernstig: 'U mag dan wel lachen, maar dat mengsel is heel wat beter dan de ziekte die het voorkomt!'
Brandon keek onmiddellijk ernstig.

In het verafgelegen Compton Wynates stonden de dienstmeiden van Ann Hasting te huilen en te jammeren. Ann lag op haar bed, onbeweeglijk en badend in het zweet. Maar ze ademde niet en het zweet was koud.

Een bediende wond het laatste stukje van de lijkwade over haar arme, mooie gezicht. Haar twee dienstmeiden huilden van droefenis – en van doodsangst; ze drukten doeken tegen hun neus en mond toen hun arme meesteres werd weggedragen om naast haar geliefde William in de grond gelegd te worden.

'Majesteit, er heerst een ernstig graantekort,' deelde Wolsey Henry mee. 'Als daar niets aan wordt gedaan, zullen ontelbare arme onderdanen van Uwe Majesteit verhongeren.'
Henry was bezorgd door dit bericht. 'Wat moeten we doen?'
'Er zijn te veel afwezige landheren in uw koninkrijk,' verklaarde Wolsey. 'Deze nobele mannen vinden het belangrijker om aan Uwe Majesteits hof te vertoeven dan op hun eigen landgoederen, waar ze toezicht kunnen houden op de oogst en uw burgers kunnen voeden.'
Henry fronste. 'Op welke nobele mannen doelt u?'
Wolsey vertelde het hem. Later baande hij zich met een tevreden gezicht een weg door het hof. Hij zag Norfolk, die te midden van een kluitje bewonderaars stond, en liep naar hem toe. 'Uwe Excellentie.'
'Wat wilt u?' reageerde Norfolk, die geen moeite deed zijn antipathie te verbergen.
'Een gesprek met Uwe Excellentie,' zei Wolsey uiterst beleefd. 'Als u me toestaat. Onder vier ogen.'
Norfolk keek hem wantrouwend aan. 'Goed dan.'
Wolsey leidde hem naar een rustige plek.
'En?' wilde Norfolk weten. Hij vouwde zijn armen en zette zijn voeten wijd uit elkaar.
'U krijgt het bevel onmiddellijk terug te keren naar uw landgoederen in East Anglia, Uwe Excellentie,' informeerde Wolsey hem.
Norfolk was verbijsterd. Zijn nek werd rood van ingehouden woede. 'Bevel?' zei hij strijdlustig. 'Van wie?'
'Een bevel, ja,' zei Wolsey zacht. 'Van Zijne Majesteit. Uiteraard.'
Hij haalde uit de vouwen van zijn kardinaalsmantel een brief tevoorschijn en voegde er zoetsappig aan toe: 'Door Zijne Majesteit eigenhandig geschreven.'
Norfolk graaide de brief uit zijn handen. 'Waarom?'
'Zijne Majesteit wil dat u toezicht houdt op de graanproductie – en de Noordzeehandel.'
Norfolk ontplofte. 'Handel? Handel? Waar ziet u mij voor aan, een slagerszoon?'
Wolsey reageerde niet op deze schimpscheut. 'Zoals u ziet, Uwe Excellentie, zijn het niet mijn bevelen,' maakte hij duidelijk.

Vol frustratie staarde Norfolk hem aan. Toen stormde hij naar buiten. Met nauwelijks verborgen triomf keek Wolsey hem na.

In de bosrijke omgeving van het paleis waren dienaren bezig alles in gereedheid te brengen voor een picknick voor Henry en zijn gezelschap. De kamerheer van het paleis kwam naderbij, vergezeld door een opgedirkte Fransman van middelbare leeftijd en diens lakeien.
'Uwe Majesteit,' zei de kamerheer, 'mag ik u voorstellen aan Zijne Hoogheid Jean de Bellay, Bisschop van Bayenne, de nieuwe Franse ambassadeur.'
Henry wuifde Bellay dichterbij te komen. *'Bienvenu, monsieur,'* zei hij.
Bellay kuste de hand van de koning. 'Majesté.' Hij ging verder in het Engels. 'Majesteit, het verheugt mij u mijn geloofsbrieven te overhandigen.'
Hij bood een verzegelde rol perkament aan, die werd aangenomen door een van Henry's dienaren.
'En het verheugt mij wederom de vriend en bondgenoot van uw meester te zijn en ik dank hem voor al zijn kostbare geschenken,' antwoordde Henry.
'Het genoegen was geheel aan de koning,' verzekerde Bellay hem.
Henry pakte Bellay bij de arm en nam hem even apart. 'Vertel me, Uwe Hoogheid, hoe vordert de oorlog tegen de keizer?'
'Uwe Majesteit heeft geen reden tot bezorgdheid,' zei Bellay. 'Een Frans leger en een vloot van onze bondgenoten – de Genuezen – hebben de soldaten van de keizer in Napels hopeloos in de tang. Vroeg of laat zal Charles zich moeten overgeven en goedbeschouwd Italië moeten verlaten.'
Henry lachte. 'Dat is werkelijk geweldig nieuws.'
Ze vielen even stil en Henry tuurde om zich heen, duidelijk op zoek naar iemand. 'Ah!' riep hij uit, toen hij een groepje zijn richting op zag komen. Het waren Anne Boleyn, haar broer George en een klein gevolg. Henry kon zijn vreugde over het weerzien met haar nauwelijks verbergen. Hij haastte zich naar voren om haar te begroeten; hij slaagde er nog maar net in niet te rennen. Hij bood haar zijn arm en leidde haar naar de ambassadeur.
'Uwe Hoogheid, staat u me toe u...'
Bellay was hem voor. 'Dit moet Lady Anne zijn! *Enchanté, mademoiselle!'*
Hij vervolgde in het Frans: 'Zijne Eminentie, Kardinaal Wolsey, heeft me alles over u verteld. Maar hij vergat me te vertellen hoe beeldschoon u bent.' Hij schudde op een komische manier zijn hoofd. 'Voor een Fransman is dat bijna een misdaad.'
Anne lachte en antwoordde, eveneens in het Frans: 'Maar Franse mannen zeggen tegen elke vrouw dat ze beeldschoon is. Is dat niet ook een misdaad?'

Zowel Henry als Bellay lachte. Anne gebaarde haar broer dichterbij te komen. 'Ik heb een geschenk voor u,' vertelde ze de ambassadeur. George Boleyn stapte naar voren; hij had een prachtige windhond bij zich.
'Voor mij? Nee toch!' riep Bellay uit.
'Voor u, monsieur, jawel! Absoluut. Het is een zeer snelle – en buitengewoon formidabele – hond.'
Bellay bewonderde het dier waarderend. 'Wat is zijn naam?' vroeg hij.
Er viel een korte stilte en toen verscheen er een ondeugend lachje op Annes gezicht. 'Wij noemen hem Wolsey.' Iedereen lachte.
Henry pakte Annes hand. 'Lieveling, het zal u goeddoen te vernemen dat Zijne Hoogheid mij verteld heeft dat de keizer weldra verslagen en uit Italië verdreven zal zijn. Daardoor zal hij niet langer in staat zijn ons geluk in de weg te staan.'
'God is goed,' zei Anne stilletjes, terwijl ze hem in de ogen keek.
'Dat is Hij inderdaad,' antwoordde Henry. Ze stonden liefdevol naar elkaar te glimlachen, toen er opeens, vanuit het woud, een luide, woedende stem klonk.
'Ga terug naar uw vrouw!' schreeuwde een man. Zijn woorden echoden even na.
Boos gaf Henry een teken aan zijn soldaten en zij renden naar het woud om jacht te maken op de man die de koning had durven beledigen. Het woud was enorm groot en de kans dat de boosdoener gevonden werd erg klein.
Boos en gegeneerd keek Henry Anne aan, die eveneens van streek was. 'Het spijt me,' zei hij zachtjes tegen haar.
Ze beantwoordde zijn blik.
Bellay deed alsof hij er niets van begreep. 'Wat was dat? Riep iemand iets? Ik heb niets gehoord.' Maar zijn poging diplomatiek te zijn mislukte.
Het incident had Henry's humeur volledig verpest. Woedend en met gebalde vuisten staarde hij naar de bomen.

Tegen de tijd dat het gezelschap terugkeerde, was de duisternis ingetreden. Maar bij het paleis was alles veranderd. Overal brandden vuren en de lucht was gevuld met rook. Ook waren in het hele paleis toortsen aangestoken. Geschrokken hielden ze halt en staarden naar de silhouetten die gehaast heen en weer renden.
Bellay snoof en moest bijna kokhalzen. 'Wat is dat voor... voor smerige stank?'
Somber zei Henry: 'Rook en azijn, Uwe Hoogheid. Rook en azijn!' Hij was erg bleek geworden.

De kamerheer van het paleis kwam naar Henry toe rennen. 'Wat is er gebeurd?' wilde Henry weten, hoewel hij wel een vermoeden had.
De kamerheer bevestigde zijn grootste angst. 'Er is een uitbraak van de zweetziekte in de stad. Alleen vandaag al driehonderd doden.'
Henry sloot een paar tellen zijn ogen. 'Haal Doctor Linacre,' beval hij. 'En snel!'
'Majesteit.' De kamerheer snelde weg.
Bellay keek ontsteld. 'Mijn god, mijn god, wat zal er van ons worden?'
De lakeien vervielen in een snel, angstig Frans en zeiden: 'Ze hebben de pest hier! We hadden niet moeten komen!'
'We gaan sterven! Iedereen zal sterven.'
'Verdoeme!'
Er kwamen meer mensen met bezorgde en beschermende blikken naar de koning toe rennen. Hij had nog net genoeg tijd om tegen Anne te zeggen: 'Vreest niet. Ik zie u snel,' voordat hij werd meegesleept naar het paleis.
Anne had niet eens tijd om te antwoorden. Ze zag hem in het paleis verdwijnen. Ze stond daar tussen de vuren en de rook en het gevoel van dreiging.
Zodra Henry in zijn privévertrekken kwam, liep hij regelrecht naar zijn medicijnenkast. Hij haalde de stop van een pot, schudde er verschillende pillen van Rhazes uit, slikte die door en spoelde ze weg met wijn.
Toen schonk hij voor zichzelf wat van het aftreksel in waarvan Knivert zo misselijk was geworden. Hij slikte het door. Ook hij ging ervan kokhalzen, maar hij beheerste zich. Hij schreed naar het raam en ging naar buiten staan kijken.
De wereld werd verlicht door de rode gloed van de vuren en de zwarte schaduwen van de rook. Het was alsof hij naar de poorten van de hel stond te staren.

Dienaren droegen langzaam een walmend komfoor, dat bevestigd was aan een lange paal, door de gangen van het paleis. Door het komfoor te laten slingeren, vulden ze de kamers en gangen met de brandende kruiden die de kwade sappen gebracht door pest en ziekte vernietigden. Dat allemaal om de zweetziekte op afstand te houden.
In de privévertrekken van de koning besprak Henry de uitbraak met de beste arts van het land, de zeergeleerde Doctor Linacre. Hij was een lange, licht voorovergebogen man met een gerimpeld gezicht en een wijze, vriendelijke uitstraling. Henry kende de dokter al zijn hele leven en vertrouwde hem volledig.
'Ik heb uit ervaring geleerd, Uwe Majesteit,' zei Doctor Linacre, 'dat de

slachtoffers in heel veel gevallen een fase van curieuze geestelijke verwarring doormaken, voordat de eigenlijke fysieke symptomen zich voordoen – een plotseling opkomend gevoel van angst en ongerustheid, een voorbode van pijn en dood.'

Henry liep ijsberend te luisteren. Af en toe drukte hij een bezorgde hand tegen zijn voorhoofd, alleen maar om er zeker van te zijn dat hij niet zweette.

Doctor Linacre vervolgde: 'Ik ben inderdaad tot de slotsom gekomen dat die angst een vorm van geestelijke vervuiling is die de gezonden met geweld tot ziekte dwingt.' Doctor Linacre was zelf zo enthousiast over dit onderwerp dat hij vergat dat hij sprak tegen iemand die al meer dan ongerust was.

Henry had altijd al een morbide fascinatie gehad voor juist datgene waar hij bang voor was. Het doodde met een verbazingwekkende snelheid. Eerst klaagde het slachtoffer over hoofdpijn, of pijn op de borst, of buikpijn, koude rillingen en soms huiduitslag, maar het eindigde altijd met een abrupt hevig zweten, en binnen een paar uur waren de meeste mensen dood. Een man kon 'vrolijk tijdens het diner en dood tegen het souper zijn'.

Doctor Linacre vervolgde zijn verhaal. 'Opgezweept door de tijdgeest piekeren mensen over de onontkoombaarheid van de infectie, zelfs als ze zichzelf opsluiten en er alles aan doen om die te vermijden. Van elk gerucht raken ze gealarmeerd; sterker nog, een gerucht kan op zich duizenden zweetgevallen veroorzaken.' Hij schudde droevig zijn hoofd. 'Dus duizenden mensen, die feitelijk niet hoeven zweten – zeker niet als ze gezond eten – raken uit angst met de ziekte besmet.'

Henry keek op. 'Gezond eten? Is dat uw beste remedie, Doctor Linacre? Geen... geen aftreksels?'

Doctor Linacre glimlachte. 'Ik hoop dat Uwe Majesteit mij gelooft als ik u vertel dat er ontelbare remedies tegen het zweet bestaan, die volgens mij medisch gezien bijna allemaal nutteloos zijn.'

'Ook niet om het op afstand te houden?'

Doctor Linacre dacht serieus over die vraag na. 'Tja, er is mij een interessante theorie ter ore gekomen. Een jonge heer uit mijn kennissenkring zweert dat hij de ziekte rechtstreeks bestrijdt door zich elke nacht door lichaamsbeweging letterlijk in het zweet te werken.'

Hij streek bedachtzaam over zijn kaak. 'Het is waar dat hij tot dusverre twee aanvallen heeft overleefd. Maar aan de andere kant heeft Zijne Eminentie Kardinaal Wolsey er al vier overleefd, terwijl hij slechts zijn toevlucht neemt tot pelgrimages naar Onze-Lieve-Vrouwe van Walsingham.'

Doctor Linacre schudde zijn hoofd en haalde zijn schouders op. 'Wat ik

wél weet is dat als een patiënt de eerste volle dag en nacht van de ziekte kan overleven, hij een veel grotere kans heeft op genezing, hoewel er zelfs dan een groot risico bestaat op verdere complicaties.'
Een poosje dacht hij zwijgend na over het probleem. Toen riep hij zichzelf tot de orde en zei: 'Ooit zullen we ongetwijfeld de ware oorzaak en remedie vinden. Ikzelf zou de zaak graag verder willen onderzoeken – tenminste, als de ziekte me zo lang spaart!' Hij grinnikte – volgens Henry een geval van galgenhumor.

In een kleine, bijna donkere kamer bedreven Brandon en een jonge vrouw zo hevig de liefde dat het hele bed schudde en kraakte. Het hoofdeinde sloeg ritmisch tegen de muur, waardoor kleine stukjes pleisterwerk losraakten.
De vrouw kreunde als een bezetene; ze hijgde en kronkelde terwijl Brandon haar bereed alsof hij nooit moe zou worden of zou stoppen. Voor de tweede keer bereikte ze een hoogtepunt, toen een derde maal, en toen schreeuwde hij het plotseling, klaarkomend, uit... en zeeg naast haar neer. Hevig hijgend lagen ze daar. Na een poosje trok hij het gordijn een stukje opzij om het laatste beetje licht binnen te laten.
Brandon grinnikte. 'Zeg me eens. Is dit niet de beste manier om u eens goed in het zweet te werken?'
Ze glimlachte. 'Jawel, Uwe Excellentie.'
'Hoe meer men van nature zweet, hoe kleiner de kans dat men...' Hij maakte zijn zin niet af. Dat hoefde hij ook niet te doen. Ze wist wat hij dacht.
Sommigen stelden hun vertrouwen in het gebed, anderen in apothekersdrankjes en de raad van artsen. Wat Brandon betrof bestreed je vuur met vuur, en zweet met zweet.

'Breng uw doden buiten! Breng uw doden buiten!'
Door de donkere straten van de stad Londen klonk een sombere bel, die de burgers hun huis uit riep. Een kar, getrokken door een oud paard, rolde vergezeld door drie donkere gestalten langzaam over straat. De bel luidde meedogenloos.
'Breng uw doden buiten!'
Hier en daar ging een deur open en werd een strook licht zichtbaar. Huilend brachten de levenden de in lakens gewikkelde dode lichamen van hun dierbaren naar buiten en gooiden die boven op de lichamen die al op de kar lagen. Sommige bundels waren erg klein: de lichamen van kinderen. Aangezien de ramp zich zo snel en op zo'n grote schaal voltrok, was er geen

tijd voor plechtigheden: slechts wat snelle kruistekens en een paar verstikte snikken in de duisternis.
De kar ging verder en de jammerkreten van een wanhopig bedroefde vrouw doorboorden de nacht. Anderen hielden haar vast toen haar drie kleine kinderen op de kar werden geworpen. Een klein mager armpje stak onder een bindsel uit. De moeder jankte het uit van verdriet.
De bel luidde. De kar rolde verder.

Hoofdstuk 15

Niet wetende wat het anders moest doen tegen de pest zocht het koninkrijk zijn toevlucht tot gebed. Henry voegde zich bij Katherine tijdens haar dagelijkse privémis.
Thomas More bad elke dag met zijn familie en hield hen thuis, weg van de nog ernstiger besmetting van Londen.
Zijn woorden gaven uitdrukking aan de angst van velen: 'Deze plaag die over ons is gekomen is een straf van God. We zijn allen zondaars en God is ons onwelgevallig. Of wij leven of sterven ligt volledig in Zijn handen. Het enige wat we kunnen doen is bidden.'
Henry was in gesprek met Wolsey toen er een bericht van Anne arriveerde. *Mijn arme meid is vandaag bevangen door de zweetziekte en gestorven. Ik smeek Uwe Majesteit, wat moet ik doen?* Henry keek Wolsey aan. 'Ik wil haar zien.'
Wolsey, die er zelf verre van gezond uitzag, schudde zijn hoofd. 'Ik zou elk contact met besmette personen, of degenen die contact hebben gehad met hen, afraden. U bent de Koning van Engeland.'
Henry wist dat hij gelijk had en wierp hem een getourmenteerde blik toe. 'Ja, maar stel nou? Stel nou dat zij... sterft?' Hij ijsbeerde door de kamer en probeerde zichzelf te kalmeren. 'Goed dan,' zei hij even later. 'Zeg tegen haar dat ze het paleis moet verlaten, met haar vader terug moet keren naar Hever – en zichzelf daar in elk geval moet opsluiten! Ik zal haar aftreksels sturen waarmee ze zich kan wapenen – en ik zal haar schrijven.'
'En Hare Majesteit?' vroeg Wolsey.
'De koningin dient zich bij onze dochter in Ludlow te voegen. Bid God dat zij in Wales veilig genoeg zullen zijn.'
'En u, Uwe Majesteit?'
Henry dacht even na. 'Ik zal mezelf hier opsluiten,' besloot hij, 'en het zweet met alle beschikbare middelen op afstand houden.'
'Als ik Uwe Majesteit dan een goede raad mag geven: houd zo weinig mogelijk mensen bij u, want op die manier kunt u het besmettingsgevaar verkleinen,' zei Wolsey.
Henry fronste. Wolsey zag er helemaal niet goed uit.

Katherine keek met een bleek gezicht toe hoe haar dames heen en weer snelden om haar eigendommen in te pakken voor haar verblijf in Wales. Henry kwam om haar vaarwel te zeggen.
'Verheugt het u mij weg te sturen?' zei ze met kalme bitterheid.
'Wilt u onze dochter dan niet zien?'
'Stuurt u mij weg om bij haar te kunnen zijn?'
'Nee, zij...' Hij stokte. 'Bedoelt u Anne Boleyn?'
Katherine haalde haar neus op voor zijn achterbaksheid. 'Natuurlijk bedoel ik Lady Anne Boleyn. U maakt geen geheim van haar.'
'Zij gaat terug naar Hever. Een van haar dienstmeiden is gestorven door het zweet.'
'En uw angst voor het zweet is groter dan uw liefde voor uw maîtresse.'
Met ingehouden bitterheid zei Henry: 'Katherine... zij is niet mijn maîtresse. Ik... ik slaap niet met haar. Niet zolang u en ik nog steeds getrouwd zijn.'
'Zegt u tegen haar dat u van haar houdt? Doet u haar beloften? Doet zij u beloften?' Katherine keek hem met heldere ogen aan. 'Wilt u het mij niet zeggen omdat ik – zoals u zegt – nog steeds uw vrouw ben?'
Er viel een pijnlijke stilte. Ten slotte zei Henry: 'Ik wens... ik wens, met heel mijn... mijn hart, dat u aanvaardt dat ons huwelijk was gebaseerd op een leugen.'
Ze keek hem alleen maar aan.
'Toch houd ik nog steeds genoeg van u om uw leven te willen redden. Daarom beveel ik u naar Wales te vertrekken.'
Katherine zag in zijn ogen dat hij zich werkelijk zorgen over haar maakte. Ze stak een hand naar hem uit. 'Als u zo spreekt, mijn lief...'
Maar Henry deed snel een stap achteruit, alsof alleen haar aanraking hem al zou kunnen beschadigen, en de schellen vielen haar opnieuw van de ogen. 'U gedraagt zich alsof ik de pest heb,' vertelde ze hem zacht. 'Alsof de liefde zelf als de pest is.'
Henry deed net of hij haar niet hoorde. 'Ik zal u schrijven,' zei hij. 'Zeg tegen Mary dat de koning, haar vader, haar zijn beste wensen... en tedere toewijding stuurt.' En daarmee vertrok hij.

'Hoe voelt u zich, Anne?' vroeg Thomas Boleyn aan zijn dochter. Ze zaten in hun koets en reden naar Hever Castle. Anne ging er steeds vermoeider en bleker uitzien.
'Ik... ik voel me goed, papa.'
Boleyn fronste. 'Bent u daar zeker van?'
Anne keek hem aan. 'Wat wilt u zeggen? Dat ik vanwege mijn dienstmeid zeker besmet zal zijn?'

'Natuurlijk niet!' zei Boleyn met niet-overtuigende hartelijkheid.
Anne wendde haar blik af; ze staarde uit het raam en probeerde niet in paniek te raken. Ze voelde zich inderdaad niet goed en was er tot haar afgrijzen van overtuigd dat ze de zweetziekte had. Hoe meer ze eraan dacht, des te overtuigder ze ervan werd, en hoe meer geagiteerd ze raakte. Haar ademhaling werd moeizaam.
'Wat is er?' vroeg haar vader.
'Ik kan niet ademen!' zei ze verstikt. 'Stop alstublieft! Ik kan niet ademen! Stop alstublieft de koets, ik...' Ze begon als een bezetene aan haar kleren te rukken.
Met een stok bonkte Boleyn tegen het dak en schreeuwde: 'Halt!'
Het rijtuig vertraagde, maar voordat het tot stilstand kon komen, gooide Anne de deur open en sprong eruit.
Boleyn zag hoe ze diepe teugen lucht nam en probeerde zichzelf te beheersen. Toen begon ze te lopen.
Nerveus riep Boleyn vanuit de koets: 'Gaat het goed?' Maar Anne antwoordde niet; ze bleef met een strakke blik voor zich uit doorlopen.
Boleyn bonkte opnieuw op het dak van de koets met zijn stok. 'Verder!'
Het rijtuig rolde langzaam verder en hield gelijke tred met het wandelende meisje. Ze liet niet blijken dat ze zich ervan bewust was. Tranen stroomden over haar wangen.
Of was het zweet?

Binnen een dag was het paleis nagenoeg verlaten. Henry liep van de ene naar de andere kamer; hij werd slechts vergezeld door twee gewapende soldaten die een flink stuk achter hem aan liepen. De leegte was angstaanjagend, verwarrend. Rook van fumigerende komforen zweefde door de schaduwrijke stiltes; alles was doordrongen van de geur ervan.
Overal waar Henry keek, zag hij tekenen van een overhaast vertrek: opengeslagen boeken, verspreide kleren, deels opgegeten maaltijden. Zijn voetstappen echoden.
Hij bereikte zijn eigen vertrekken, waar een enkele dienaar en een jonge page waren achtergebleven om hem te dienen.
Henry voelde zich gevangen, machteloos. Het probleem met het zweet was dat er niets was wat men kon doen! Hij at zijn avondmaal in eenzaamheid en piekerde...
Hij had zijn drankjes ingenomen – niet dat Linacre dacht dat dat enige zin had. Sommigen zeiden dat sinaasappels een sleutelrol speelden bij de preventie. Henry had er zo veel gegeten als hij kon. Ook had hij 's morgens, 's middags en 's avonds gebeden voor zichzelf en zijn dierbaren om gevrijwaard

te blijven van deze afschuwelijke pest, en om zijn land ervan te bevrijden. Hij ging vroeg naar bed… maar in zijn slaap werd hij geplaagd door verschrikkelijke dromen. Piekerend lag hij in het halfduister van zijn slaapkamer.
Wat had Linacre ook alweer gezegd over lichaamsbeweging? Dat iemand uit zijn kennissenkring probeerde de ziekte te bestrijden door zich elke nacht in het zweet te werken.
Dat was in ieder geval iets actiefs, dacht Henry. Beter dan dit eindeloze afwachten.
Hij klom uit bed en begon zich vol vuur op te drukken. De page die aan zijn voeteneind sliep werd wakker en keek enigszins verbaasd naar zijn meester. Henry trainde met woeste vastberadenheid, hij werkte zichzelf in het natuurlijke, gezonde – en, hoopte hij – gezondmakende zweet.

Na een rusteloze nacht, onderbroken door angstige dromen en vlagen van lichaamsbeweging, ging Henry de volgende morgen biechten.
Zittend in het kleine, donkere hokje van de biechtstoel zei hij: 'Eerwaarde, het is alom bekend dat ziekte een beproeving van God en een straf voor zonden is. Maar waarom is juist mijn land uitgekozen voor deze ongenade?'
Hij wachtte, maar de priester gaf geen antwoord.
'Wat hebben wij gedaan dat de almachtige God ons zo onwelgevallig is dat zo velen geveld zijn?' Opnieuw zei de priester niets.
Henry schoof ongemakkelijk heen en weer. Hij wilde – moest – de garantie krijgen, bij voorkeur goddelijke, dat het niets met hem te maken had. Of zijn familie.
De zweetziekte had Engeland sinds de eerste epidemie in de zomer van 1485 geteisterd, dezelfde zomer waarin de eerste Henry Tudor de Engelse kroon had bemachtigd na de slag van Bosworth, waardoor er een eind was gekomen aan de Rozenoorlogen.
Er werd beweerd – nooit in het gezicht van Henry, maar het gefluister moest hem wel ter ore komen – dat God Engeland met de gevreesde ziekte strafte omdat het land een Tudor had toegestaan de troon onrechtmatig in bezit te nemen.
'Ik ben bij mijn eigen geweten te rade gegaan. Is het mijn fout dat de Heer zich gewroken heeft op Engeland met de pest? Maar Eerwaarde, ik zeg dit in het aangezicht van God, mijn geweten is zuiver…'
Niets verroerde zich aan de andere kant van het scherm. Misschien geloofde de priester inderdaad dat het de veroordeling van een Tudor was en wilde hij dat niet hardop zeggen.
Henry zei: 'Eerwaarde, ik vraag toch om vergiffenis, ook voor onbekende

zonden. En ik vraag om uw zegen, Eerwaarde. Niet als een koning – maar als een man.' Hij wachtte. 'Alstublieft, Eerwaarde.'
Er was nog steeds niets te horen aan de andere kant van het scherm. Henry stapte de biechtstoel uit en schoof heel voorzichtig het donkere gordijn opzij aan de kant waar de priester zat.
Hij zat er wel. Maar hij zweeg en grijnsde naar Henry – met een dodenmasker; zijn gezicht was wasbleek en koud, zijn opengesperde ogen staarden Henry aan.
Henry deinsde terug. Hij sloeg een kruis, prevelde haastig een gebed en vluchtte weg.

Orvieto, Italië

De twee Engelse raadsheren, Gardiner en Foxe, keken achterdochtig naar het zogenoemde Bisschopspaleis in Orvieto. Een puinhoop – het zag er erbarmelijk uit en stonk. Het dak was deels ingestort en een groot deel van het interieur was blootgesteld aan de elementen.
Ze werden door een jonge priester een kamer binnen geleid. Gardiner en Foxe wisselden tijdens het wachten verschrikte blikken uit. Het 'pauselijke hof' leek te bestaan uit een paar armzalige functionarissen en klaplopers, en een stelletje dunne, schurftige honden.
Uiteindelijk verscheen er een broodmagere priester in een smerig ambtsgewaad. Hij begroette hen in het Italiaans. 'Bent u de Engelse afgezanten? Deze kant op.' Hij leidde hen de volgende kamer binnen, die in een iets betere toestand verkeerde en waar wat meer meubels stonden.
De paus, Clemens VII, voorheen Giulio de Medici, was een kleine, intelligent uitziende man. Hij werd vergezeld door verscheidene kardinalen, die er ook wat sjofel en armoedig uitzagen.
De paus begroette de afgezanten, terwijl hij tranen wegveegde. 'Ziet u hoe ik gedwongen ben te leven? Kunt u zich uw vaders ellende voorstellen? De Spanjaarden staan praktisch op mijn drempel! Ik ben aan de honden overgeleverd!' Hij schudde wanhopig zijn hoofd.
Gardiner en Foxe fronsten. Ze wisten niet goed hoe ze daarop moesten reageren, niet in de minste plaats vanwege hun eigen verwarde – en tegenstrijdige – gevoelens tegenover de paus. Foxe kwam meteen ter zake. 'Uwe Heiligheid weet waarom wij hier zijn. We brengen u een brief van Zijne Majesteit Koning Henry, de meest plichtsgetrouwe en katholieke koning van Engeland, Ierland en Frankrijk.' Hij bood Clemens de brief aan.
Clemens keek ernaar alsof Foxe hem een levende slang overhandigde. Hij pakte hem niet aan.
Gardiner kwam naar voren om het uit te leggen. 'Zijne Majesteit dankt

Uwe Heiligheid bij voorbaat voor uw steun inzake zijn nietigverklaring. Hij weet dat hij en heel zijn koninkrijk Uwe Heiligheid voor eeuwig verplicht zijn voor wat u doet. Hij weet dat u, Heilige Vader, geen bezwaar zult maken tegen ons verzoekschrift.' De twee rechtsgeleerden keken de paus ingespannen aan.
Het was lang stil. Ten slotte pakte de paus de brief aan en legde die, ongeopend, op een zijtafel.
'Ik zou uw meester met heel mijn hart tevreden willen stellen en plezieren,' gaf hij hun te kennen. 'Maar ik moet u in alle oprechtheid zeggen – als een oprecht man, en met God als mijn getuige – dat ik gehoord heb dat deze zaak enkel en alleen voortkomt uit de ijdele affectie en ongepaste liefde van de koning voor die vrouw, Anne Boleyn.' Zijn kardinalen knikten beiden instemmend alsof ze zijn woorden bevestigden.
De paus vervolgde: 'Er is mij verteld dat de Koning van Engeland zijn echtscheiding alleen om persoonlijke redenen wenst en dat de vrouw die hij liefheeft ver onder hem staat, niet alleen qua rang' – hij keek de gezanten in de ogen – 'maar ook qua deugd.'
'Heiligheid,' zei Gardiner. 'Wie heeft u deze dingen verteld?'
Clemens haalde zijn schouders op en wierp opnieuw een blik in de richting van zijn kardinalen. 'Er doen geruchten de ronde.'
'Welke geruchten?' wilde Foxe weten.
'Welnu, men zegt dat Anne reeds in verwachting is, en dat de koning haar kind zo snel mogelijk tot zijn opvolger van de troon wil maken.' Clemens keek hen ernstig aan.
De gezanten glimlachten, alsof deze nonsens amusant was. 'Uwe Heiligheid is zeer slecht geïnformeerd – in *elk* opzicht!' vertelde Foxe hem. 'Lady Anne is een toonbeeld van kuisheid.'
'Hoewel zeer geschikt om nageslacht voort te brengen – wanneer de tijd daar is,' voegde Gardiner eraan toe.
Clemens bleef hen aankijken met een uitdrukking van beleefde belangstelling. Zijn donkere, intelligente ogen hadden alles in de gaten.
Foxe ging verder: 'Heilige Vader, Lady Anne imponeert iedereen die haar ziet of kent door haar onschuldige levenswijze, haar standvastige maagdelijkheid, haar eenvoud, bescheidenheid, nederigheid, wijsheid... haar maagdelijke en vrouwelijke deugden.'
'Ze stamt uit een vooraanstaand, zeer nobel en onvervalst koninklijk geslacht,' zei Gardiner. 'Van alle vrouwen in Engeland is zij waarlijk het meest geschikt om koningin te worden.'
Clemens keek bedachtzaam. 'Maar Koningin Katherine dan?' zei hij ten slotte.

'Zijne Majesteit staat erop dat zij met alle mogelijke manieren van vriendelijkheid wordt behandeld, als een zuster,' deelde Foxe hem mee, 'als zij haar oppositie tegen de rechtszaak van de koning intrekt en de ongeldigheid van haar huwelijk erkent.'
'Zijne Majesteit hoopt dat Uwe Heiligheid, wanneer u kennis hebt genomen van de wettelijke argumenten die wij meegenomen hebben, de koningin zult schrijven om aan te dringen op haar volgzaamheid,' zei Gardiner, wiens toon merkbaar onverzettelijker was geworden. De kardinalen schoven ongemakkelijk heen en weer.
Gardiner keek hen kwaad aan. Tenslotte vertegenwoordigde hij een zeer machtige, verheven koning en was deze paus, hoewel hoofd van de Kerk, slechts een klein, sjofel schepsel dat niet eens een dak boven zijn hoofd had. Clemens leek het niet in de gaten te hebben. 'Uiteraard. Maar dan zal ik eerst kennis moeten nemen van de argumenten, is het niet? Voordat ik tot een oordeel kom.'
Hij leek op het punt te staan hen weg te sturen, dus Foxe besloot er nog een schepje bovenop te doen. 'Zijne Majesteit heeft ons ook duidelijk te kennen gegeven dat, als u hem geen voldoening kunt schenken, hij gedwongen is elders op zoek te gaan naar een vonnis.' Hij zweeg even om het dreigement te laten bezinken. 'Wellicht dat hij zich dan gedwongen voelt los van de wetten van de Heilige Kerk en van het gezag van Uwe Heiligheid te leven.'
Ineens was de spanning in de kamer om te snijden. Alle huichelarij was aan de kant geschoven. Foxe had zijn masker afgegooid.
Het was een overduidelijk een rechtstreeks dreigement aan de paus als hoogste gezagsdrager van de Kerk waaraan alle christenen trouw verschuldigd waren. Een beslissend moment. De hele kamer wachtte af.
Maar Clemens was niet voor niets een Medici. Geruggensteund door generaties van diplomatie en gekonkel, beantwoordde hij de dreigementen van de Engelse gezanten met een ongekunstelde glimlach.
Hij omhelsde de Engelse gezanten hartelijk; hij kuste hen, op Italiaanse wijze, tweemaal op de wangen. 'Mijn zonen, ik zal deze zaak verder overwegen voordat ik een beslissing neem,' zei hij. Zijn toon en handelwijze hadden de autoriteit van generaties Medici's en pausen. Met een koninklijk gebaar stak hij de hand met de heilige pauselijke ring naar voren en opeens zagen de gezanten hem niet meer als een kleine, sjofele, op de proef gestelde Italiaanse priester. Hij was de paus.
Ze vielen op hun knieën voor hem in vanzelfsprekende obediëntie. 'Dank u, Heilige Vader,' prevelden ze.

Gardiner en Foxe hadden voor hun gevoel eindeloos duimendraaiend zitten wachten, wachten en nog eens wachten op het antwoord van de paus. Elke dag sjokten ze van het vervallen huis waar ze onderdak hadden gevonden naar het 'paleis' – alleen maar om weer terug te sjokken zonder iets bereikt te hebben. Iedere keer weer was er sprake van uitstel, afleidingsacties en valse hoop.
Ten langen leste werden ze wederom ontboden in de sjofele, vervallen kamer waar ze op de eerste audiëntie bij de paus hadden zitten wachten. Eindelijk verscheen hij, een en al glimlach, en stak zijn hand uit zodat ze die konden kussen. Naast hem schuifelde een oudere man in kardinaalskleren. Gardiner herkende hem. 'Dat is Kardinaal Campeggio,' fluisterde hij tegen Foxe. 'Hij was erbij op het Veld van het Laken van Goud. Hij is een zeer heilig man.'
Ze begroetten de paus en Kardinaal Campeggio en wachtten nieuwsgierig op de reactie van de paus.
'Mijn zonen,' begon Clemens. 'Ik vrees dat u teleurgesteld zult zijn door mijn antwoord. Ik ben niet in staat om, hier en nu, tot een oordeel te komen wat betreft de zaak van de koning.'
Gardiner en Foxe trokken een lang gezicht. Kwaad maakten ze aanstalten om op te staan. Hadden ze hier al die tijd in die janboel op zitten wachten? Clemens zag hun woede en stak sussend een hand op. 'Wacht! Ik heb u niet gezegd dat de zaak hiermee afgedaan is.'
De gezanten gingen weer zitten; ze keken wantrouwend. Als dit weer een of andere vertragingstactiek was…
De paus vervolgde: 'Ik ben ervan overtuigd dat dit zo snel mogelijk geregeld dient te worden… maar niet hier. U ziet hoe ik er hier aan toe ben!' Hij gebaarde naar zijn vervallen omgeving. 'En ik ben te ver van Engeland om een juist en eerlijk oordeel te kunnen vellen.'
De gezanten fronsten opnieuw. De paus maakte een haastig gebaar in de richting van Campeggio en zei: 'Om die redenen benoem ik Kardinaal Campeggio als mijn officiële legaat. Zodra de ziekte in uw land over is, zal hij naar Engeland reizen en, samen met Kardinaal Wolsey, een gerechtshof aanstellen dat deze zaak op zijn merites zal aanhoren en beoordelen.'
Hij wierp hun een scherpzinnige blik toe en zei: 'Als uw koning inderdaad zo overtuigd is van zijn gelijk als u beweert, kan hij deze gerechtelijke actie alleen maar toejuichen. Deze kan de vervulling van zijn wensen immers alleen maar versnellen.'
Hij glimlachte. Gardiner en Foxe wisselden een gefrustreerde blik uit en maakten toen met tegenzin een buiging. De oude vos was hun te slim af

geweest; hij had weer een uitvlucht en had het zoveelste uitstel opgelegd. Maar wat konden ze ertegen inbrengen?

Mijn lieveling... Ik heb u veel remedies gestuurd tegen het zweet. Drink alstublieft azijn vermengd met water. Ik...

Henry hoorde een geluid en keek op van de brief die hij aan het schrijven was. Een jonge page wankelde en bonkte met zijn hoofd tegen de muur. Hij liep langzaam en onvast naar de koning toe. Zijn gezicht was onnatuurlijk bleek en glom van het vocht. Hij liep alsof hij in trance was.
'Jongen...' zei Henry waarschuwend.
De jongen kwam steeds dichterbij; zijn starende ogen waren leeg. Hij was besmet met het zweet.
Henry duwde zijn stoel achteruit, maar toen de jongen zijn bureau bereikte, viel hij en knalde er met zijn hoofd tegenaan. Hij lag onbeweeglijk op de grond.
Henry staarde naar hem – doodsbang.
Binnen een uur had Henry het paleis verlaten. Gevolgd door slechts een paar dienaren reed hij vliegensvlug om aan de stank en de dreiging van de dood te ontsnappen.
Ze reden en reden, over velden en door wouden, en bewogen zich steeds verder weg van de beschaving en het verderf en de stank van de dood.
Eindelijk zagen ze een eenzame toren, afgetekend tegen de horizon.
Henry reed ernaartoe. Hier zou hij blijven tot de epidemie van het zweet voorbij was.

Het regeren van het land kon echter niet beëindigd worden en Henry's isolatie was dan ook niet volledig. Er werden voorzorgsmaatregelen tegen het zweet genomen. Brieven werden ontsmet door ze door de rook van kruiden te halen voordat ze aan de koning werden gegeven. Doctor Linacre hield toezicht. Een bediende droeg ze door de gang, liet ze achter op een bureau waar de koning ze kon pakken, klopte op de deur en vertrok. Henry bleef zo veel mogelijk alleen.
Dat voelde bijzonder vreemd voor hem. Hij was zijn leven lang omringd geweest met mensen; als hij sliep, als hij wakker werd, als hij baadde – voortdurend. Nu was hij bijna voortdurend alleen en communiceerde hij grotendeels via brieven.
Wolseys brieven droegen niet alleen de geur van de rook waar ze zojuist doorheen waren gehaald, maar ook het vage aroma van sinaasappels. Al vanaf het moment dat de eerste berichten over de zweetziekte hem bereikt

hadden, had Wolsey een grote schaal met Spaanse sinaasappels – die volgens sommigen effectief waren tegen de pest – op zijn bureau staan. Hij had zich aangewend om, als hij zijn correspondentie deed, een sinaasappel open te snijden en het vruchtvlees eruit te zuigen.
Ook Henry at Spaanse sinaasappels. In Wolseys laatste brief stond:

> *Uwe Majesteit moet weten dat Zijne Excellentie, de Hertog van Norfolk, besmet is met de zweetziekte en toestemming heeft gevraagd terug te keren naar Londen, ogenschijnlijk om een arts te visiteren.*

Henry fronste en las verder.

> *Ik heb deze toestemming uit naam van Uwe Majesteit geweigerd.*

Henry knikte goedkeurend.

> *Drie van Uwe Majesteits apothekers zijn eveneens geveld door de ziekte en drie van uw kamerheren zijn gestorven. Uw steenhouwer, Redman, is ook dood. Er zijn geen tekenen dat de ziekte afneemt. Er zijn nu alleen in Londen al 40.000 gevallen. Lady Anne Boleyn is ook ziek – maar heeft het tot nu toe overleefd.*

Henry bevroor. Hij staarde naar de brief en las de zin opnieuw. *Lady Anne Boleyn is ook ziek.* Henry was als door de bliksem getroffen. Hij sprong overeind en gooide zijn zware stoel achterover. 'Doctor Linacre!' schreeuwde hij.
Linacre haastte zich naar binnen.
'Anne is ziek!' schreeuwde Henry. 'Lady Anne Boleyn! Ga onmiddellijk naar Hever. Nu!' Hij pakte de dokter bij diens schouders. 'In godsnaam, red haar!'
Linacre wierp hem een bedenkelijke blik toe. 'Majesteit, als zij al ziek is, is er...' Hij stokte. De koning was zo ver heen dat hij echt niet naar zijn mening zou luisteren. 'Ik ga direct,' zei de arts.
Henry keek hem radeloos na. Hij keek rond, op zoek naar iemand met wie hij zijn zorgen kon delen. 'Waar is Wolsey in hemelsnaam als je hem nodig hebt?' snauwde hij. Hij was vergeten dat hij Wolsey naar huis had gestuurd.

Wolseys bureau in Hampton Court Palace was een puinhoop. Zijn papieren lagen verspreid door elkaar, zijn inktpot was omgevallen en zijn stapel boeken ook. Overal op de vloer lagen sinaasappels.

Tussen de sinaasappels lag Wolsey. Hij klappertandde van de kou, hoewel zijn gezicht baadde in het zweet. Hij schokte toen er een messcherpe pijn door zijn buik ging. Zijn ogen rolden naar achteren.

Thomas Boleyn en zijn zoon, George, stonden angstig buiten Annes kamer te wachten. De deur ging open en Doctor Linacre kwam met een ernstig gezicht naar buiten. Hij keek hen aan en schudde zijn hoofd. 'Ik ben van mening dat er geen hoop rest. De belangrijkste levenstekenen zijn zwak en nemen af.'
George barstte in tranen uit.
'Er moet nu een priester naar haar toe; het is tijd voor de laatste sacramenten. Het spijt me zeer,' zei de dokter. Toen vertrok hij.

Op een veld buiten Londen brandden de vuren onophoudelijk. Kar na kar trok het veld op, waar een immense greppel was gegraven. De naakte lichamen van de doden werden zonder enige ceremonie van de karren getild en in de greppel gegooid. Mannen langs de kant gooiden kalkaarde over de lichamen om de stank terug te dringen. Die was desondanks onbeschrijflijk. Achter de greppel lagen al even lange hopen net omgespitte aarde: de restanten van andere greppels die nog duizenden lichamen bevatten. Het was een nachtmerrie. De hel op aarde.

Thomas More zat in zijn huis in Chelsea samen met zijn zeventienjarige dochter over boeken gebogen. Buiten hoorden ze het geluid van een luidende bel steeds dichterbij komen. Het was het geluid van de dodenkarren die door de buurt reden en doden ophaalden.
More werkte door, ongevoelig voor het macabere geluid. Zijn dochter legde haar boek neer en keek naar haar vader.
'Bent u niet bang, papa?'
More stopte met lezen en keek haar aan. 'Van de dood? Nee. Waarom zou ik? Ik heb mijn leven in Gods handen gelegd en ik weet absoluut zeker dat, als ik sterf, ik naar een veel betere plek ga dan deze.'
De bel klonk steeds luider naarmate de kar dichterbij kwam. Zijn dochter huiverde en sloeg een kruis.
More zei: 'Wat u om u heen ziet, lieve, is niet de angst voor de dood, maar voor iets wat er voor zondaars zeker op volgt: het vagevuur.' Hij sloeg zijn boeken dicht, liep langzaam naar het raam en keek naar buiten.
'In feite,' zei hij, 'is er een andere ziekte die ik veel meer vrees dan het zweet. Zelfs op dit moment verspreidt die zich overal en raken duizenden ermee besmet.'

'Waar hebt u het over, papa?'
'Er waart een spook door Europa. Het spook van het lutheranisme. Het verspreidt zich onder de armen, degenen die de Kerk beschouwen als rijk en corrupt en decadent.' Hij draaide zich om en zei: 'Het heeft al geleid tot een boerenopstand in Duitsland, waardoor honderdduizenden mensen zijn gedood. Nu heeft de besmettelijke ziekte Salzburg en Bourgondië en Montpellier en Nantes bereikt. Elke dag komen er nieuwe berichten over de kwaadaardigheid van deze vervloekte ketterij.'
'Maar hier zal het toch zeker niet komen?' zei zijn dochter.
More schudde zijn hoofd. 'Het *is* al hier. We weten dat er geheime bijeenkomsten worden gehouden in de City van Londen, waar katholieke priesters en de Heilige Vader worden bespot en belachelijk gemaakt. Waar de Kerk wordt aangevallen en infame boeken worden verspreid.'
Zijn dochter, die ontsteld was door dergelijke schokkende dwalingen, sloeg opnieuw een kruis. 'Wat kan eraan gedaan worden?'
'Laat me u dit vragen,' zei More. 'Wat doet men met een huis dat is besmet met ziekte?'
Ze dacht even na. 'Dat zuivert men met vuur.'
Hij knikte goedkeurend. 'Ja. En dus moet de ziekte in het huis van ons geloof op dezelfde manier met vuur gezuiverd worden. Persoonlijk ben ik tegen geweld, zoals u heel goed weet. Maar ik vind dat Luther en diens volgelingen – nu meteen – gegrepen en verbrand moeten worden!'
Zijn dochter staarde hem aan. Ze was een beetje geschrokken door de heftige uitbarsting van haar anders zo milde vader.

Het geluid van rennende voeten echode in de gangen van Hever Castle.
'Papa!' schreeuwde George Boleyn. 'Papa, kom snel!'
Thomas Boleyn volgde zijn zoon Annes slaapvertrek binnen. Ze zat rechtop in bed tegen kussens gepropt. Ze zag er mager en bleek uit, met diepe wallen onder haar ogen, die daardoor groter leken dan ooit.
Boleyn staarde haar aan. 'U... leeft!'
Er trok een bibberig lachje over haar gezicht. 'Ja, papa.'
'Godzijdank!' Boleyn viel naast het bed op zijn knieën en greep een van haar handen. 'Weet u wat u gedaan hebt, mijn kind? U bent opgestaan uit de dood.'
Bijna schaterend van vreugde kuste hij haar hand. 'Nu kunt u de koning weer zien,' riep hij blij uit. 'Het kan net zoals vroeger worden!'
Anne staarde hem even vol ongeloof aan. Toen boog ze snel haar hoofd en verborg het verdriet dat zijn woorden hadden veroorzaakt. Ze zonk terug in de kussens en sloot haar ogen.

Naarmate het duidelijker werd dat de pestepidemie voorbij was, begonnen in heel het koninkrijk steeds meer klokken te luiden. Het naargeestige, lusteloze geluid van de doodsbellen werd vervangen door een vrolijk gegalm, ter viering van het einde van de pest en de triomf van overleving. Getekend door verdriet en kapot door het verlies zegden de levenden dank voor het feit dat ze gespaard waren en begonnen ze langzaam aan de taak hun leven weer op te bouwen.
Henry, die dolgelukkig was door Annes miraculeuze herstel en opgelucht door het verdwijnen van de gevreesde ziekte, trof voorbereidingen om samen met Doctor Linacre en zijn kleine gevolg van personeel de toren te verlaten. Henry had aan Anne geschreven:

God zij gedankt, mijn lieve liefste, u bent gered... en de pest is beëindigd. De legaat die wij zo vurig wensen is zondag of maandag laatstleden in Parijs gearriveerd. Ik vertrouw erop volgende maandag te horen over zijn aankomst in Calais; en dan vertrouw ik erop binnen korte tijd te genieten van datgene waarnaar ik zo verlangd heb, voor Gods welbehagen en dat van ons. Niet meer voor u nu, mijn liefste, wegens gebrek aan tijd, dan dat ik wilde dat u in mijn armen lag, of ik in de uwe, want ik vind het lang geleden dat ik u gekust heb.

Henry besteeg zijn paard en keek nog een keer omhoog naar het kleine raam boven in de toren – zijn toevluchtsoord en zijn gevangenis. Hij begroef zijn hielen in de flanken van het paard en begon aan de lange terugrit naar Londen.

Ook Wolsey had op wonderbaarlijke wijze de zweetziekte overleefd. Hij zat, nog verzwakt door de tol die de ziekte had geëist, met een kleed over zijn benen in een stoel in Hampton Court Palace.
Zijn maîtresse, Joan, kwam binnen en zei: 'U hebt een brief – van Lady Anne Boleyn.'
'Lees hem voor,' zei Wolsey zwakjes.
Ze verbrak het zegel en las: '"My lord, het verheugt me zeer te horen dat u aan het zweet ontsnapt bent. Alle dagen van mijn leven ben ik het meest vastbesloten om van alle schepselen, naast de goedertierenheid van de koning, de goedertierenheid van u lief te hebben en te dienen; ik bid u er nooit aan te twijfelen dat mijn mening over u ooit zal veranderen zolang er lucht door mijn lichaam stroomt. Uw nederige dienaar, Anne Boleyn."'
Er viel een korte stilte toen ze klaar was. Wolsey snoof zwakjes. 'Wel, ze heeft in ieder geval gevoel voor humor.'

Hij keek Joan aan. 'Tref regelingen voor mijn pelgrimstocht naar Walsingham. Ik moet Onze Vrouwe dankzeggen.'

Het knapenkoor van de Koninklijke Kapel bracht een requiem ten gehore dat was gecomponeerd en werd gedirigeerd door Thomas Tallis. Hij had het geschreven voor zijn vriend William Compton.
Het opnieuw samengekomen hof zat te luisteren naar de schitterende, spirituele muziek. Henry zat bij Brandon en Knivert. Koningin Katherine was samen met haar dochter Mary teruggekeerd. Zij zaten naast de koning. Wolsey was nog steeds op pelgrimstocht en ook Norfolk was er niet. Die had nog geen toestemming gekregen om aan het hof terug te keren.
Veel stoelen in de kerk waren leeg. Op elke lege stoel lag een spoor die ooit had toebehoord aan een dode man. Op sommige stoelen waren bij de spoor kleine dingen neergelegd: een zakdoek, een handschoen, een piepklein paar schoenen – die vertegenwoordigden de familieleden van de spooreigenaar die met hem waren gestorven.
De prachtige muziek zwol aan en vulde de kerk en toehoorders met emoties. Thomas Tallis dirigeerde met wangen die nat waren van de tranen. Slechts enkele ogen in de congregatie waren droog.
Henry huilde om zijn vriend Compton en om zijn eigen sterfelijkheid. Katherine draaide haar gesluierde gezicht naar hem toe en legde teder haar hand op de zijne. Hij trok zijn hand niet weg.

Kort nadat het requiem was afgelopen, kwam er van buiten de kerk een bode naar Henry toe, die hem iets in het oor fluisterde. Gealarmeerd haastte Henry zich meteen naar buiten.
Anne Boleyn stond op hem te wachten. Henry begon te rennen en nam haar in zijn armen. Hij zwaaide haar in het rond, uitgelaten van liefde, opluchting en verlangen. 'Anne!' riep hij uit. 'Mijn lieve Anne!'
Hij bedolf haar onder de kussen, hij kuste haar mond, haar oogleden, haar hals, haar lippen. 'Anne!' mompelde hij na elke kus. 'Anne... Anne.' Hij drukte haar tegen zich aan, kuste haar duizendmaal en kon niets anders uitbrengen dan 'Anne...'

Hoofdstuk 16

Wolsey was teruggekeerd van zijn bedevaart naar Walsingham en had, nu hij volledig hersteld was, zijn normale bezigheden in Hampton Court Palace weer opgevat.

Men had hem medegedeeld dat er een bezoeker was gearriveerd en hij stond op om hem te begroeten. Wolsey knipperde met zijn ogen toen hij de bezoeker zag: een bizar uitziende, oude man met een lange, verwaarloosde baard en een grauwe mantel. Hij schuifelde tergend langzaam vooruit, zwaar leunend op de arm van een jonge priester. Bij elke stap kromp hij ineen van de pijn.

Wolseys secretaris, Gardiner, kondigde hem officieel aan: 'Zijne Eminentie, Kardinaal Campeggio.'

Wolsey keek de man uiterst verbaasd aan. Hij had Campeggio totaal niet herkend. 'Lorenzo, mijn vriend, ga zitten.'

'Vergeeft u mij mijn onvermogen, Uwe Excellentie,' zei Campeggio zodra hij van alle gemakken voorzien was en ze alleen waren. 'God heeft mij als grote beproeving jicht gegeven. Ik probeer niet te veel te klagen.'

'Ik leef met u mee, Eminentie,' zei Wolsey. 'Maar u hebt nog een andere beproeving te doorstaan. Zijne Majesteit is erop gebrand het gerechtshof met pauselijke autoriteit meteen te installeren om een besluit te nemen over de zaak van zijn nietigverklaring. Hij heeft, zoals u ongetwijfeld weet, al aanzienlijke tijd gewacht en wil niets liever dan een snelle beslissing.'

'Zeker, zeker,' beaamde Campeggio. 'Ik heb een geschreven volmacht van de paus om in deze kwestie een vonnis te vellen. En mijn vonnis kan niet aangevochten worden. Maar toch...' Hij keek Wolsey aan en nam een slokje wijn. Wolsey wachtte ongeduldig af.

'Wij zijn oude vrienden, is het niet, Kardinaal Wolsey? En we zijn beiden mannen van de wereld. Ik was ooit getrouwd. Toen mijn echtgenote is gestorven ben ik tot priester gewijd. Ik heb zelfs een zoon die met mij mee is gereisd.'

'En... dus?' Wolsey was ongeduldig; hij wilde dat de oude man ter zake kwam.

'Zijne Heiligheid wil de koning tevredenstellen – hoe moeilijk dat ook zal zijn. Maar in het belang van ons allen… zou het niet beter zijn als u en ik Zijne Majesteit ervan probeerden te overtuigen van zijn echtscheiding af te zien? Deze hartstocht voor dit – dit meisje – zal na verloop van tijd toch zeker afnemen en overgaan, zoals het altijd gaat met dit soort bevliegingen? Zijne Heiligheid is ervan overtuigd dat een verzoening tussen de Koninklijke Hoogheden veruit de meest bevredigende oplossing van deze kwestie zou zijn.'
Hij wierp Wolsey een slinkse blik toe. 'En hij is bereid daar iets tegenover te stellen wanneer dat nodig zou zijn om het geweten van de koning te sussen.'
Wolseys gezichtsuitdrukking werd onrustig. 'Ik vrees dat Uwe Eminentie wat dit betreft in onwetendheid handelt,' zei hij. 'Laat me u het een en ander duidelijk maken. Als u de koning geen toestemming geeft te scheiden, zal de pauselijke autoriteit in Engeland tenietgedaan worden. Zou u het niet erg vinden als, net nu het grootste deel van Duitsland al vervreemd is geraakt van Rome en het geloof, hetzelfde zal gebeuren met Engeland?'
Met zijn gezicht vlak voor dat van Campeggio vervolgde Wolsey: 'Als niet voldaan wordt aan de wens van de koning kan ik u verzekeren dat de snelle en totale vernietiging van de invloed van de Kerk in het koninkrijk daarvan het gevolg is; kortom, de totale ondergang van het koninkrijk!'

Henry was met Anne Boleyn aan het wandelen in zijn privétuinen. Hij was in een opperbeste stemming.
'Bestaat er enig gevaar dat ze uw huwelijk geldig zullen verklaren?' vroeg Anne hem.
Henry schudde zijn hoofd. 'Wolsey heeft me verzekerd dat de paus al ten gunste van mij heeft geoordeeld. De rechtszaak is gewoon voor de vorm. Een manier om de keizer gerust te stellen.' Hij glimlachte naar Anne.
'Dan… kunnen we plannen gaan maken voor de bruiloft?' vroeg ze.
'Ja. Ja, mijn lief.' Ze omhelsden elkaar, kusten even en liepen toen verder.
Na een korte stilte zei Henry: 'En er is voor… voor de vorm nog iets… iets wat ik moet doen.'
Anne begreep niets van zijn gedrag. Hij leek zo onbeholpen – wat helemaal niet bij hem paste.
Henry vervolgde: 'Ik moet een tijdlang weer de tafel met Katherine delen, en soms… haar bed.'
Anne stond stokstijf stil en keek hem aan. 'Haar bed?'
Henry glimlachte en zei op sussende toon: 'Het stelt niets voor! Mijn

raadsheren hebben me dat gewoon aangeraden, omdat anders het risico bestaat op een tegenproces. Mijn gedrag zou als strijdig met mijn huwelijksplicht opgevat kunnen worden.'
Anne staarde hem aan. 'U vindt dat het *niets* is om weer naar bed te gaan met uw echtgenote?'
Henry's gezicht betrok. 'Ja! Het is niets.' Ter verdediging voegde hij eraan toe: 'Wat denkt u dat er zal gebeuren?'
Ze trok gekwetst en boos haar schouders op. 'Wat meestal gebeurt!'
Ze probeerde verder te lopen, maar Henry, die ook gekwetst en beledigd was, pakte haar arm vast. 'Hoe weinig vertrouwen hebt u in mij!'
Ze slikte hoorbaar en zei toen bedeesd: 'Het spijt me. U weet dat ik u vertrouw. Ik houd van u...' Ze probeerde te glimlachen en gaf hem een kus, maar Henry wierp haar een kille blik toe en liep alleen verder.

De kardinalen Campeggio en Wolsey werden binnengeleid in het buitenvertrek van de koning. Henry ontving hen in een optimistische stemming. Campeggio zat met een ondoorgrondelijk gezicht in een stoel, maar Wolsey stond en glimlachte om zijn ongerustheid te verbergen.
'Katherine valt in deze zaak niets te verwijten,' vertelde Henry aan Campeggio. 'En mij ook niet. Maar het feit is, Excellentie, dat we Gods wet overtreden hebben en daar bestaat geen dispensatie voor.' Hij wierp de bejaarde kardinaal een oprechte blik toe. 'U begrijpt hoe zwaar deze zaak op mijn geweten drukt – en hoe snel ik wil dat het opgelost wordt?'
'Dat begrijp ik,' zei Campeggio. 'Ik leef met u mee – net als Zijne Heiligheid. Uiteraard... Maar Zijne Heiligheid wil Uwe Majesteit ook een andere... mogelijke oplossing voorstellen.'
Wolsey wierp hem een boze blik toe. 'Ik heb Uwe Eminentie al duidelijk gemaakt dat Zijne Majesteit...'
Campeggio glimlachte en onderbrak hem met een wegwuivend gebaar. 'Nee, nee, nee. Alstublieft. Dit is niet hetzelfde, mijn vriend. Dit is een oplossing die Zijne Majesteit erg veel deugd zou moeten doen.'
Henry en Wolsey keken elkaar aan. 'Welke oplossing?' vroeg Henry.
'Zijne Heiligheid is op de hoogte van de grote vroomheid van de koningin,' begon Campeggio. 'Zij heeft er zelf over gesproken. Haar liefde voor de moeder van God... voor de heiligen...' Hij gebaarde. 'Enzovoort... Dus, hij vraagt zich af of Hare Majesteit er, net als Jeanne de Valois, de voormalige echtgenote van Louis XII, toe over te halen zou zijn afstand te doen van haar huwelijk en zich terug te trekken in een nonnenklooster.'
Er viel een lange, verbaasde stilte. Toen zei Henry: 'U legt dit Katherine voor?'

Campeggio haalde zijn schouders op. 'Zeker.'
Henry keek Wolsey aan. 'Wat denkt u, Wolsey?'
Wolsey overwoog het voorstel van alle kanten. 'Het zou de zaak zeker bespoedigen. En het zou ons de ellende van een rechtszaak besparen. En aangezien het vrijwillig is, zou het niet beledigend zijn voor haar neef de keizer. Bovendien zou Hare Majesteit zich zo eervol kunnen terugtrekken!'
Henry grinnikte. 'Uitstekend! Vraag het haar meteen!' zei hij tegen Campeggio.

'Zou Uwe Majesteit het voorstel ten minste willen overwegen?' vroeg Campeggio zacht.
Katherine wierp hem een minzame glimlach toe. 'Ik zal u mijn antwoord te zijner tijd geven, nadat ik met de koning, mijn echtgenoot, heb gesproken.' Ze zag ineens Wolsey naderbij komen. Ze wilde niet gedwongen zijn om met hem te praten, vooral niet in het bijzijn van Kardinaal Campeggio, dus ze bood Campeggio snel haar hand en zei: 'Eerwaarde, wilt u mij later de biecht afnemen?'
'Ja, mijn kind.' Campeggio keek haar bezorgd aan.
Katherine, die haar ogen op de naderende Wolsey gericht hield, probeerde te vertrekken. Wolsey, die vastbesloten was haar tegen te houden, liep snel om haar de pas af te snijden. Katherine staarde hem onvriendelijk aan. 'Eminentie.'
Tot haar grote verbazing en gêne viel Wolsey opeens voor haar op zijn knieën en zei: 'Ik smeek Uwe Majesteit toe te geven aan de wens van de koning.'
'En wat is de wens van de koning?' vroeg ze.
'Zoals Zijne Eminentie betuigt,' legde Wolsey uit. 'Dat u intreedt in een religieuze gemeenschap van uw keuze en de geloften van eeuwige kuisheid aflegt.'
Katherine was woedend. 'U spreekt tegen *mij* over kuisheid? Hebt u niet een maîtresse en twee kinderen, Uwe *Eminentie*?'
'Uwe Majesteit betreedt de derde fase van uw natuurlijke bestaan,' verklaarde Wolsey. 'U hebt de eerste twee besteed aan het geven van het goede voorbeeld aan de wereld. Met deze daad zou u al uw goede handelingen bezegelen.' Hij wachtte nederig af.
Katherine haalde diep adem en beteugelde haar woede. Met ijskoude stem zei zij: 'Staat u alstublieft op, Uwe Excellentie. Het is voor een man van uw waardigheid onbetamelijk om in het openbaar te moeten smeken – om welke reden dan ook.' Ze maakte zich uit de voeten, waarna Wolsey op pijnlijke wijze weer overeind moest komen.

'Dus,' zei Henry tegen Katherine. 'U hebt met Campeggio gesproken?' Zoals hij Anne verteld had, had Henry weer de gewoonte aangenomen om een tafel met Katherine te delen. Hij zorgde er echter wel voor dat er genoeg mensen aanwezig waren om er een semiopenbare aangelegenheid van te maken.
'Ja,' zei ze. 'Hij heeft tegen mij gesproken.' Ze nam bedaard een hap en zei toen ze die doorgeslikt had: 'Ik heb hem gezegd dat ik hem geen antwoord kon geven zonder Uwe Majesteits toestemming.'
Er kwam een dienaar aan, die hun al knielend een karpergerecht presenteerde. Katherine nam er iets van. Henry keek geërgerd en ongeduldig toe.
'En welk antwoord zult u hem geven?' vroeg Henry zodra de dienaar vertrokken was.
'Ik zal hem de waarheid vertellen.'
Henry bloosde en at een stukje vis. Het smaakte naar as. 'Katherine,' zei hij op lage toon. 'De hele wereld stemt er nu mee in dat uw huwelijk met mij onjuist was. Zelfs u moet dat erkennen!' Hij boog zich voorover en siste in haar oor: 'Dus tenzij u ermee instemt het klooster in te gaan, zal ik u moeten *dwingen*!'
Katherine behield een waardig stilzwijgen; ze knipperde hevig om de tranen tegen te houden. Na een lange stilte zei ze kalm, alsof haar echtgenoot zojuist niet had gedreigd haar voor de rest van haar leven in een klooster op te sluiten: 'Dus ik heb uw toestemming om met Kardinaal Campeggio te spreken?'
Henry nam een teug wijn. Hij was boos en verontwaardigd omdat zij hem in zo'n ongemakkelijke positie had gebracht.
'Ik zal niet met hem praten als u dat niet wilt,' zei Katherine.
Henry keek haar aan – hij zat in de val. Hij nam nog meer wijn.

Meester Richard Cromwell, de secretaris van de koning, werd de privévertrekken van Anne Boleyn binnen geleid. Anne zat in haar eentje stilletjes bij het raam te naaien.
'Lady Anne,' zei Cromwell zacht.
Annes gezicht klaarde op en ze legde haar naaiwerk opzij. 'Mijnheer Cromwell. Hebt u... hebt u een bericht van de koning?' vroeg ze met een mengeling van aarzeling en gretigheid.
Hij schudde zijn hoofd en temperde zijn stem. 'Het spijt me, my lady. Ik ben hier met een ander doel. Een wederzijdse vriend, Mijnheer Simon Fysh, die nu in Holland in ballingschap verblijft, heeft mij een geschenk voor u gezonden.' Uit de vouwen van zijn kleding haalde Cromwell een boek tevoorschijn.
Anne wist ogenblikkelijk dat hij haar een boek van de volgelingen van

Martin Luther had gebracht. Gevaarlijke literatuur. Thomas More had boeken als deze verbrand.
'Wat is het, Meester Cromwell?' vroeg ze gespannen.
'*The Obedience of the Christian Man*, door William Tyndale,' zei hij. 'Het bevat veel goede kritiek op het pausdom en de arrogantie en de wandaden van priesters. U zult het hoogst verhelderend vinden.'
Anne pakte het boek aan. Cromwell ging verder: 'Maar wees er altijd en immer behoedzaam in aan wie u het toont. U weet dat alleen het bezit ervan al als ketterij beschouwd kan worden en Wolsey is nog steeds ijverig genoeg om ketters – zoals wij genoemd worden – te vervolgen voor het omarmen van het ware geloof.'
'Dat zal ik doen, en God zegene u, Meester Cromwell.'
Toen Cromwell zich omdraaide om te vertrekken, schoot Anne iets te binnen. 'Wacht,' droeg ze hem op. Ze zocht even en vond toen een prachtig borduurwerkje. Ze gaf het aan Cromwell en zei: 'Geeft u dit alstublieft aan de koning met mijn... met mijn liefde.'
Cromwell aarzelde, maar nam het toen aan.

'Wat is het dat u wilt opbiechten?' vroeg Campeggio aan Katherine.
'Eerwaarde, ik wil u iets vertellen over mijn eerste huwelijk, met Prins Arthur, de oudere broer van Zijne Majesteit.'
'Ik weet ervan. Ga verder.'
'Hij heeft me nooit *gekend*,' zei Katherine. 'Ik zweer u, onder sacramentele ede, dat ik onaangeraakt ben gebleven door Prins Albert. Ik ben als maagd mijn huwelijk met Koning Henry in gegaan; zoals ik uit de schoot van mijn moeder ben gekomen.'
'Ik wil hier absolute duidelijkheid over,' zei Campeggio tegen haar. 'U zegt dat u als maagd het bed van de koning betreden hebt – onaangeroerd en ongeschonden?'
'Ja, Eerwaarde.' Na een korte pauze zei Katherine: 'Eerwaarde, ik zeg u in alle nederigheid dat ik niet kan instemmen met uw verzoek. Ik ben de ware en wettige echtgenote van de koning, mijn echtgenoot, en uw voorstel is derhalve ondeugdelijk. Wat er ook van moge komen, ik zal leven en sterven in die echtelijke rol waartoe God mij geroepen heeft.'
Campeggio slaakte een zucht. 'Ik begrijp het.'
'Bovendien geef ik u toestemming het biechtgeheim te schenden en de hele wereld kond te doen van wat ik u verteld heb!'
Campeggio knikte vermoeid. Hij wachtte tot de koningin vertrokken was en legde toen zijn hoofd in zijn handen. Zijn oplossing was afgewezen. Noch Henry noch de koningin zou het opgeven. Iedereen zou verliezen.

'Ik moet Kardinaal Campeggio zien,' zei Wolsey tegen Campeggio's zoon. Hij bewoog zich richting het slaapvertrek, maar Campeggio's zoon versperde hem de weg.
'Vergeef me. Mijn vader is onwel,' zei de zoon. 'Hoe dan ook, er is voorlopig verder niets wat hij kan doen. Hij heeft enkele verslagen naar Rome verzonden en moet wachten op het antwoord van Zijne Heiligheid.'
Wolseys gezicht werd rood van woede.
'In de tussentijd heeft mijn arme vader behoefte aan rust en moet hij op krachten komen.' Hij beantwoordde Wolseys gestaar met een koele blik en maakte duidelijk dat hij geen duimbreed zou wijken.
Wolsey, die razend was en op het randje van de wanhoop verkeerde door de positie waarin hij nu gebracht was, hief een gebalde vuist. Even leek het erop dat hij de jongere man ging slaan, maar met zichtbare inspanning vermande hij zich, draaide zich om en stormde naar buiten.

Henry hield een bijeenkomst aan het hof. Overal in het paleis brandden toortsen. Binnen klonk muziek en waren schitterend geklede dames en heren aan het dansen, eten, contacten aan het leggen, aan het roddelen en plannen aan het smeden.
Thomas More en Campeggio zaten op een gunstige plek: ze konden de glinsterende verzameling goed bekijken. More wees mensen van aanzien aan. 'Dat is Prinses Margaret, de zuster van de koning,' mompelde hij. 'Onlangs teruggekeerd aan het hof. Ze staat naast de Hertogin van Norfolk.'
'En die opvallend uitziende jonge vrouw?' vroeg Campeggio, terwijl hij wees naar een jonge vrouw die zojuist met verschillende dames was binnengekomen. De jonge vrouw liep meteen naar Boleyn, nu Lord Rochford, die naast de Hertog van Norfolk stond. Hovelingen begonnen in haar richting te neigen. 'Dat moet Vrouwe Boleyn zijn, is het niet?' veronderstelde Campeggio.
'Ja, inderdaad,' zei Thomas More. 'Het meisje voor wie de koning bereid is zijn huwelijk met een uiterst hoffelijke en liefhebbende koningin op te offeren.'
Campeggio zuchtte. 'Ik heb geprobeerd hem dat uit het hoofd te praten, maar ik zweer dat zelfs een uit de hemel neergedaalde engel daar nog niet toe in staat zou zijn.'
Ze zagen Anne Boleyn glimlachen en complimenten in ontvangst nemen. Campeggio boog zich naar More toe. 'Denkt u dat ze het tot de hoogste samenvoeging hebben laten komen?'
Er verscheen een uitdrukking van lichte weerzin op het gezicht van More om aan te geven dat hij deze vraag beneden zijn waardigheid vond.
Henry en Wolsey betraden het hof. Henry zag er in zijn gewaad van goud-

brokaat afgezet met lynxvacht schitterend uit. Wolsey scheen nu eens een keer niet te genieten van deze theatrale entree. Hij zag er bezorgd uit, een beetje gekrompen en minder arrogant dan normaal.
Campeggio vervolgde: 'Wolsey dreigt dat dit koninkrijk van Rome zal vervreemden wanneer de koning geen voldoening krijgt.'
More knikte. 'Dat is ook mijn grootste angst.'
Campeggio zag dat Anne Boleyn probeerde de aandacht van de koning te trekken in de menigte. Ze leek wanhopig op zoek naar zijn blik.
Het viel hem op dat Prinses Margaret met een harde blik en opgetrokken lippen naar Anne stond te staren. Geen vriendinnen, dacht hij.
'Ik heb een verzoekschrift ontvangen van de Hertogen van Suffolk en Norfolk en van Lord Boleyn,' vertelde Campeggio aan More. 'Daar staat in dat de echtscheiding de overweldigende steun heeft van het Engelse volk.'
More snoof en zei met een woeste ondertoon: 'Als Uwe Eminentie door deze deuren naar buiten gaat en het volk aanschouwt, zult u al snel ontdekken dat dit een pertinente leugen is! Integendeel. Het volk houdt van de koningin – en daar heeft het ook alle reden toe.' Hij staarde Campeggio lang aan, maakte vervolgens een buiging en liep weg.

Pratend met Wolsey bewoog Henry zich langzaam door de menigte in de richting van Anne.
'Hare Majesteit heeft het aanbod afgeslagen,' deelde Wolsey hem mee.
'Bent u daar werkelijk verbaasd over?' zei Henry.
'Campeggio zegt dat de paus bereid is te overwegen de kinderen die u eventueel met Vrouwe Boleyn krijgt te wettigen, zelfs als u niet met haar getrouwd bent.'
Henry draaide zich abrupt om en staarde hem aan. 'Bent u gek?' Hij fronste. 'U moet beter kunnen dan dat, Wolsey!' Hij liep naar Brandon, Norfolk en Boleyn. Ze begroetten hem hartelijk. Wolsey keek ontzet toe.
De toekijkende Campeggio trok aan de mouw van Mendoza, de keizerlijke ambassadeur. 'Vergeef me, Ambassadeur Mendoza, maar ik ben nieuw aan dit hof.' Hij wees discreet. 'Wie zijn die mannen die met de koning staan te praten?'
'Lord Rochford is de vader van Anne Boleyn en Norfolk is haar oom. Net als de Hertog van Suffolk zijn ze de gezworen vijanden van Wolsey – en iedereen aan het hof weet dat. Niets zou hen ervan weerhouden hem te gronde te richten.'
'En toch houdt de koning van Wolsey?'
'Niet meer zo veel als vroeger, misschien,' bekende Mendoza. 'Maar de kardinaal mag nooit onderschat worden.'

Ze keken toe hoe Henry zich losmaakte van het groepje en in de richting van Anne Boleyn bewoog. Zijn ogen waren gefixeerd op haar en de hare op hem. Het was alsof geen van beiden iemand anders zag.
'Mag ik weten wat u vindt van de zaak van de koning?' vroeg Campeggio zachtjes, terwijl hij bleef kijken.
'Ik ben verbaasd,' antwoordde Mendoza. 'Het lijkt mij dat de koning liefdesdwaas is... en waarvoor? Zij is niet het mooiste meisje op aarde.'
Ze zagen hoe Henry's zuster Margaret voor hem ging staan en een reverence maakte, waardoor ze zijn weg versperde. De zuster van de koning begroette haar broer en Henry leek verder te gaan, toen iets wat zij zei hem boos deed omkeren.
Campeggio sloeg de korte, hevige woordenwisseling gade en wenste dat hij kon horen wat de koning en zijn zuster tegen elkaar zeiden. Hij kon het echter wel raden. Het was duidelijk dat Prinses Margaret haar broeders verliefdheid op Vrouwe Anne Boleyn niet in het minst goedkeurde.
Hij wendde zich tot Mendoza. 'En de keizer?'
Mendoza haalde zijn schouders op. 'Het is geen geheim dat de keizer laaiend is over het gedrag van de koning tegenover de koningin, zijn tante. En ik kan u, strikt in vertrouwen, vertellen dat hij ook een brief heeft geschreven aan Zijne Heiligheid om te eisen dat deze kwestie in Rome wordt afgehandeld en niet hier.'
Campeggio knikte. 'Hij zou niet... op een andere manier... tussenbeide willen komen?'
'Op welke manier?'
'Als de koningin bijvoorbeeld afstand zou moeten doen, zou hij dan kunnen overwegen om in haar naam militair in te grijpen?'
'Dat heeft hij niet gezegd,' zei Mendoza behoedzaam.
Campeggio wierp hem een sluwe blik toe. 'Heeft iemand het hem gevraagd?'
Mendoza keek hem aan. 'Nee... nee, nog niet.'
Campeggio tuurde weer naar de koning toen deze net Anne Boleyn bereikt had. Ze maakte een zedige reverence, maar zelfs een oude man aan de andere kant van de ruimte kon zien dat de blik die zij en de koning wisselden... vurig was.
Hun ogen waren met elkaar versmolten en alleen hun handen raakten elkaar – ze draaiden op de muziek in een tijdloze verleidingsdans. Hun lichamen kwamen dicht bij elkaar, weken weer uiteen, raakten elkaar, gingen uiteen, en al die tijd speelde de muziek.
Anne bevochtigde haar lippen met haar tong. Henry keek alsof hij haar zou verzwelgen. Elke ademtocht van Henry was voor Anne. Elke zucht die zij

slaakte was voor hem. Hun lichamen flirtten, streken langs elkaar, raakten elkaar.
Ze dansten alsof ze de enigen in de ruimte waren, zich niet bewust van de starende blikken, de gefluisterde opmerkingen, de speculaties.
Campeggio keek de kamer rond en bestudeerde de verschillende blikken die op de koning en Anne Boleyn werden geworpen. Hij zuchtte; hij voelde zich plotseling stokoud.

Katherine staarde door het raam naar de tuinen in het vredige grijze ochtendlicht. Alleen aan de manier waarop ze haar hand om de handschoenen had geklemd was haar spanning af te lezen. Ze wachtte op de mannen die haar voor het gerechtshof zouden vertegenwoordigen.
Haar hofdame begeleidde de twee prelaten in hun kerkelijke gewaden naar binnen. 'My lady, de aartsbisschop van Canterbury, Aartsbisschop Warham, en Bisschop Tunstall zijn hier om u te spreken.'
Katherine wist wie ze waren. Ze wist ook welke instructies zij hadden gekregen. Ze schonk hun niettemin een hartelijke glimlach. 'Mijne Excellenties, ik begrijp dat u tot mijn raadsheren voor het pauselijk gerechtshof behoort. Als eerbiedwaardige mannen, als mannen die allereerst verantwoording aan God en uw geweten moeten afleggen, bent u welkom. Heeft de koning u hiernaartoe gezonden?'
Warham schuifelde ongemakkelijk heen en weer. 'Ja, Uwe Majesteit.'
'We dienen uw instructies te bespreken,' zei ze kordaat. 'Ik heb niets tegen Zijne Majesteit – van wie ik met heel mijn wezen houd – alleen tegen zijn raadgevers... en een zekere vrouw wier ambities dit koninkrijk zouden vernietigen.'
'Madame,' zei Warham. 'Wij zijn hier niet om de instructies of iets dergelijks te bespreken.'
'Maar...'
'We zijn gekomen, madame, om u mede te delen dat geruchten de ronde doen over complotten tegen Zijne Majesteits leven, evenals complotten tegen Kardinaal Campeggio. Wanneer een van dergelijke samenzweringen kans van slagen heeft, zou zowel u als uw dochter natuurlijk verdacht worden van betrokkenheid.'
Het was een tactloos en lachwekkend dreigement. Katherine keek ongelovig van de ene man naar de andere. 'Ik kan niet geloven dat de koning enige geloofwaardigheid hecht aan dergelijke geruchten, omdat hij weet – en u weet – dat ik het leven van mijn echtgenoot nog hoger acht dan dat van mijzelf.'
Warham liet zijn hoofd zakken.

Bisschop Tunstall was echter niet zo makkelijk te ontmoedigen. 'Madame, er is nog een andere klacht: dat u oneerbiedig bent en uzelf te vaak aan het volk vertoont. Dat u zich knikkend, glimlachend en wuivend verheugt over de bijval van het gepeupel. Daarom veronderstellen wij dat u de koning haat.'
'Waarom zou u dat veronderstellen?' vroeg Katherine kalm.
'Omdat u niet accepteert dat u al deze tijd in zonde met hem geleefd hebt. En dat u zelfs nu de waarheid aan het licht gekomen is het genadige aanbod van de koning om u terug te trekken in een religieus huis weigert te accepteren.'
Katherine maakte een ongeduldig gebaar. 'Ah, dat weer! Daarvoor heb ik al rekenschap afgelegd. God heeft mij nooit naar het klooster geroepen. Ik ben Zijne Majesteits ware, wettelijke echtgenote.'
'In godsnaam...' begon Warham.
'Ja! In Gods naam!' onderbrak ze hem boos. 'Net als u, aartsbisschop, ooit zelf hebt verklaard! U hebt anderen verteld dat u wist dat mijn zaak op waarheid berustte. Wat heeft u dan van gedachten doen veranderen? Was het Wolsey?' Ze keek hem geringschattend aan. 'Vertel me eens, verkiest u uw plek op deze wereld boven uw plek in de hemel?'
'U hebt niet gereageerd op de aanklachten.'
'Sir, ik vind het al erg genoeg om door mijn eigen raadsheren beschuldigd en aangeklaagd te worden! Welke rechtvaardigheid zit daarin?' Ze keek hen beiden vol verachting aan. 'Ik zal niet meer met u spreken. U zult niet in mijn naam handelen! Dat zal Bisschop Fisher doen, want hij is een man wiens geloof niet te koop is.' En daarmee trok ze zich koninklijk terug in haar slaapvertrek. Haar hofdames sloten de deuren achter haar.

In hun huis op het platteland praatten Brandon en zijn echtgenote, Margaret, over het meningsverschil dat zij onlangs met de koning had gehad.
'Zijne Majesteit verzoekt om uw terugkeer aan het hof. U bent tenslotte zijn zuster.' Brandon had gedronken.
Margaret snoof. 'Hoe kan ik terugkeren als hij loopt te pronken met die slet? Ik zou de indruk wekken die belachelijke liaison goed te keuren.' Ze keek toe hoe haar man zichzelf een nieuwe beker wijn inschonk en schoof de hare naar hem toe om die ook te laten vullen.
Hij zei ernstig: 'Margaret, u en ik moeten in de gunst van de koning blijven – anders zijn we *niets*. Laat hem trouwen met wie hij wil.'
'Dat is altijd uw filosofie geweest, is het niet, Charles? Zo ontzettend cynisch!' Ze nipte van haar wijn. 'Is dat de reden waarom u in het gezelschap blijft verkeren van die duivelse Boleyn?'
'U was anders ooit behoorlijk op hem gesteld, toen hij ons heeft helpen

terugkeren aan het hof.' Hij keek haar met samengeknepen ogen aan. 'Of was u toen gewoon cynisch?'
Margaret schudde haar hoofd. 'Ik had toen nog niet in de gaten dat het een spelletje was. Nu wel. En ik veracht hem.'
'Ik ook!' zei hij. 'Maar ik haat Wolsey meer. Het is een verstandshuwelijk.'
Ze lachte bitter. 'Net als het onze?'
'Nee. Ik hield van u,' zei Brandon zacht. Hij boog zich naar haar toe en probeerde zijn hand om haar kin te leggen, maar ze trok zich terug en ontweek hem.
'U weet niet wat dat woord betekent, Charles,' deelde ze hem mee. 'U kunt misschien liefhebben, een jaar lang, of een maand; een dag, of zelfs een uur. En ik geloof zeker dat u in dat uur even hevig en oprecht liefhebt als elke man.' Ze keek hem verdrietig aan. 'Maar als dat uur is afgelopen, hebt u niet lief. U houdt van een ander... en dan weer van een ander... en nog een ander.' Haar ogen glommen. 'Uw liefde is uiterst gul... waar het uiterst pijnlijk is.'
Brandon zag de tranen in haar ogen en probeerde onhandig haar opnieuw te omhelzen.
Margaret hield hem af. 'Niet doen! Doe niet alsof u gek bent, Charles. Dat past niet bij u.' Bijtend op haar lip rende ze de kamer uit.
Brandon draaide de wijn rond en staarde er humeurig naar. Hij dronk de beker in één teug leeg en schonk die toen weer vol.

Katherines hofdames waren druk bezig de koningin in gereedheid te brengen voor het bed, toen de geheime deur die haar vertrekken met die van de koning verbond openging en Henry verscheen. In zijn nachtgewaad. De hofdames staarden hem verbaasd aan – het was al zo lang geleden – voordat ze zichzelf tot de orde riepen en een reverence maakten.
Hoewel alle hofdames van Katherine jong en knap waren, wierp Henry hun slechts een vluchtige blik toe voordat hij in het bed bij de koningin klom.
Na een teken van Katherine liepen de dames achter elkaar aan naar buiten en bleven Henry en Katherine rechtop zittend in bed achter.
Er viel een stilte. Na een tijdje zei Henry: 'Katherine, waarom blijft u me steeds gerechtigheid ontzeggen? Waarom?'
Ze zei niets. Hij ging verder: 'U bent zo harteloos. Zo vol haat. Ik kan mezelf er niet langer van overtuigen dat u van me houdt. Ik denk dat u mij moet verachten.'
'Nee! Ik houd wel van u,' vertelde ze hem. 'Ik ben nooit opgehouden u lief te hebben. Dat weet u.'
'Ik weet het niet,' antwoordde hij. 'Ik ben er zeker van dat u me haat. Wel-

licht moet u uit de buurt van onze dochter gehouden worden… anders zet u haar tegen mij op.'
'Hoe kunt u deze dingen tegen mij zeggen?' zei Katherine bitter. 'Na al die tijd. Na alles wat we voor elkaar betekend hebben.'
'Ik vraag u slechts redelijk te zijn.'
'Ik ben redelijk. U bent degene die niet redelijk is.'
Ze zaten daar maar naast elkaar zonder elkaar aan te kijken.

De volgende dag bracht Henry een bezoek aan Anne. Ze was in een speelse bui; met een gemeen lachje op haar mond probeerde ze hem te belemmeren haar te kussen.
'Ik heb een nieuwe wapenspreuk,' deelde ze hem mee. 'Ik heb hem zelf bedacht.'
Henry was geïntrigeerd. 'Wat is het?'
Anne glimlachte raadselachtig. 'U zult het moeten vinden.'
Henry was nu nog nieuwsgieriger en mompelde: 'Waar is het?'
Anne wierp hem een steelse blik toe. 'Op een stukje lint… dat ergens verborgen is.' Ze keek naar beneden.
Glimlachend raakte Henry de zijde op haar schouder aan. 'Zit het hier?'
'Nee.' Ze schonk hem een plagend lachje.
Henry greep haar vast en gluurde in haar keurslijf. 'Hierin?' Hij probeerde zijn hand erin te stoppen. Lachend worstelden ze.
Hij tilde haar rokken op en groef eronder. 'Waar zit het?' Zijn stem werd gedempt door alle lagen stof.
Anne hapte naar lucht toen zijn zoektocht hartstochtelijker werd, maar ze slaagde erin haar aandacht te richten op de problemen die door haar hoofd speelden. 'Maar… er is opnieuw oponthoud! Campeggio is nergens te bekennen!'
'Er zijn gewoon dingen die hij moet doen.'
'Bent u daar zeker van?'
Zijn hoofd dook op vanonder haar rokken; hij was de zoektocht naar de wapenspreuk even vergeten. 'Wat bedoelt u?'
'Stel nu dat iemand opzettelijk de zaak ophoudt. Excuses verzint.'
Hij zweeg even. 'Wie – Campeggio?'
'Nee, iemand anders,' zei ze. 'Iemand die veel dichter bij u staat.'
Hij fronste. Ze pakte zijn hand en begon die verleidelijk langs haar been omhoog te schuiven. Zijn hand stopte. 'Aha! Ik heb het.' Hij glimlachte en trok een stuk lint tevoorschijn waar woorden op waren geborduurd. Hij las de wapenspreuk hardop voor: 'Aldus zal het zijn, morre wie morren wil.' Er verscheen een lachje op zijn gezicht.

Hij boog voorover om haar te kussen en verder te gaan met het spelletje, maar ze deed met een serieus gezicht een stap achteruit.
'Het is iemand die veel dichter bij u staat,' zei ze.

Snel daarna ontbood Henry Wolsey voor een ommetje in zijn privétuinen.
'Ik wil u, in alle openhartigheid, iets vragen over Campeggio,' zei Henry. 'Vertrouwt u hem? Denkt u dat hij op een of andere manier gecompromitteerd is? Wie weet – misschien krijgt hij wel een toelage van de keizer.'
Wolsey schudde zijn hoofd. 'Lorenzo is de minst vooringenomen man die ik ken. En hem is door Charles' soldaten persoonlijk leed aangedaan. Toen zij Rome binnen kwamen, hebben ze zijn huis geplunderd. Ik denk niet dat hij enige genegenheid voor de keizer koestert.'
'Maar waarom stelt hij het proces dan steeds uit?'
'Er zijn wat formele kwesties die opgelost moeten worden, dat is alles. Uwe Majesteit heeft geen reden tot bezorgdheid.'
Henry stopte en draaide zich om. 'Verdoeme. Het is Campeggio helemaal niet. *U* bent het! U bent degene die alles uitstelt!' Hij staarde Wolsey aan. 'U geeft geen zier om die echtscheiding. Misschien hebt u er zelfs wel nooit in geloofd. Hebt u gewoon tegen me gelogen. Gedaan alsof u aan mijn kant stond.'
Wolsey werd zo wit als een doek. Hij viel op zijn knieën voor Henry. 'Majesteit, ik zweer voor u en voor God op mijn woord van eer dat ik uw meest loyale dienaar ben en dat er niets op deze wereld is waar ik zo mijn zinnen op heb gezet als het steunen van uw echtscheiding. De totstandbrenging daarvan is mijn voortdurende zorg en mijn meest vurige wens, waarvoor ik bereid ben mijn lichaam, mijn leven en mijn bloed te geven, zo helpe mij God.'
Er viel een korte stilte. Henry keek starend op Wolsey neer. Opeens klaarde zijn gezicht op. Hij glimlachte en hielp Wolsey overeind. 'Uwe Excellentie hoeft niet zo ontsteld te zijn. U begrijpt dat ik ongeduldig ben. Maar ik weet dat u het niet bent. Ik ken u al heel lang. Ik vertrouw u.'
Hij pakte Wolseys arm. 'Kom. Laten we over andere dingen praten.'
Achter een bovenraam stonden Norfolk en More het tafereel gade te slaan.
'Godbeware, Meester More,' zei Norfolk. *'Indignatio princeps mors est.'*
More vertaalde het Latijn. 'De woede van de vorst betekent de dood.'

Hoofdstuk 17

'U bent dus aan het hof teruggekeerd, Mijnheer Wyatt?' zei Thomas Tallis, toen hij de dichter schrijvend in een afgelegen alkoof had aangetroffen.
'Moeilijk om weg te blijven.' Wyatt zuchtte. 'Nog moeilijker om te blijven.' Twee beeldschone jonge vrouwen liepen langzaam voorbij, stopten even en trokken Wyatts aandacht.
Hij citeerde: '"En nu vrees ik opnieuw hetzelfde / De luchtige woorden, het curieuze spel der ogen / Van plotse verandering verbijsteren mij / Uit angst te vallen sta ik niet vast."'
Hij keek Tallis quasi zielig aan. 'Hoe komt het dat ik, als ik weg ben van het hof, me volstrekt normaal kan gedragen, maar als ik hier ben elke vrouw die ik zie wens te bezitten?'
Tallis glimlachte. 'U had gelijk over uw brunette. Zij heeft de wereld inderdaad doen schaterlachen.'
'Maar het verbaast mij te horen dat de koning het nog steeds zijn "geheime kwestie" noemt!' zei Wyatt. Ze lachten beiden.
Tallis zei: 'Ik heb iemand onlangs de mening horen uiten dat de koning, ondanks al zijn wereldlijke ervaring, nog steeds dwaas genoeg blijkt te zijn om zich te laten knechten door zijn hartstocht voor een meisje.'
Wyatt schudde medelevend zijn hoofd. 'Nee. Die man is een dwaas. Niet de koning. Waarom zou hij niet een knecht van de harstocht zijn? Waar leven we anders voor? Waarom ademen we? Om verstandig te leven en dan te sterven? Wanneer u zo naar iemand verlangt dat u er met lichaam en ziel door verteerd wordt en u uw leven zou geven voor een enkele kus, of een aanraking, of het voelen van een zwoele ademtocht langs uw wang – dan, Mijnheer Tallis, en alleen dan, leeft u waarlijk en waarachtig. De rest is allemaal verspilling.'
'Behalve als men het opschrijft!'
Wyatt boog zijn hoofd. 'Of, zoals in uw geval, de eigen loftrompet steekt!'
Opeens kwam de koning als een woedende leeuw de hoek om benen. Hij stopte en keek hen kwaad aan. Wyatt en Tallis gingen gehaast staan en

bogen. De koning keek Wyatt met opeengeklemde kaken een tijd lang dreigend aan en wandelde toen verder.
Hij sloeg de hoek om en schreeuwde: 'Mijnheer Cromwell! Mijnheer Cromwell!'
Cromwell kwam rennend naderbij.
'U gaat naar Rome,' gaf Henry hem te kennen. 'U gaat die verdoemde Heiligheid een oordeel afdwingen, zo nodig door hem te vertellen dat als hij mij die verdoemde nietigverklaring niet geeft, Engeland zijn onderwerping aan Rome zal intrekken en ik mijn verdoemde getrouwheid aan hem. En breng hem aan zijn verstand dat dit geen loos dreigement is. Ik meen het! En ik *zal* het doen als hij mij geen voldoening schenkt!'
'Majesteit.' Cromwell liep buigend weg.
Henry schreeuwde hem na. 'Stuur de Hertog van Suffolk naar me toe. Ik wil hem zien.' Als een gekooid dier beende hij heen en weer tot Brandon verscheen.
'Ik wil dat u naar Parijs gaat en met Koning Francis praat,' zei Henry. 'Ondervraag hem stevig over wat hij weet over Campeggio. Wat voor soort zaken heeft hij met hem gedaan? Wat voor soort man is het? Is hij oprecht? Heeft hij de ambitie paus te worden? Of heeft hij geheime banden met de keizer? Gewoon alles wat hij weet!'
Brandon knikte. 'Ik zal meteen vertrekken.' Hij maakte aanstalten om weg te gaan.
'En Charles... vraag hem ook naar Wolsey. Wat hij van Wolsey weet. Begrijpt u? Aan wiens kant staat Wolsey?'

Katherine keek verbaasd op toen Thomas More Bisschop Fisher naar haar privévertrekken in het paleis bracht. 'Sir Thomas?' Ze begroette More behoedzaam. Ze had nooit zeker geweten aan wiens kant hij stond. Hij had de reputatie een principieel man te zijn, maar hij was ook Henry's leermeester geweest en had altijd blijk gegeven van genegenheid jegens hem.
More viel voor haar op zijn knieën. 'Hare goedgunstige Majesteit, ik heb Bisschop Fisher hier gebracht om u te zien. Ik denk dat hij u oprechte en toegewijde raad kan geven.'
'Dank u, Sir Thomas.'
More boog en vertrok. Katherine stak haar hand uit naar Fisher. 'Eerwaarde bisschop.' Ze gebaarde in de richting van een aantal stoelen met kussens en zei toen: 'Weet u zeker dat u voor mij wenst te handelen? U moet op de hoogte zijn van de problemen en gevaren waarmee u wellicht geconfronteerd zult worden.' Ze keek de oude man aan en voegde er vriendelijk aan toe: 'Ik zou het begrijpen als u de voorkeur geeft aan rust en stilte.'

Maar hoewel hij oud was, beschikte Fisher zowel lichamelijk als geestelijk over een grote taaiheid. 'Wat hebben rust en stilte voor zin, vriendelijke dame, zonder gerechtigheid en de zegen van God?'
Hij ging verder: 'Ik heb de zaak tegen u zeer zorgvuldig overwogen. Zij zullen ongetwijfeld het feit benadrukken dat de pauselijke dispensatie voor uw huwelijk met de koning formeel gezien onvolkomen – en derhalve ongeldig was. Maar de voor de hand liggende manier om een formeel gebrek op te lossen is niet het huwelijk nietig en van generlei waarde verklaren, maar nieuwe en toepasselijker dispensaties uitvaardigen.'
Hij wierp haar een schrandere blik toe.
'Hoe dan ook, de voortduring van een zo lange tijdspanne heeft het huwelijk rechtschapen gemaakt en het principe van *supplet ecclesia* – de Kerk vult aan – zou op zichzelf enigerlei fout in de pauselijke dispensatie hebben vergoed.'
Katherine staarde hem geïmponeerd aan. Ze had niet gedacht dat een oudere geestelijke blijk kon geven van de scherpe geest van een raadsheer.
Ze zei: 'Maar dan veronderstelt u dat we wellicht kunnen winnen?'
Er viel een lange stilte. 'We zouden de bewijsvoering kunnen winnen, ja,' zei hij. 'Maar ik kan u niet garanderen dat het ons veel voordeel oplevert.'
Bij het zien van de blik in haar ogen haastte hij zich haar gerust te stellen: 'We zullen het wél proberen. Wees hoopvol, madame, want wij staan aan de kant van de engelen.'

Brandon was op het Franse hof aangekomen en dineerde met Koning Francis en diens geliefde echtgenote, Koningin Claude.
'We hebben de pauselijke legaat ontvangen toen hij op zijn reis naar Engeland door Frankrijk kwam,' vertelde Francis aan Brandon. 'Ik heb persoonlijk met Campeggio gesproken. Hij was zeer behoedzaam. Maar uit de weinige dingen die hij heeft gezegd kon ik toch opmaken dat hij huichelde. En ik heb anderen gesproken die hetzelfde gevoel hadden.'
'In welk opzicht huichelde hij?' vroeg Brandon.
'Ik denk dat hij één gezicht toont en het andere verbergt. Hem is gevraagd een zaak af te handelen die hij heimelijk verafschuwt.'
Francis gebaarde dat Brandons glas bijgevuld moest worden en boog zich toen naar hem toe. 'Ik zou de koning, mijn broeder, aanraden behoedzaam te zijn en niet te veel vertrouwen in welke man dan ook te stellen, voor het geval hij misleid wordt.' Hij leunde achterover, glimlachte en nam een slokje wijn.
'Zegt u hetzelfde over Kardinaal Wolsey?' vroeg Brandon.
Francis' gezichtsuitdrukking vertoonde een subtiele verandering. Hij en

Claude wisselden een blik van verstandhouding. Behoedzaam zei Francis: 'Ik heb niets tegen Zijne Eminentie.'
'Natuurlijk niet,' stelde Brandon hem gerust. 'Maar hoe vindt u dat hij zich opstelt tegenover de echtscheiding?'
Francis haalde zijn schouders op. 'Voor zover ik weet wil hij de echtscheiding doorzetten. Hij heeft geen genegenheid voor de koningin. Maar... tegelijkertijd...' Hij zweeg peinzend.
'Tegelijkertijd?' hielp Brandon hem op weg.
Francis plaatste zijn gespitste vingers tegen elkaar alsof hij een oordeel van boven velde. 'Ook heb ik de indruk dat hij een wonderbaarlijke verstandhouding met de paus heeft; ze begrijpen elkaar. En ook met Kardinaal Campeggio. En hij weet veel van Rome.' Hij zweeg opnieuw.
Brandon fronste, terwijl hij probeerde te begrijpen wat hij bedoelde.
Francis vervolgde: 'En als hij dus zo veel begrip voor hen heeft – en zij zelf niet van zins zijn de kwestie van de koning te bevorderen – dan moet ik u in alle openheid zeggen dat ik denk dat de koning zich er zelf meer mee moet bemoeien en het niet moet overlaten aan huichelaars.'
Hij zette zijn glas neer. 'Dat is mijn raad.' Hij raakte even de hand van zijn echtgenote aan, stond op en vertrok. Brandon staarde hem peinzend na.
Hij wendde zich weer tot de koningin en zag een zwaarmoedige blik in haar ogen.
'Waar is hij naartoe?' vroeg hij haar.
Ze haalde haar schouders op. 'Ongetwijfeld naar zijn nieuwste maîtresse.'
'Waarom zou hij dat doen als hij zo'n mooie echtgenote heeft?' zei Brandon zacht.
'Misschien moet u dat aan hem vragen.'
Brandon zag de glans van niet-geplengde tranen in haar ogen. 'Zou u het hem nooit betaald willen zetten?'
Claude antwoordde opnieuw met een schouderophalen. 'Natuurlijk, altijd. Ik ben een vrouw.'
'Ga dan met mij naar bed,' zei hij.
Lange tijd zei ze niets; ze draaide alleen het wijnglas tussen haar vingers. Toen keek ze hem aan. 'Misschien, als u dat wilt. Maar vertel me eerst... hoe maakt uw knappe echtgenote het?'
'Ze...'
Claude legde hem het zwijgen op. 'Ze is net als ik, is het niet? U hebt verhoudingen en zij negeert dat.'
Hij zei niets. Er verscheen een trieste glimlach op Claudes gezicht en ze zei zacht: 'De liefde bedrijven uit verdriet of wraak – wat is dat? Het kwelt de

geest, en de ziel… krimpt. Ja? Begrijpt u, sir? De ziel wordt kleiner… Misschien sterft die zelfs wel.'
Brandon sloeg zijn ogen neer.

Henry en Anne deden een kaartspelletje in Annes vertrekken. Henry leek humeurig en hoewel Anne aan de winnende hand was, was dat slechts ten dele het probleem.
'Wat is er?' vroeg Anne bedeesd.
Na een poosje zei hij: 'Ik heb een bericht van Cromwell gekregen. Na lang wachten kreeg hij toestemming om bij de paus te komen, maar hij heeft in vertwijfeling geschreven.'
Anne speelde een kaart. 'Waarom?'
'Hij gelooft niet dat Clemens iets voor mij zal doen. Hij zei… hij zei over de paus: "Het mag dan in zijn paternoster staan, maar het is niets in zijn geloofsbelijdenis"!'
Anne keek op. 'Wat betekent dat?'
'Hij bedoelt dat de paus misschien bidt dat ik mijn problemen oplos, maar hij zal zich er persoonlijk niet op toeleggen er iets aan te doen. Laat zien!'
Anne probeerde haar kaarten ongezien om te draaien. Maar Henry pakte haar hand. 'Laat zien!' eiste hij, en hij draaide haar hand om. Ze had de hartenaas en de hartenkoning.
Hij liet haar hand los en schoof met een kregelig gebaar de rest van zijn geld naar haar toe.
Hun blikken kruisten elkaar. Beiden keken zeer bedroefd.

Toen Brandon uit Parijs terugkeerde, wilde hij als eerste een bezoek brengen aan zijn medesamenzweerders: Norfolk, Boleyn en een aantal van hun handlangers. Ze ontmoetten elkaar in een privévertrek van Norfolk binnen het paleis.
'Mijne Excellenties,' zei Brandon. 'Het is nu overduidelijk dat Wolsey heimelijk ten nadele van de koning handelt. Hij is die affiniteit die hij altijd met Zijne Majesteit had kwijt. De koning wantrouwt zijn eerste minister en wij moeten dat wantrouwen aanmoedigen.'
'Het is tijd om hem ten val te brengen,' beaamde Norfolk.
Boleyn legde een vel papier op tafel. 'Dat is een schimpschrift. U ziet dat het de dienstperiode van de kardinaal omschrijft als een tijd van zelfgenoegzaamheid, verspilling, onderdrukking en incapabel beleid. Het is klaar om verdeeld te worden.'
'We hebben een plan de campagne gemaakt,' legde Norfolk aan Brandon uit. 'Dat vraagt om de onmiddellijke arrestatie van Wolsey en zijn tussen-

personen, de inbeslagname van hun papieren en een grondig onderzoek van zijn administratie. Zijn corruptie zal openbaar gemaakt worden – zijn verraad gewaarborgd.'
Brandon knikte. 'Ik zal ervoor zorgen dat alle rivierhavens in de gaten worden gehouden, voor het geval Zijne Eminentie – ondanks zijn omvang – probeert weg te rennen.'
Ze wisselden meedogenloze blikken van voldoening uit en genoten van het moment waar ze zo lang naar hadden uitgezien. Norfolk wendde zich tot Boleyn. 'Nu hoeft uw dochter alleen nog maar aan de koning te bewijzen dat al zijn achterdocht gerechtvaardigd is.'
'En dan,' zei Brandon opgewekt anticiperend, 'zal de kardinaal blootgesteld worden aan zijn vijanden!'

Wolsey was wanhopig. Hij voelde dat de eerzuchtige wolven hem aan het insluiten waren. Bij toeval zag hij op een dag Campeggio diens uiterst langzame martelgang door een gang maken. Voor het eerst was de afgezant van de paus niet in het gezelschap van zijn zoon, maar slechts van een enkele dienaar. Wolsey greep zijn kans.
Hij pakte de oude man bij zijn arm, sleurde hem een nabijgelegen kamer in en duwde hem tegen een tafel.
'Het proces is aanstaande,' zei hij.
'Inderdaad... Uwe Excellentie,' stamelde Campeggio.
'Ik wil het u nogmaals duidelijk maken,' zei Wolsey, wiens handen in de armen van de oude man knepen. 'Als u weigert de echtscheiding toe te staan, roept u daarmee een golf van antipathie tegen de paus, het pauselijk hof en het pausdom zelf op!'
Campeggio staarde hem met waterige ogen aan, maar hij was vastberaden. 'Ik ben het aan de Heilige Vader verplicht om in deze zaak waarheid en gerechtigheid te zoeken. En dat, Uwe Excellentie, zal ik proberen te doen, zowaar God mijn getuige is.'
Laaiend verstevigde Wolsey zijn greep. 'U schijnt het nog steeds niet te begrijpen. Ik zal het nog een keer voor u op een rijtje zetten: als u niet ten gunste van de koning besluit, zult u niet alleen de koning en de toewijding van zijn koninkrijk aan Rome verliezen – *maar vernietigt u mij ook – totaal en voor altijd!*'
Ze staarden elkaar aan. Er viel een korte stilte.
'Ik begrijp het volkomen,' zei Campeggio ten slotte. 'U moet vertrouwen hebben, Kardinaal Wolsey.'
Wolsey staarde hem vol ongeloof aan. De paus en Campeggio gooiden hem voor de wolven. Hij was machteloos tegenover een dergelijke onver-

zettelijkheid. Hij verzwakte zijn greep en zag de oude man wankelend naar een stoel lopen.
'God bewaar me,' mompelde Wolsey. Hij draaide zich om en liep weg.

De dag van het proces was aangebroken. Buiten de priorij van de Blackfriars Church in Londen gonsde het van de opwinding. Nooit eerder waren een Koning en Koningin van Engeland gesommeerd om samen voor het gerecht te verschijnen.
De mensen duwden en verdrongen elkaar om de verschillende hoofdrolspelers in dit drama de kerk binnen te zien lopen: Warham, de aartsbisschop van Canterbury, en Bisschop Tunstall met een massa andere priesters. Ook waren er vele vooraanstaande edelen uit het koninkrijk: de Hertog van Norfolk, Brandon, de Graaf van Suffolk, en de Graven van Oxford en Arundel.
De zeventigjarige Bisschop Fisher, de vertegenwoordiger van de koningin, strompelde alleen naar binnen – een eenzame, maar charismatische persoon.
De komst van de koning, geflankeerd door Cromwell en Boleyn, veroorzaakte een golf van opwinding. De koning was voor deze gelegenheid schitterend en pompeus gekleed.
De burgers, die alles halsreikend gadesloegen, speculeerden hardop over de vraag of de koningin al dan niet zou komen.
Eindelijk verscheen Katherine. Begeleid door Griffith ap Rhys, een loyale man die de koningin al sinds haar komst naar Engeland diende, liep ze in de richting van de kerkdeuren. Ze werd onthaald op een hartelijk en donderend applaus. Ze glimlachte en knikte om haar erkentelijkheid te tonen aan de mensen die zo openlijk blijk gaven van hun liefde en genegenheid voor haar.
Een man in de menigte riep: 'Goede Katherine! Hoe zij zich staande houdt! Ze geeft geen duimbreed toe!' Het volk juichte en klapte nog harder.
Katherine betrad de grote zaal terwijl het applaus nog naklonk in haar oren. De prachtige ruimte was ingericht als een plechtig gerechtshof met tapijten op de vloer en aan de wanden. Voor Henry en Katherine waren er zetels onder koninklijke baldakijnen van goudbrokaat; die van de koningin iets lager dan die van de koning. Ze werden gescheiden door de banken van de toeschouwers.
Tegenover hen, aan het hoofdeinde van de zaal, zaten de geestelijken die als voorzitters optraden in hun scharlakenrode gewaden: Campeggio en Wolsey. De eerste was met veel pijn en moeite in zijn stoel geholpen.
Campeggio zegende het gerechtshof en sloeg een kruis met de woorden:

'*In nomine Patris et Filii et Spiritus Sancti.* Ik verklaar dit gerechtshof met de autoriteit van Zijne Heiligheid Paus Clemens nu voor geopend. Alles wat hier gezegd wordt, wordt gezegd onder ede en in aanwezigheid van God almachtig.'

Hij zweeg en keek naar de koning. 'Ik roep Zijne Majesteit op om als eerste het woord te doen over zijn zaak.'

Iedereen draaide zich om naar de koning.

'Uwe Eminenties,' zei Henry. 'U weet met welke reden ik hier aanwezig ben. Het betreft gewetensbezwaren die ik heb aangaande mijn huwelijk. Deze had ik aanvankelijk niet – tot de Bisschop van Tarbes vraagtekens plaatste bij de wettigheid van mijn dochter Mary. Daarna heb ik alom raad ingewonnen en in Leviticus gelezen dat het tegen Gods wet was, en een zonde, dat ik met de vrouw van mijn broer getrouwd ben.'

Hij pauzeerde. 'Uwe Eminenties, ik sta niet alleen in het ter discussie stellen van de geldigheid van mijn huwelijk. Al mijn bisschoppen delen mijn twijfels en hebben een petitie getekend om deze zaak te betwisten...'

Plotseling stond Bisschop Fisher op en zei: 'Mijne Excellenties, ik zeg u nu dat ik een dergelijk document nooit ondertekend heb. En als mijn naam er wel onder staat, heeft Aartsbisschop Warham die daar zonder mijn toestemming neergezet!'

Dit veroorzaakte geroezemoes op de tribunes.

Henry maakte een geïrriteerd gebaar. 'Welnu, ik ga nu niet met u in discussie. U bent slechts één man. Wat betreft de hoofdzaak: als mij gevraagd wordt waarom ik zo lang gewacht heb met het voor het gerecht brengen van deze kwestie, dan kan ik oprecht zeggen dat het de grote liefde die ik de koningin toedraag was die mij daarvan heeft weerhouden. Ook heeft Kardinaal Wolsey dit nimmer aan de orde gesteld. Ikzelf ben degene die alle verantwoordelijkheid draagt, en het is mijn eigen geweten dat me kwelt en in verwarring brengt. En derhalve vraag ik dit hof slechts één ding: gerechtigheid.'

Hij keek naar Campeggio, maar de gezichtsuitdrukking van de oude man was ondoorgrondelijk.

Wolsey kondigde aan: 'Zo dadelijk zal het hof Hare Majesteit de Koningin vragen te reageren op de verklaring van Zijne Majesteit.' Hij keek de zaal rond. 'Maar eerst moet ik het hof meedelen dat de koningin via haar raadslieden heeft geprobeerd de bevoegdheid van dit hof inzake het berechten van haar zaak ter discussie te stellen. Daarnaast betwist zij de onpartijdigheid van haar rechters. En ten slotte betoogt ze dat deze zaak reeds in handen is van een hogere autoriteit – namelijk de paus – en derhalve alleen in Rome berecht kan worden.'

Opnieuw nam hij elke man in het hof in zich op. 'Wat betreft het eerste kunnen Kardinaal Campeggio en ik als naar behoren benoemde legaten bevestigen dat we de benodigde autorisatie van Zijne Heiligheid hebben om de zaak hier te berechten. Ten tweede ontken ik krachtig enige partijdigheid van mijn kant. Ik ben simpelweg door de paus benoemd om de waarheid van dit huwelijk te achterhalen. Tot slot: aangezien dit gerechtshof volgens de regels is ingesteld en legaal is, verwerpen wij de bezwaren van de koningin en vervolgen dit proces zoals ons opgedragen is.'

Hij pauzeerde en zei toen: 'Nu roep ik Hare Majesteit Koningin Katherine op om zich tot het hof te richten.'

Katherine stond op. Ze baande zich met enige moeite een weg tussen de toeschouwers door en bereikte Henry's zetel – en wierp zichzelf aan zijn voeten. Het publiek deinsde van schrik achteruit.

Henry, die er gegeneerd uitzag, hielp haar snel en vriendelijk overeind. Bijna onmiddellijk knielde Katherine opnieuw smekend voor hem neer.

'Sir,' zei Katherine, 'ik smeek u namens alle liefde die er tussen ons is geweest: schenk mij gerechtigheid en rechtvaardigheid, schenk me wat medelijden en compassie, want ik ben een arme vrouw en een vreemdelinge, geboren buiten uw rijksdelen. Ik heb hier geen vrienden en weinig begeleiding. Ik verlaat me op u als hoogste rechtgevende macht in dit koninkrijk.'

Ze keek naar hem op. 'Ik roep God en de hele wereld op om te getuigen dat ik voor u een ware, nederige en gehoorzame echtgenote ben geweest, die altijd aan uw wensen en genoegens tegemoet is gekomen. Ik had al degenen lief die u liefhad, om uwentwille, of ik daar nu reden toe had of niet en of ze nu mijn vrienden of mijn vijanden waren.'

Ze zweeg. De mensen in de rechtszaal keken geboeid en muisstil toe. Henry staarde haar aan; hij leek geheel in de ban van haar ogen.

Katherine vervolgde: 'Bij mij hebt u vele kinderen gehad, hoewel het God heeft behaagd hen van deze wereld te roepen. Maar toen ik voor het eerst de uwe was – en God is mijn rechter – was ik waarlijk maagd, onaangeraakt door mannen. En of dit de waarheid is of niet laat ik aan uw geweten over.'

Het was doodstil toen Katherine opstond. Ze maakte een diepe reverence voor de koning en liep vervolgens aan de arm van Griffith ap Rhys op een waardige manier naar de uitgang.

Henry, die zich te laat realiseerde wat er was gebeurd, gebaarde snel naar de gerechtsbode. Die haastte zich achter de koningin aan en schreeuwde: 'Katherine, Koningin van Engeland, keer terug naar het hof!'

Katherine liet niet blijken dat ze het gehoord had. Met opgeheven hoofd vervolgde ze haar langzame en gracieuze aftocht.

De gerechtsbode schreeuwde nogmaals en iets luider: 'Katherine, Koningin van Engeland, keer terug naar het hof!'
Er steeg een verbaasd en speculatief geroezemoes op onder de toeschouwers. De gerechtsbode riep haar voor de derde keer op om terug te keren. 'Katherine, Koningin van Engeland, u krijgt het bevel terug te keren naar het hof!'
Katherines begeleider, Griffith ap Rhys, aarzelde. 'Misschien moet Uwe Majesteit omkeren! U wordt opnieuw geroepen.'
'Verder, verder,' gaf Katherine hem te kennen. 'Het doet er niet toe, want voor mij heeft dit hof geen betekenis. Daarom zal ik hier niet blijven. Komaan.' Ze bewoog zich statig door de deuren en stapte naar buiten.
Haar verschijning werd begroet met een hernieuwde uitbarsting van gejuich en applaus, hetgeen haar deed glimlachen.
Binnen kon Henry alle juichkreten voor zijn vrouw horen. Ze vulden de zaal. Hij stond op, wierp een boze, verwijtende blik naar Wolsey en stormde toen door de achterdeur naar buiten.
Wolsey, die opstond om voor hem te buigen, verstijfde toen hij de gezichtsuitdrukking van de koning zag.

Hoofdstuk 18

Ondanks de opvallende afwezigheid van de koningin werd de rechtszaak vervolgd. Het was een drukkend hete dag en alle lucht leek uit de rechtszaal verdwenen. Het publiek wuifde zich zo goed als het kon koelte toe. Geflankeerd door Norfolk, Cromwell en Boleyn zat Henry ingespannen te luisteren.

Wolsey richtte zich tot hen. 'Mijne Excellenties, in afwezigheid van de koningin zelf, die door dit tribunaal weerspannig is verklaard omdat ze niet verschijnt als ze daartoe opgeroepen wordt, proberen we vast te stellen of haar eerste huwelijk met Prins Arthur al dan niet is geconsumeerd door vleselijke bekenning. Wij roepen als getuige op: Sir Anthony Willoughby.'

Willoughby, een man van ongeveer Henry's leeftijd, nam plaats voor de legaten.

'Ik heb begrepen dat u tot het gezelschap behoorde dat Prins Arthur naar de echtelijke sponde begeleidde?' vroeg Campeggio.

'Dat is zo, sir,' antwoordde Willoughby. 'Mijn vader was indertijd rentmeester van de huishouding van de koning. Dus ik was aanwezig toen de prins in het bed van Lady Katherine werd gelegd, en ook toen hij de volgende morgen wakker werd.'

'En heeft de prins iets tegen u gezegd toen u hem 's morgens zag?'

'Ja, sir. Hij zei: "Willoughby, ik heb dorst. Breng me een kroes bier. Ik ben vannacht midden in Spanje geweest."'

Even was het stil op de tribune. En toen kon een man zijn lachen niet meer inhouden. Dat werkte aanstekelijk en de rechtszaal galmde van de lachsalvo's.

De gerechtsbode bonkte met zijn staf op de grond en schreeuwde: 'Stilte! Stilte in de rechtszaal!' Het gelach verstomde.

'Nog iets anders?' vroeg Campeggio.

Willoughby knikte. 'Ja, sir. Later die dag zei hij tegen ons: "Meesters, het hebben van een echtgenote is een uitstekend tijdverdrijf."'

Opnieuw werd er gelachen in de rechtszaal.

Wolsey zei: 'Ik geloof dat we wellicht nog beschikken over met bloed bevlekte lakens die het verhaal van deze mijnheer kunnen staven.'
Campeggio keek Wolsey met een uitgestreken gezicht aan. 'Dat zou uiterst bruikbaar zijn, Uwe Eminentie. Uiterst bruikbaar.'

Die avond stonden Wolsey en Cromwell Katherine, die in de kerk zat te bidden, gade te slaan. Wolsey trommelde ongeduldig met zijn vingers. Eindelijk was ze klaar; samen met haar dames begon ze door het gangpad van het altaar weg te lopen. Wolsey en Cromwell stapten in het gangpad en sneden haar de pas af.
Katherine trok haar wenkbrauwen op. 'Heren?'
'Zijne Majesteit vraagt waarom u niet in de rechtszaal verschijnt,' zei Wolsey.
'Daar heb ik u al een antwoord op gegeven.'
Wolsey wierp een blik op haar gevolg van dames, die allen nieuwsgierig meeluisterden. 'Kunnen we ons ergens afzonderen?'
'Waarom?' Katherine keek hem minachtend aan. 'Ik heb niets te verbergen. Mijn dames en de hele wereld mogen horen wat u te zeggen hebt.'
Wolsey probeerde een beleefde uitdrukking op zijn gezicht te toveren. Deze koppige vrouw zou nog eens zijn dood worden. Op zijn voorhoofd parelden zweetdruppels. 'Zijne Majesteit eist dat u deze hele kwestie aan hem overdraagt. Anders zult u door het hof veroordeeld worden.'
Katherine toverde een blik van ontzetting tevoorschijn. 'Het verbaast me een dergelijk verzoek van zo'n nobel en wijs man als u te vernemen. Ik ben slechts een arme vrouw, ik ontbeer zowel wijsheid als scherpzinnigheid. Hoe kan ik reageren op een verzoek dat mij totaal overrompelt?'
Haar sarcasme maakte Wolsey rood van woede. 'U weet maar al te goed wat de koning wenst – en moet hebben.'
Katherine keek kwaad terug. Cromwell sloeg de woordenwisseling onbewogen gade.
'Het enige wat ik weet, Eminentie,' zei Katherine, 'is dat u, in uw eigen belang, dit vuurtje hebt aangewakkerd. Ik heb mij al die tijd, al die jaren, verwonderd over uw hoogmoed en verwaande trots. Ik heb uw weelderige leven verfoeid en totaal geen ontzag gehad voor uw aanmatigende macht en uw tirannie!'
Haar mondhoeken zakten naar beneden van minachting. 'Ik ben eveneens op de hoogte van uw kwaadwilligheid ten opzichte van mijn neef de keizer. U haat hem uit het diepst van uw hart. En waarom? Omdat hij uw ambitie om paus te worden niet wilde bevredigen.'
Ze glimlachte. Wolseys gezicht was vertrokken van woede. Hij moest ver-

schrikkelijk veel moeite doen om zich te beheersen. 'Madame, u maakt een grote fout door te veronderstellen...'
Ze onderbrak hem. 'Mijn enige voldoening haal ik uit het feit dat ik, door u te dwarsbomen, het moment dat u uit de gratie van de koning geraakt bespoedig – een resultaat waar ik ten diepste naar verlang!' En daarmee stevende ze hem voorbij, gevolgd door haar dribbelende dames.
Wolsey was laaiend. Hij maakte aanstalten om achter haar aan te gaan, maar Cromwell pakte hem bij de arm. 'Stop, Uwe Eminentie. Op die manier krijgt u uw echtscheiding niet.'
Wolsey staarde hem aan. 'Er is geen andere manier!' Hij schudde Cromwells hand van zich af en stormde naar buiten.

Die avond was het aan het hof drukker dan ooit, want iedereen was naar Londen gekomen voor de rechtszaak. Henry schreed naar binnen, schitterend gekleed in goudlaken afgezet met lynxvacht. Aan zijn zijde liep Anne Boleyn. Zij was getooid met oogverblindende juwelen en zag er prachtig uit. Ze liepen tussen de buigende mensen door. Anne was zich bewust van de spottende opmerkingen en de kilte achter de valse glimlachjes van de hovelingen, maar ze weigerde daar aanstoot aan te nemen. Ze gedroeg zich uitdagend en vol trots.
Bij de deuren naar de privévertrekken van de koning – op een ereplaats – stonden haar vader en haar oom, de Hertog van Norfolk, alsmede haar broer George. Henry stopte even om hen vriendelijk toe te lachen. Anne kuste hen hartelijk.
Terwijl Anne en Henry naar binnen liepen, zei Norfolk tegen Boleyn: 'Mijn bronnen melden me dat de keizer Wolsey beschuldigt van het aanzetten tot de echtscheiding. Hij denkt dat het volk van Engeland in opstand zal komen en dat creatuur naar het schavot zal brengen.'
'Zijn eind is ongetwijfeld aanstaande,' beaamde Boleyn. 'Waarna Uwe Excellentie de belangrijkste man in de raad zal zijn – zoals dat u ook toekomt.'
Norfolk keek zelfvoldaan en zei: 'In welk geval, Boleyn, ik er alles aan zal doen om de belangen van uw familie te behartigen. Het is waar dat u ver bent gekomen.' Hij glimlachte. 'Maar u zult zelfs nog verder opklimmen!'
In de privévertrekken van de koning zaten Henry en Anne te eten – Anne zat op Katherines stoel. Kamerheren en dienaren zwermden om hen heen; ze brachten eten en schonken wijn in. Henry gaf een teken en de musici begonnen een ballade ten gehore te brengen die Henry zelf voor Anne had gecomponeerd.
Henry kon zijn ogen niet van Anne afhouden. 'Hebt u het gezien? Ieder-

een keek naar u. Dat verheugt me. Ik wil dat ze naar u kijken. Ik wil dat ze afgunstig zijn. Ik wil dat ze weten hoeveel ik van u houd.'
'Dan ben ik, zoals mijn familiespreuk luidt, "het meest gelukkig".' Ze glimlachte en legde haar met edelstenen bezaaide hand op de zijne. 'Hoe is het vandaag bij de rechtszaak gegaan?'
Henry's gezicht verstrakte. 'Wel goed.'
'En toch weigert Katherine nog steeds te verschijnen?'
'Het zal geen verschil maken,' zei Henry kortaf. 'Wolsey belooft me dat ik tegen de zomer mijn echtscheiding zal hebben.'
Anne keek neer op haar bord. 'Beloften zijn gemakkelijk.'
Henry wierp haar een waarschuwende blik toe. Ze negeerde die en zei: 'En als Wolseys belofte nu vals blijkt te zijn?'

In een Londense taveerne aan de haven, die vol zat met gezellen, zeelui en hoeren, werd over niets anders gepraat en gelachen dan de rechtszaak.
Een man sloeg op de bar en vroeg luidkeels om de aandacht van de waard. 'Vriend! Geef me iets te drinken! Ik heb dorst! Als u net zo vaak in Spanje was geweest als ik afgelopen nacht zou u ook een verdomde dorst hebben! Naar binnen en naar buiten, naar binnen en naar buiten, naar binnen en naar buiten...'
Iedereen brulde van de lach om die grap.
Toen hief een stoer uitziende zeeman zijn kroes. 'Een toost, zeg ik! Een toost op Koningin Katherine, de Koningin van Engeland – die geen duimbreed wijkt! – God zegene haar!'
Als één man stonden ze allemaal op en herhaalden de toost: 'Op de Koningin van Engeland – God zegene haar!' En ze dronken hun bier.

Brandon werd midden in de nacht wakker. Margaret was het bed uit gegaan en stond in haar nachtgewaad, met haar armen om zich heen geslagen, uit het raam van hun woning op het platteland te staren.
'Margaret?' zei hij. 'Wat is er?'
'Ik kon niet slapen.'
'Het is koud. Kom weer in bed.'
Ze schudde haar hoofd. 'Nog niet.'
Hij keek een poosje naar haar en zei toen: 'Ik ga morgen naar het hof. Komt u ook? Uw broer heeft wederom om uw aanwezigheid verzocht.'
Weer schudde Margaret haar hoofd. 'Dat heb ik u al gezegd. Niet zolang hij in het openbaar de liefde bedrijft met dat meisje Boleyn. Het is aanstootgevend en hij zet zichzelf voor gek. Iedereen ziet hoe voldaan en inhalig de Boleyns zijn. Waarom hij dan niet?'

'Maar als de koning het u nu beveelt?'
'Dat doet hij niet. Maar gaat u gerust naar het hof als u zich er zorgen over maakt. Ik weet dat u het mist.'
'En als ik nu mijn vrouw mis?'
Ze liep langzaam naar het bed en schonk hem een warme glimlach. Ze boog voorover en streelde zijn gezicht.
Brandon trok zijn wenkbrauwen op van verbazing. 'Wat is dit?'
'Gewoon een echtgenote en haar man,' zei ze zachtjes. Ze boog zich over hem heen en kuste hem teder op de lippen. 'Ga nu slapen, mijn lieveling. Mijn lieve Charles. Ik bid je, ga slapen.' Ze legde haar vingertoppen op zijn oogleden... en zijn ogen gingen dicht.
Margaret verliet het slaapvertrek en begon, terwijl ze een kandelaar hoog hield, de trap af te lopen. Halverwege begon ze te hoesten; ze drukte een zakdoek tegen haar mond.
Toen de hoestbui over was, opende ze haar linnen zakdoek en keek in het kaarslicht naar de bloedvlekken die levendig afstaken tegen het schone doek.

Het gerechtshof in Blackfriars kwam weer bijeen. 'In afwezigheid van de koningin,' kondigde Campeggio aan, 'zal haar raadsheer, Bisschop Fisher, een verklaring afleggen aan dit hof.'
Fisher kwam langzaam overeind. Hij zag er zeer fragiel uit en hoewel zijn stem zacht was, klonk die des te krachtiger en dwingender omdat hij uit zo'n iel lichaam kwam. Hij wendde zich tot het hof: 'Uwe Edelachtbaren, u bent gevraagd een vonnis te vellen over de geldigheid van het koninklijk huwelijk. Heren, het is mijn overtuiging dat dit huwelijk van de koning en de koningin door geen enkele macht, menselijk noch goddelijk, kan worden ontbonden.'
Hij liet een theatrale stilte vallen. Het publiek roerde zich in afwachting van nog heviger zaken. Het gezelschap van de koning wisselde verontruste blikken uit.
Fisher vervolgde: 'Laat ik u, als u mij toestaat, een Bijbelse parallel geven. U herinnert zich ongetwijfeld de viervorst Herodes Antipas, die zich ontdeed van zijn echtgenote om de vrouw van zijn broer te trouwen. En die Johannes de Doper vervolgens liet onthoofden toen deze het koninklijke echtpaar durfde te bekritiseren.'
Deze vergelijking van de koning met een beroemde Bijbelse tiran ontlokte ongelovige kreten aan het publiek.
Fisher ging verder: 'Maar net als Johannes de Doper zeg ik, in alle nederigheid, vandaag tegen u allen dat ik bereid ben mijn leven op te geven om

het sacrament van het huwelijk te verdedigen en overspel te veroordelen!'
Hierop brak er een pandemonium uit in de rechtszaal. Henry was furieus. Fisher werd gedwongen weer te gaan zitten.
Bisschop Tunstall, die achter de koning stond, sprong overeind en schreeuwde boven het tumult uit: 'Edelachtbaren, ik beschuldig Bisschop Fisher van aanmatiging, vermetelheid en trouweloosheid! Ik eis dat u elk verachtelijk woord negeert!'
Maar het leed was al geschied. Buiten zichzelf van woede verliet Henry met zijn entourage de rechtszaal. Alleen Cromwell bleef achter – een berekenende beslissing van hem.
Wolsey stond het tumult ontzet gade te slaan.

Sir Thomas More werd 's avonds het vertrek van Wolsey binnen geleid. Wolsey keek op van zijn bureau, dat, zoals gebruikelijk, kreunde onder stapels officiële documenten en verslagen.
'Ah, Thomas. Kom binnen! Iets drinken?'
More schudde zijn hoofd. 'Niet voor mij, dank u.'
Wolsey schonk zichzelf iets te drinken in. Zijn hand trilde tijdens het schenken. 'Ik heb een missie voor u.' Hij dronk. 'De Fransen en de strijdkrachten van de keizer hebben hun aanvallen gestaakt. Er komt een soort overleg in Frankrijk, in een plaats die Cambrai heet, tussen hun onderhandelaars en vertegenwoordigers van de paus.'
Hij dronk nog wat wijn. 'Ik heb geprobeerd Zijne Majesteit over te halen mij toe te staan dat overleg bij te wonen… maar Zijne Majesteit staat erop dat mijn aanwezigheid hier noodzakelijk is.'
More boog zijn hoofd ter erkenning van een voor de hand liggende waarheid. Wolsey transpireerde, hoewel de avond niet opvallend warm was.
'Waar het om gaat, Thomas, is dat er geen akkoord tussen de twee andere partijen mag komen. Ik heb van de Koning van Frankrijk – die per slot van rekening onze bondgenoot is – persoonlijk de verzekering gekregen dat hij nooit, onder geen enkele omstandigheid, vrede zal sluiten met de keizer. Evenzo mag er geen sprake zijn van toenadering tussen de keizer en de Heilige Vader. U moet begrijpen dat het in dat geval voor de paus onmogelijk zou zijn om aan de wens van de koning te voldoen.'
'Dat begrijp ik,' zei More.
'U hebt principes; dat begrijp ik ook. Maar uit naam van de genegenheid die wij de koning beiden toedragen, is het uw taak om in Cambrai zo obstructief mogelijk te zijn. Zorg dat Francis zijn belofte aan ons niet breekt – en laat de paus niet vergeten dat het de strijdkrachten van Charles waren die Rome zijn binnengevallen en hebben geplunderd!'

Wolsey zweeg en nam weer een slok; zijn hand trilde. 'En er is nog één ander ding. Probeer er op een subtiele manier via zijn tussenpersonen achter te komen of de keizer van plan is geweld te gebruiken om zijn tante te steunen.'
More fronste. 'Denkt u dat hij Engeland zal binnenvallen ter ondersteuning van de koningin?'
Wolsey zwaaide met zijn hand. 'Ik denk niets. Maar ik kan me van alles voorstellen.'

Campeggio was zo verzwakt dat hij door dienaren in een draagstoel naar het hof vervoerd moest worden. Ze zetten de draagstoel buiten het paleis neer en de oude man moest zich vreselijk inspannen om eruit te klimmen. Het regende; een jonge man die de worsteling van de oude man zag haastte zich naar hem toe en hielp hem naar de ingang.
'Dank u, vriendelijke heer,' zei Campeggio.
Geen enkele omstander had in de gaten dat de jonge man een brief in de zak van de kardinaal liet glijden, terwijl hij fluisterde: 'Van Zijne Heiligheid.'
Op een droog plekje had Campeggio even tijd om de brief snel door te lezen; toen stopte hij die weer in zijn zak. Vervolgens schuifelde hij door de deuren het paleis binnen.
Op hetzelfde moment betraden de koning en Knivert de ruimte via een andere deur. Ze zagen dat Campeggio in een stoel naast de open haard werd geholpen.
'Kijk! Hij moet altijd op iemand leunen,' merkte Henry op.
'Misschien zou iemand eens op hem moeten leunen,' zei Knivert.
'Misschien.' Henry liep naar Campeggio toe, die met zeer veel pijn overeind kwam. 'Eminentie.'
'Uwe Majesteit.'
Henry keek hem strak aan. 'Ik reken erop dat u weldra tot een uitspraak zult komen.'
'Inderdaad,' antwoordde Campeggio, zonder iets te beloven.
Op koele toon zei Henry: 'Wij betreuren de berichten over de gebeurtenissen in Duitsland. Over de vernieling van kerken.'
Campeggio schudde zijn hoofd. 'Treurig stemmende gebeurtenissen, Majesteit.'
'Maar waarom gebeurt dat?' zei Henry betekenisvol.
'Majesteit?'
'Dat zal ik u zeggen. De lutheranen uiten hun agressie op wat zij zien als de verdorvenheid van Rome. Ze zeggen dat de ontaarden worden beloond, maar de getrouwen in de steek worden gelaten en een slechte behandeling

krijgen.' Hij liet zijn woorden bezinken. 'Ik ben een gelovig man, Eminentie. God verhoede dat de Heilige Vader mij zijn rug toe zou keren!' Hij draaide zich om en schreed weg.

Henry dineerde nog een keer met Katherine om aan te tonen dat hij haar tafel deelde. Dienaren en kamerheren renden heen en weer. Er klonk muziek. De koning at. Het diner werd onderbroken door lange stiltes.
Na een van die stiltes zei Katherine: 'Hebt u niets vriendelijks te zeggen?'
'Vriendelijk?' zei Henry.
'Tegen uw echtgenote. De moeder van uw kind. U behandelt me zo onaardig. En negeert mij in het openbaar.'
Henry was gepikeerd. 'Katherine, u moet zich neerleggen bij het onvermijdelijke. Het grootste deel van de academische opvattingen weegt in ons nadeel. Wij zijn nooit wettelijk man en vrouw geweest. Het hof zal in mijn voordeel beslissen.' Hij veegde zijn mond af. 'En als dat niet gebeurt, zal ik de paus uitmaken voor ketter en trouwen met wie ik wil.'
'Dat is geen wettelijk argument,' zei Katherine. 'Louter een bewering.'
'Natuurlijk is het wettelijk! Ik heb alle bestaande boeken over canoniek recht gelezen.'
'Uw hele zaak berust op mijn maagdelijkheid. En ik zweer u dat ik een maagd was toen ik met u trouwde.'
Henry was opnieuw niet op zijn gemak. Hij zei niets.
'Lieveling,' zei Katherine zacht, 'ik zweer u bij alle engelen dat ik onaangeroerd was toen ik in uw bed kwam.'
Dat was de laatste druppel. Henry's woede ontvlamde. Hij stond abrupt op. 'Goed! Dan was u een verdoemde maagd. Daar gaat het niet om!' En hij liep bij haar weg.
Hij zette regelrecht koers naar de vertrekken van Anne Boleyn om soelaas te zoeken. Hij vertelde haar over de ruzie met Katherine, maar voor het eerst toonde Anne niet veel medeleven.
'Ik heb u toch gezegd dat als u met Katherine redetwistte, zij ongetwijfeld de bovenhand zou hebben?'
'Ja, maar...' Hij probeerde haar te omhelzen, maar ze wilde er niets van weten. Ze liep zichtbaar overstuur bij hem vandaan. 'Ik zie nu in dat u op een dag zult bezwijken voor haar argumenten en mij afdankt.'
'Wat? Wat bedoelt u? Natuurlijk doe ik dat niet!' Hij probeerde opnieuw haar te omhelzen. 'Ik houd van u, Anne!'
'Laat me los,' zei ze furieus. 'Laat me los!' De tranen sprongen haar in de ogen. Ze worstelde zich los en zei met stemverheffing: 'Ziet u het dan niet? Begrijpt u het dan niet? Ik wacht al zo lang. En waarop?'

Ze spreidde uitzinnig haar armen. 'Ik had allang een gunstig huwelijk kunnen sluiten en zoons kunnen baren – hetgeen voor een vrouw de grootste levensvertroosting is. Maar nu besef ik dat ik mijn tijd en mijn jeugd heb verspild. Zinloos. Voor niets!' Ze was bijna hysterisch.
Henry had geen idee wat hij moest doen. 'Anne, alstublieft. Alstublieft! U zult mijn zonen baren!'
Anne duwde hem van zich af. 'Nee! Het is te laat. Uw echtgenote laat u niet gaan. Dat had ik me moeten realiseren.'
Hij staarde haar verward en verbaasd aan, terwijl zij door de kamer rende en haar spullen verzamelde.
'Waar gaat u heen?' vroeg Henry toen zij in de richting van de deur liep.
'Naar huis!'
'Nee, blijf. Ik smeek het u. Blijf. Ik houd van u. Ik ben...'
Anne vertrok.
'... de Koning van Engeland,' maakte Henry zijn zin af. Maar Anne was weg.

De dag van het vonnis was aangebroken. Henry zat, geflankeerd door Norfolk, Brandon en Boleyn, gespannen te wachten. De rechtszaal was afgeladen; de mensen zaten stil af te wachten. Alle ogen waren gericht op de twee gestalten in hun rode kardinaalsgewaden.
Het duurde en duurde maar. Campeggio verroerde zich nog steeds niet.
'Dit is niet uit te houden,' mompelde Brandon.
Henry hoorde hem. 'Zwijg!'
De procureur van de koning baande zich een weg naar de twee kardinalen en boog. 'Eminenties, overeenkomstig de wetten en regels van dit tribunaal, en de wensen van Zijne Majesteit, vraag ik u officieel uw oordeel uit te spreken.'
Hij boog opnieuw en trok zich terug. Iedereen wachtte.
Langzaam en pijnlijk leunend op een stok ging Campeggio rechtop staan. Er viel een lange stilte en toen zei hij ten slotte: 'Uwe Majesteit... Mijne Excellenties... na uitvoerig overleg is besloten dat deze voorname kwestie te belangrijk is om er hier, zonder consultatie van de curie in Rome, een vonnis over te vellen.'
Hij bevochtigde zijn droge lippen... en voelde een kwaadwillende stemming om zich heen ontstaan. 'Helaas is de curie momenteel met zomerreces. Derhalve is er geen enkele andere mogelijkheid dan dit tribunaal te verdagen tot 1 oktober. Dat is onze uitspraak.'
Het duurde een paar tellen voor de betekenis van zijn woorden was doorgedrongen. Toen barstte er een luid gejoel los. Een wanhopige Wolsey vloekte tegen Campeggio.

Henry staarde ongelovig voor zich uit. Hij was bedrogen! Hij had verloren! Met een van woede vertrokken gezicht stond hij op en beende naar buiten. Norfolk liep achter hem aan.
Ook Wolsey probeerde ervandoor te gaan, maar Brandon greep hem vast en zei met luide stem: 'Weet u nog, het goede oude Engeland in de tijd dat er nog kardinalen onder ons waren!'
Wolsey draaide zich laaiend naar hem toe. 'Bent u zo dom om te denken dat *ik* hierachter zit?' Hij keek Brandon misprijzend aan en voegde eraan toe: 'En van alle mannen in dit koninkrijk hebt *u* wel de minste reden om boos te zijn op kardinalen! Want als ik, een eenvoudige kardinaal, er niet was geweest, zou u geen hoofd meer op uw schouders hebben!' Wolsey duwde Brandon woedend opzij en verliet de rechtszaal.
Achter hem brak een pandemonium los.

Hoofdstuk 19

Koningin Katherine glimlachte toen de Spaanse ambassadeur, Señor Mendoza, haar hand kuste. 'Een gelukkige dag, Majesteit,' zei hij in het Spaans, want hoewel er slechts een paar hofdames van Katherine aanwezig waren, spioneerde minstens één van hen voor Wolsey.
'Dat is het zeker, Señor Mendoza. Ik was zeer verrast – en verheugd – aangaande het vonnis.'
Fluisterend vertelde hij haar: 'Campeggio heeft van Zijne Heiligheid geheime instructies ontvangen om de zaak naar Rome te halen.'
Katherine glimlachte weer. 'Dus ik ben niet in de steek gelaten.'
'De keizer heeft zich onvermoeibaar voor uw zaak ingespannen,' verzekerde hij haar.
Katherine stapte over op het Engels. 'Is het waar dat u vertrekt?'
'Ja, Majesteit. Ambassadeur Chapuys zal mij vervangen.'
'Ik ken hem.'
'Hij is een zeer betrouwbaar iemand en hij zal uw verdediging met alle mogelijke loyaliteit en ijver op zich nemen.'
'Zoals u hebt gedaan, Señor Mendoza. Neem dit, ter herinnering aan mij.' Ze haalde een grote edelsteen van haar keurslijf en gaf die aan hem.
Mendoza, die geraakt was door het gebaar, boog opnieuw diep en kuste haar hand. 'Majesteit.'

Ondanks de precaire positie waarin hij verkeerde, bleef Wolsey doorwerken. Hij ploegde zich achter zijn bureau door een berg papierwerk alsof er niets was veranderd. De recente gebeurtenissen hadden echter een fysieke tol van hem geëist. Hij zag er gespannen uit, was afgevallen en er zaten donkere kringen onder zijn ogen. Hij had al heel lang niet goed geslapen.
Hij ondertekende een document en bezegelde het net met het kanselierszegel, toen de deur openging en een dienaar de komst van Wolseys voormalige protegé en thans de secretaris van de koning, Mijnheer Thomas Cromwell, aankondigde.

Wolsey keek hoopvol op naar Cromwell. 'Thomas, hoe maakt de koning het?'
'Zijne Majesteit heeft besloten een hofreis te maken. Onmiddellijk.' Cromwell ging zitten en voegde er toen aan toe: 'Hij gaat met Lady Anne.'
Wolseys gezicht betrok door dit slechte nieuws. Hij wist dat Anne Boleyn de tijd zou gebruiken om Henry nog meer tegen hem in het harnas te jagen. In gedachten ging hij koortsachtig op zoek naar iets waarmee hij de genade van de koning kon terugwinnen.
'Zeg tegen Zijne Majesteit dat ik hem nu de baten van het bisdom Durham in handen geef,' zei hij. 'Het is een van de rijkste in Engeland.'
Cromwell boog zijn hoofd.
'En vertel Zijne Majesteit dat ik zal blijven werken aan zijn voorname zaak,' ging Wolsey verder. 'Zeg hem dat zowel Zijne Eminentie Kardinaal Campeggio als ik zijn wettelijke wens gaarne zal volvoeren.'
'Ik zal het hem zeggen.'
'En Thomas...' Wolsey zweeg. Hij ademde zwaar en veegde wat zweet rond zijn mond weg. 'Thomas, zeg me dat ik erop kan vertrouwen dat u mijn belangen bij Zijne Majesteit behartigt.' Hij hield Thomas' aandacht vast met een bezorgde blik.
'Dat mag u, Uwe Eminentie,' verzekerde Cromwell hem. 'Want zonder u zou ik nog steeds een eenvoudige klerk zijn, nutteloos en zonder toekomst. Ik ben u mijn leven schuldig.'
Die woorden van Cromwell toverden een klein glimlachje op Wolseys gezicht.

Henry was gewend regelmatig hofreizen te maken door zijn koninkrijk. Het diende verschillende doelen: het stelde hem in staat contact te houden met zijn onderdanen, het zorgde ervoor dat de kosten van het levensonderhoud van het grote aantal mensen aan het hof werden uitgesmeerd, het maakte het leven interessanter en het was een voorzorgsmaatregel tegen de opstapeling van viezigheid en ziekte.
Het feit dat hij deze keer met Anne reisde bezorgde Henry een nieuw soort opwinding. Hij en Anne reden voor de rest van het gezelschap uit; ze galoppeerden snel over het landschap en genoten van een gevoel van vrijheid. Toen ze een heuvel beklommen, werd de wind harder en feller en kleurde de lucht voor hen donker. Henry's stemming veranderde abrupt. Hij trok de teugels aan en zei bitter: 'Ik ben ontboden in Rome. Ik moet verschijnen voor de paus om verantwoording af te leggen!' Hij maakte een gebaar van onderdrukte woede. 'Kunt u het zich voorstellen? Ik! De Koning van Engeland! Die geen enkele superieur erkent behalve God!'
'Zoals het hoort,' beaamde Anne zacht. 'Geen superieur, behalve God!'

'Wolsey had deze zaak al maanden geleden moeten regelen.'
'Misschien plaatst Wolsey zijn paus voor zijn koning.'
Hij staarde haar aan en kreeg een harde uitdrukking op zijn gezicht. 'Dan is hij vervloekt! Hel en verdoemenis!' Hij draafde in een cirkel om Anne heen en hield zijn ogen geen moment van haar af. Toen vertraagde hij, legde zijn hand onder haar hoofd en duwde haar mond tegen de zijne voor een hartstochtelijke, langdurige kus.
Na een paar minuten reden ze langzaam weer verder. De rest van het gezelschap was nog steeds in geen velden of wegen te bekennen.
'Mag ik vrijuit spreken?' zei Anne na een poosje.
'Natuurlijk, mijn lief. Zeg wat u wilt. Alles wat van uw lippen komt is zoet voor mij.'
'Er zijn mensen die, op gezaghebbende gronden, niet veel op hebben met pausen.' Ze wierp hem een snelle zijdelingse blik toe en ging verder. 'Die schrijvers zeggen dat de koning zowel keizer als absoluut paus is in zijn eigen koninkrijk.'
Henry wierp haar een scherpe blik toe. Dit was gevaarlijk terrein – ketterij – en dat wisten ze beiden. Maar Henry had de grenzen van zijn geduld met pausen bereikt. Als er inderdaad een andere manier was om zijn echtscheiding te krijgen, zonder afhankelijk te zijn van de paus, dan zou hij die overwegen.
Een tijd lang zei hij niets; toen vroeg hij behoedzaam: 'Welke... schrijvers?'
'Ik heb een boek dat ik aan u kan tonen – met uw toestemming.'
Hij dacht even na en knikte toen. 'Goed, laat het me zien.'
Net toen het begon te donderen en de regen neerkletterde, bereikten ze Grafton House. Ze haastten zich lachend om hun ontsnapping naar binnen, terwijl de bedienden heen en weer renden om hun bezittingen uit te pakken.

Later die middag bracht Anne het beloofde boek naar Henry. Het was een klein, dun boekje – het boek dat Cromwell haar had gegeven: een radicale, Lutherse geloofsbelijdenis.
Henry pakte het behoedzaam aan, maar sloeg het niet meteen open. Het openslaan, een boek lezen waarvan hij wist dat het ketters was, was een enorme stap. Nog niet zo lang geleden had hij Luther en zijn geloof openlijk in een pamflet veroordeeld. Hij zou zoiets niet eens moeten overwegen. De paus – en Wolsey – hadden hem hiertoe gedreven.
Maar als hij eenmaal het boek opensloeg, eenmaal het besef overwoog dat de paus misschien niet zijn meester was... dan zou alles mogelijk kunnen zijn. Dan zou de wereld voor altijd veranderen.

Hij legde het boek op een klein tafeltje en begon rusteloos heen en weer te lopen. De onweersbui schudde en geselde het huis. Hoewel het niet laat was, was de duisternis door het weer al vroeg ingevallen en waren er kaarsen aangestoken.
Henry ijsbeerde peinzend door de kamer. Hij passeerde de tafel en stond opeens stil, omdat zijn aandacht werd gevangen. De kamer was vol donkere schaduwen, maar het boek baadde in een poel van gouden kaarslicht. Hij staarde er een tijd lang naar – toen sloeg hij het open en begon te lezen.

In Brandons huis op het platteland zat Margaret in een kamer op de bovenverdieping. Ze droeg alleen een nachtgewaad; dat hing vormeloos om haar inmiddels uitgemergelde en door de tering geschonden lichaam.
Ze staarde verdrietig naar een brief van haar echtgenoot en bewoog zich toen pijnlijk traag naar een tafel. Haar ademhaling was schurend en zwoegend. Ze haalde een vel papier tevoorschijn, doopte een ganzenveer in de inkt en begon te schrijven.

> *Nee, Charles, ik kom niet terug aan het hof. Niet terwijl mijn broer zich vermaakt met die vrouw – zoals u zich ongetwijfeld vermaakt met de mooie, jonge sletjes die u zo makkelijk voor zich winnen.*

Ze pakte een kleine spiegel en staarde naar haar spiegelbeeld. Ooit werd ze beschouwd als een schoonheid; nu kon ze niet eens aantrekkelijk meer genoemd worden. Ze was een en al botten en had een fletse, asgrauwe teint. Haar enorme ogen lagen diep in hun kassen en waren roodomrand. Ze leek op een oude heks – of de geest daarvan.
Ze liet een bitter lachje ontsnappen, waar ze zich in verslikte; ze hoestte bloed op in haar toch al bloederige zakdoek. Het zou niet lang meer duren voor ze een geest was. Maar hij mocht haar niet zo zien. Ze wilde dat hij zich haar herinnerde als jong en prachtig en hartstochtelijk.
Ze sloot heel kort haar ogen, alsof ze pijn had, en dwong ze toen weer open om verder te schrijven.

> *Ga gerust uw gang met die vrouwen. Ik heb geen behoefte aan uw aanwezigheid hier – ik heb belangrijker zaken om mezelf mee bezig te houden.*

Ze tilde haar zware oogleden op en keek door het raam naar het kerkhof op de heuvel.
Ze strooide zand over haar brief, vouwde die dicht en verzegelde hem met rode zegelwas. De gesmolten was druppelde als helder, dik bloed op het pa-

pier. Opnieuw ontsnapte haar een wrange lach – een lach die veranderde in een snik en toen een hoestaanval werd. Zodra de acute aanval over was, pakte ze de brief op en hield die teder tegen haar wang.

'Vaarwel, mijn liefste,' fluisterde ze. Ze kuste het heldere, bloedkleurige zegel. 'Rouw niet om mij.'

Ze belde een dienaar. 'Laat deze onmiddellijk naar mijn echtgenoot brengen,' zei ze, terwijl ze hem de brief overhandigde.

De man vertrok. Margaret zag de bode door het raam weggalopperen. Ze wachtte tot hij achter de heuvel verdwenen was en stond toen op, terwijl ze haar tranen wegveegde.

Ze liep traag en moeizaam naar de bovenkant van de trap. Haar lichaam schokte en ze sperde haar ogen open toen haar mond zich plotseling met bloed vulde. Ze staarde – alsof het iemand anders overkwam – naar het bloed dat uit haar mond op haar nachtgewaad spoot en op de stenen vloer spatte. Het druppelde op haar bleke, smalle voeten en liep tussen haar tenen door. Opeens zakte ze in elkaar en wankelde voorover.

'Vrouwe!' schreeuwde een dienstmeid. Ze rende naar haar toe omdat ze zag dat ze ging vallen, maar toen ze de stromen bloed ontwaarde, begon ze te krijsen.

'Thomas! U hebt helemaal geen voorbode gestuurd om te vertellen dat u teruggekeerd was uit Italië,' riep Wolsey uit. 'Kom, kom! Vertel me wat er gebeurd is! Ik neem aan dat u op tijd voor de onderhandelingen in Cambrai was?'

More trok een gezicht. 'Niet echt. We waren een week te laat.'

'Een *week*?' Wolsey keek ontzet. 'Hoe hebt u dan kunnen bijdragen aan de wezenlijk belangrijke debatten?'

More haalde zijn schouders op. 'Dat konden we niet. We hebben niet deelgenomen aan de belangrijkste gesprekken. We waren slechts in staat een rol te spelen bij ondergeschikte onderhandelingen met de belangrijkste partijen.'

Wolsey staarde hem aan. Het woord 'ondergeschikte' leek in de lucht te blijven hangen. Wolsey haalde een verfrommelde zakdoek tevoorschijn en depte zijn voorhoofd. Het was geen warme dag. 'Welke onderhandelingen?'

'Het doet mij deugd u te melden dat we een terugkeer naar wederzijds gunstige handelsbetrekkingen tussen onszelf en de Lage Landen veilig hebben kunnen stellen. We hebben bovendien garanties verkregen met betrekking tot oude betalingen die de keizer de koning schuldig is.'

'Maar de belangrijkste geschillen, Thomas. Wat is er gebeurd? Heeft de Koning van Frankrijk geweigerd vrede te sluiten?'

'Integendeel. Hij heeft al zijn geschillen met de keizer bijgelegd – en ze hebben allebei hun geschillen met Zijne Heiligheid Paus Clemens bijgelegd,' vertelde More hem, schijnbaar verheugd over het nieuws.
Wolsey slikte. Als de keizer, de paus en de Koning van Frankrijk hun krachten hadden gebundeld, was de kans op een scheiding voor Henry verkeken. En Wolsey wist maar al te goed wie Henry daarvan de schuld zou geven. 'Met andere woorden, we zijn met opzet aan de kant gezet.'
More haalde schijnbaar onbezorgd zijn schouders op. 'Als u het zo wilt stellen.'
'Nu is er geen enkele kans meer dat de paus instemt met een echtscheiding.'
More boog zijn hoofd en zweeg diplomatiek.
Zijn reactie maakte Wolsey woedend. 'Zeg me eens, Thomas: wat denkt u nu precies bereikt te hebben in Cambrai waardoor u er zo zelfvoldaan uitziet?'
'Voor het merendeel was het niet aan mij om iets te bereiken – en toch beschouw ik deze diplomatie als geslaagd.'
Wolsey keek hem vol ongeloof aan.
More vervolgde: 'Er is weer vrede in Europa – iets waarover elke humanist zich zou moeten verheugen. Engeland heeft weer een goede verstandhouding met de keizer, maar nog belangrijker is dat de autoriteit van de paus is hersteld en wordt erkend. Dat is waar ik in geloof.'
Wolsey stond op; hij was in toenemende mate geagiteerd geraakt door de bodemloze afgrond die hij voor zijn ogen zag groeien. 'Francis heeft me verraden.'
More schudde zijn hoofd. 'Nee. Hij zag de nutteloosheid van oorlog in. Hij erkende de behoefte aan overlevering.'
'Thomas,' zei Wolsey, 'u hebt mij kapotgemaakt.'
More keek zonder met zijn ogen te knipperen naar hem terug. 'Dat was niet mijn intentie,' zei hij langzaam. 'Onze doelen verschillen.'

Het hof had zich nu verzameld in Henry's huis in Grafton in Northamptonshire: een bescheiden huishouding, maar favoriet bij Henry vanwege de uitstekende jachtmogelijkheden die het bood.
Henry zat een raadsvergadering voor toen Brandon onaangekondigd binnen kwam stormen. Hij zag er radeloos uit.
'Uwe Excellentie?' Henry wendde zich met kille afkeuring tot hem.
'Majesteit... vergeef me.' Brandon zweeg en keek in het rond; het leek alsof hij zijn tekst kwijt was.
Uiteindelijk ging hij voor de koning staan en zei botweg: 'Margaret is dood.'
Er viel een geschrokken stilte.
'Hoe?' vroeg Henry na een tijdje.

'Ze...' Brandon keek naar de grond en wierp toen een gekwelde blik op Henry. 'Ze was... ziek.'
Henry beantwoordde zijn blik. Lange tijd was het stil en toen zei Henry op barse toon: 'En u hebt er nooit één moment aan gedacht mij te vertellen dat ze ziek was?'
Brandon liet zijn hoofd hangen; hij was niet in staat het uit te leggen. Hoe kon hij toegeven dat hij het zelf niet had geweten, dat het zo lang geleden was dat hij zijn echtgenote had gezien?
Een tijd lang zei Henry niets. Toen stond hij op en schreed zonder een woord te zeggen de kamer uit.
De deur sloot zich achter hem. Ongezien liet Henry zich tegen de muur naar beneden zakken. Zijn gezicht verschrompelde. 'Mijn kleine zusje,' mompelde hij gebroken, terwijl hij zijn gezicht met zijn handen bedekte.

De regen viel koud en meedogenloos met bakken uit de hemel op de dag van Margarets begrafenis. In een plechtige processie werd haar kist over een pad tussen de tarwevelden en een stuk heidegrond, langs de eeuwenoude plataan gedragen. Door de bewerkte ijzeren hekken betrad de stoet het kerkhof met stenen graftombes en middeleeuwse kruizen.
De Hertog van Norfolk leidde, als vertegenwoordiger van de koning, de processie. Het saaie zwart van zijn begrafeniskleding deed geen afbreuk aan de kostbaarheid ervan. Brandon volgde hem met een ernstig en emotieloos gezicht. Achter hem liepen vele anderen: vertegenwoordigers van de meeste adellijke families uit het koninkrijk, onder wie Knivert en Boleyn, Derby en More.
Dorpelingen en bedienden stonden langs de route; de mannen blootshoofds ondanks de regen. Veel vrouwen huilden.
Een kleine jongen stond naast zijn plechtig toekijkende vader. 'Als die mevrouw de zuster van de koning was, waarom is de koning er dan niet?' vroeg hij.
'De koning mag niet naar begrafenissen toe,' vertelde zijn vader hem met gedempte stem.
'Waarom niet?'
'Omdat het niemand is toegestaan om tegelijkertijd aan de dood en aan de koning te denken,' legde de vader uit. 'Alleen al denken aan de dood van de koning is verraad, dus zwijg nu, geen woord meer.'
De versierde kist werd naar de grafkelder van de Brandons gedragen. Brandons gezicht was uitdrukkingsloos; ook toen de kist naar binnen werd gedragen, leek de dood van zijn echtgenote hem niet te raken.
De aartsbisschop van Canterbury ging de plechtigheid voor. Koorknapen

zongen Latijnse psalmen en de kist werd op een marmeren plaat gezet. Vervolgens werd het deksel verwijderd waardoor Margarets lichaam, gekleed in een eenvoudige hemdjurk, zichtbaar werd. De huid van haar gezicht was bleek en wasachtig, haar lange, smalle handen waren gevouwen alsof ze bad. In een laatste gebed werd haar ziel in de handen van God overgedragen. Toen vertrok iedereen en bleef Brandon alleen achter bij het ontzielde lichaam van zijn echtgenote.

De laatste voetstappen stierven weg, de laatste gefluisterde gesprekken vervaagden en ten slotte was er alleen nog het trommelende geluid van de gestaag neervallende regendruppels.

Brandon staarde naar het lichaam van de vrouw die hij zo achteloos had behandeld. Margaret, van wie hij zo hartstochtelijk had gehouden – hartstochtelijk genoeg om zijn nek voor haar te wagen – en die hij... op de een of andere manier... was kwijtgeraakt, zonder te begrijpen waarom... of zich dat zelfs te realiseren.

Daar, op die plek, drong het verlies met volle kracht tot hem door; zijn keel werd verstikt door onuitgesproken woorden en hij begon met lange, gierende en pijnlijke uithalen te huilen. Het was op dat moment dat hij de woorden sprak die hij niet over zijn lippen had gekregen toen ze leefde, de woorden van liefde en afscheid, spijt en woede. Terwijl hij haar koude lippen kuste en haar wassen oogleden sloot, vroeg hij haar ten slotte om vergiffenis.

Campeggio en Wolsey waren ontboden bij de koning in Grafton. Ze arriveerden gezamenlijk: Campeggio in een door paarden getrokken draagstoel en Wolsey te paard. Ze werden op het erf ontvangen door de kamerheren en bedienden van de koning – een opzettelijke belediging, zoals Wolsey opmerkte, want er was niet één voorname heer om hen te begroeten.

Toen Wolsey en Campeggio afstegen, liep een van de kamerheren – nogal nadrukkelijk – naar Campeggio, boog voor hem en zei: 'Deze kant op, Excellentie.' Hij leidde de oude man het huis binnen.

Wolsey, die niet begroet en zelfs door geen enkele kamerheer aangekeken werd, volgde hen terwijl hij zijn best deed geen blijk te geven van het onrustige gevoel dat een dergelijk schaamteloos gebrek aan respect bij hem opriep.

De kamerheer bracht Campeggio naar een kamer. 'De kamer van Uwe Eerwaarde,' zei hij. Toen Campeggio naar binnen ging, draaide de kamerheer zich om om te vertrekken.

'Wacht!' Wolsey wilde hem tegenhouden. 'Waar is mijn kamer?'

'Er is voor u geen kamer in gereedheid gebracht, Uwe Eminentie,' zei de man op verveelde toon.

'Maar ik moet mij omkleden,' zei Wolsey. 'Ik heb mijn rijkleren nog aan.'
De man haalde zijn schouders op. 'Dan kunt u dat maar beter ergens anders vragen.' Met een barse, zelfvoldane uitdrukking liep hij weg.
Verdwaasd door de manier waarop hij door een ondergeschikte behandeld was strompelde Wolsey door een duistere gang op zoek naar een plek waar hij zich kon verkleden en tot zichzelf kon komen.
'Uwe Eminentie,' sprak een zachte, respectvolle stem achter hem. Wolsey draaide zich om en tuurde in de slecht verlichte gang. Het was een oude bediende; een man die hij al behoorlijk lang niet meer gezien had.
'Mijnheer Norris?'
Norris knikte. 'Ja, Uwe Eminentie. Hier, u kunt mijn kamer gebruiken. Het is niet veel, maar...' Hij wierp Wolsey een spijtige blik toe en liet hem een kleine, benauwde kamer binnen: de kamer van een bediende, niet van een belangrijk iemand. 'Ik zal uw kist laten halen, Eminentie. Als u zich omgekleed hebt, kunt u naar het audiëntievertrek gaan.'
Met enige moeite zei Wolsey: 'Ik ben u dankbaar, Norris.'
Het vriendelijke gezicht van de man werd week. 'Sir, veel mensen hier hebben reden om u dankbaar te zijn. Alleen laten ze het helaas niet zien.'
Even later begeleidde Norris Wolsey naar het audiëntievertrek – dat simpelweg zo genoemd werd omdat de koning er audiëntie hield. Hij en Campeggio wachtten. Er was geen stoel neergezet, zelfs niet voor de oude, zwakke Italiaan.
Na lang wachten werden ze toegelaten. Het was een kleine kamer die, voor deze gelegenheid, afgeladen vol was. Een groot deel van de adellijken uit het koninkrijk was aanwezig – voor het merendeel degenen die Wolsey verachtten.
Wolsey begreep in één oogopslag wat er aan de hand was: zijn vijanden waren hier gekomen om zich te verkneukelen over zijn ondergang. Ze waren gekomen om getuige te zijn van zijn vernedering.
Hij keek in de richting van de koning, die onder een baldakijn van goudlaken zat. Henry stond op en kwam naar hem toe; hij zag er zeer onbuigzaam uit. Zowel Campeggio als Wolsey viel op de knieën.
Henry stond met opgetrokken wenkbrauwen op hen neer te kijken, toen zijn gezicht opeens opklaarde. Hij boog en tilde Wolsey overeind, pakte hem bij de arm en leidde hem door de kamer naar een raam. Wolsey was op zijn hoede; hij wist niet zeker wat er ging gebeuren. Maar toen ving hij de verraste en verwarde blikken van Boleyn en zijn dochter, en die op Brandons gezicht op. Dat gaf hem moed.
Brandon keek Boleyn beschuldigend aan toen de koning Wolsey met onmiskenbare hartelijkheid omhelsde.

'Waar is hij in godsnaam mee bezig?' mompelde Brandon. 'Hoe kan hij hem vergeven?'
Boleyn schudde vertwijfeld zijn hoofd. 'Ik tast net zozeer in het duister als Uwe Excellentie. Ik had nooit gedacht...'
Wolsey zag hun verbijstering en onmiskenbare ontsteltenis, en koesterde zich in de warme aandacht van de koning, ook al vermoedde hij dat die van tijdelijke aard was. Hij had nog een kans.
'Men vertelt mij dat u onwel bent geweest,' zei Henry, die bezorgd klonk. 'Is dat waar?'
'Majesteit, wanneer ben ik ooit onwel genoeg geweest om u te dienen?'
Henry knikte hevig. 'Dat dacht ik al! Mensen vertellen me zulke leugens. Wie kan ik vertrouwen?' Hij lachte en sloeg Wolsey op zijn rug. 'Wij hebben samen heel veel meegemaakt, Wolsey, is het niet zo? Denkt u dat ik dat ooit zou kunnen vergeten?'
Wolsey was erg geroerd en het kon hem niet schelen wie dat zag. Met verstikte stem zei hij: 'En er is nog steeds veel meer te doen.'
Henry glimlachte, maar toen hij de Italiaanse kardinaal in het oog kreeg, raakte hij afgeleid. 'Dat weet ik, dat weet ik. Maar kijk eens naar Campeggio! Dat is pas een man die ziek is! Hoe krijgt men jicht? Misschien haalt hij het einde van de reis wel niet! Ik veronderstel dat ik met hem moet praten.' Hij fronste geërgerd, keek toen weer naar Wolsey en verlaagde zijn stem. 'Vrees niet. Morgen zullen we een behoorlijk gesprek voeren.'
Vervuld van genegenheid en dankbaarheid knikte Wolsey. Maar toen de koning wegliep, zag hij dat Boleyn hem boosaardig aanstaarde. Toen boog hij zich voorover en fluisterde iets in het oor van zijn dochter. Anne keek op en staarde recht door de kamer heen naar Wolsey. Ze knikte langzaam en Wolseys bloed bevroor in zijn aderen.

Die avond dineerde Henry met Anne. Henry at met veel smaak en hij was duidelijk in een opperbeste stemming.
'Hoe kunt u zo vriendelijk zijn tegen Wolsey?' vroeg Anne. 'Nadat hij u zo teleurgesteld heeft.'
Henry kauwde nadenkend. 'Het is niet allemaal zijn schuld.'
'Hij is uw eerste minister. Hij heeft alle touwtjes in handen – u weet dat dat zo is. Maar Wolsey is de kardinaal van een Kerk die u *nooit* zal bevrijden, een Kerk die u in de tang houdt.'
'Wolsey zet zich onvermoeibaar in voor mijn belangen,' gaf Henry haar te kennen. 'Ik ken hem beter dan ik u ken.'
Anne zuchtte. 'Dan bent u verblind door genegenheid. Als hij werkelijk

had gewild dat u vrij zou zijn van Katherine, denkt u dan dat hem dat niet gelukt zou zijn?' Ze legde haar hand op de zijne en zei: 'U weet – diep vanbinnen – wiens fout het is dat u niet kunt scheiden.'
Henry keek haar aan en fronste.

Later die avond liep hij te ijsberen in zijn kamer en piekerde over wat Anne had gezegd. Wolsey had inderdaad alle touwtjes in handen. En hoewel hij Henry altijd goed had gediend, had hij in dit geval de paus op de eerste plaats gezet. Henry wist het zeker. Verder was Wolsey *altijd* in staat geweest *alles* te doen wat hij van hem had gevraagd.
Hij liep naar het raam; een beweging deed hem naar beneden turen. Wolsey stond daar met een kluitje mensen rustig te praten bij het licht van een brandende toorts.
Henry staarde neer op de vriend en kanselier die hij al zo lang kende en piekerde. Ooit was Wolsey als een vader voor hem geweest.
Maar de tijden waren veranderd. De ochtend erop zouden ze naar het volgende huis op zijn hofreis gaan.

De volgende morgen hing er mist boven het huis en het erf. Anne, Henry en zijn gezelschap waren al gekleed en bestegen hun paarden toen Wolsey en Campeggio uit hun logementen kwamen. Er had zich een kleine menigte verzameld om de vertrekkende koning toe te juichen.
Wolsey probeerde zich een weg te banen over het volle erf om de koning te begroeten. Op een teken van Norfolk duwden soldaten hem naar achteren, weg van de vorst, alsof Wolsey iemand van het gewone volk was.
Henry leek het niet te merken. Wolsey zwaaide en probeerde de aandacht van de koning te trekken. Henry, die geflankeerd werd door Norfolk en Boleyn, keek niet eens zijn richting uit. Anne Boleyn wierp Wolsey een zelfvoldane blik toe en de kardinaal besefte dat de koning met opzet vermeed zijn kant op te kijken.
Er was niemand die de feitelijke en symbolische betekenis van het niet toegelaten worden in de omgeving van de koning beter begreep dan Wolsey. Het was van wezenlijk belang dat hij het contact herstelde, de koning eraan herinnerde dat Wolsey diens oude vriend en trouwe dienaar was.
Hij probeerde zich langs de soldaten te wringen. Ze hielden hem tegen. 'Majesteit! Uwe Majesteit!' riep hij.
De soldaten duwden hem terug, maar hij kreeg een sprankje hoop toen hij merkte dat Henry zijn wanhoopskreet had gehoord. Wolsey zag dat de koning aarzelde en omkeek. Zijn hart zonk in zijn schoenen toen hij de korte worsteling op Henry's gezicht zag.

Toen verhardde het gezicht van de koning en draaide hij Wolsey zijn rug toe. Met Anne aan zijn zijde reed hij weg.

Het gebruikelijke groepje pottenkijkers dat rondhing bij de hekken van Whitehall week zenuwachtig uiteen toen Brandon en de Hertog van Norfolk het terrein op kwamen rijden. Ze keken zo grimmig dat het leek of ze waren gekomen om een moord te plegen. Ze stegen af, betraden samen het paleis en beenden dreigend over het hof.
Het stel baande zich een weg naar Wolseys privévertrekken. Wolsey was zojuist naar binnen gegaan. Hij deed net de deur achter zich dicht, toen Norfolk die weer openduwde. Hij en Brandon stapten naar binnen en lieten de deur openstaan. Meteen verzamelde zich buiten een menigte, die nieuwsgierig naar binnen gluurde.
Wolsey keerde zijn gezicht naar zijn vijanden.
'Kardinaal Wolsey,' zei Norfolk. 'U wordt hierbij beschuldigd van *praemunire;* dat wil zeggen het uitoefenen van uw macht als pauselijk legaat in het rijk van de koning, en derhalve het inbreuk maken op het wettelijk gezag van de koning.'
'U wordt ontheven van al uw functies en al uw goederen zullen overgaan in de handen van de koning,' voegde Brandon eraan toe.
Er viel een beladen stilte. 'Hebt u het schriftelijke bevel en het zegel van de koning om dit te doen?' vroeg Wolsey, ook al wist hij dat ze niet zo in het openbaar gehandeld zouden hebben als dat niet zo was.
Met een grijns van voldoening haalde Norfolk het bevelschrift tevoorschijn en hield het omhoog, zodat Wolsey en de toekijkende menigte konden zien dat het zegel van de koning erop stond.
'U wordt opgedragen uw ambtsketen terug te geven,' zei Norfolk.
Langzaam maakte Wolsey de zware ketting om zijn nek los. Hij hield hem in zijn handen en aarzelde – hij wilde hem niet overhandigen. Brandon boog voorover en trok hem uit zijn handen.
Wolsey slikte. 'Waar ga ik heen?'
'Naar het huis van de koning in Jericho,' deelde Norfolk hem mee. 'In afwachting van het vonnis van de rechtbank.' Hij gebaarde Wolsey te vertrekken. Wolsey haalde diep adem. Het was dus afgelopen. Hij probeerde zijn waardigheid bijeen te rapen en stapte toen zijn kamer uit.
Inmiddels had zich een grote menigte verzameld om getuige te zijn van zijn vernedering. Een man schreeuwde spottend: 'Maak plaats voor Zijne Excellentie! Maak plaats! Maak plaats!' De mensen lachten.
Met opgetrokken schouders tegen hun vijandigheid baande Wolsey zich een weg tussen de jouwende mensenmassa door. Iemand gooide

een sinaasappel naar hem. Hij gaf geen teken dat hij het gemerkt had. Verdoofd van ellende legde hij de tocht naar Jericho af, maar zijn vruchtbare brein kwam met een schok in actie toen hij een kleine, donkere kamer in werd geduwd. 'Schrijfbenodigdheden en een kandelaar,' verzocht hij met een echo van zijn oude autoriteit. En door een of ander wonder kreeg hij die ook.
Wolsey ging zitten om een brief te schrijven.

> *Mijn eeuwig toegenegen Cromwell, ik smeek u, omdat u mij liefhebt en altijd alles voor mij zult doen, vandaag hier te komen zodra uw werk voltooid is en al het andere te vergeten...*

Cromwell keek op van Wolseys pathetische brief omdat hij werd afgeleid door het licht van toortsen. Hij tuurde uit het raam. De koning keerde terug in het paleis. Cromwell richtte zich weer op de brief.

> *... want ik zou u niet alleen dingen overbrengen voor mijn eigen troost en opluchting, maar ik zou ook uw goede, treurige en discrete advies en raad willen hebben.*
> *Gehaast deze zaterdag geschreven met de slordige hand en het bedroefde hart van uw overtuigde vriend en voormalig patroon, Wolsey, die u liefheeft.*

Cromwell keek lange tijd naar de brief en scheurde die toen langzaam en vastberaden in stukken.

Wolseys rechtszaak was voorbij en Henry wandelde in zijn privétuinen met Thomas More. Het was een prachtige dag en Henry was in een goed humeur.
'U weet dat Wolsey schuld heeft bekend wat betreft het hem ten laste gelegde,' vertelde Henry aan More.
'Dat heb ik gehoord. En hij is veroordeeld tot gevangenisstraf.'
Ze kuierden een tijdje verder. 'Ik heb de straf herroepen,' deelde Henry hem mee. 'Ik sta hem zelfs toe het bisschopsambt van York te behouden, met een toelage van drieduizend nobelen.'
More keek hem verbaasd aan. Een nobel was een gouden munt ter waarde van tien shilling – het was een zeer gulle toelage. Henry lachte en sloeg More op de schouder. 'Ziet u nu wat voor monster ik ben?'
More glimlachte, maar gaf geen commentaar. Ze liepen een tijdje zwijgend verder. Toen werd Henry weer serieus. 'Ik moet een nieuwe kanselier be-

noemen, Thomas. Iemand die ik echt kan vertrouwen.' Hij keek More veelbetekenend aan.
Maar More zei nog steeds niets.
Henry ging verder: 'U bent opgeleid als raadsheer en in koninklijke dienst geweest. U geniet internationale erkenning. De vriend van Erasmus, de grootste humanist in Engeland. U beschikt over een goede, gewiekste geest.'
More wierp hem een scherpe blik toe. 'Nee.'
Henry stond abrupt stil. 'Nee... wat?'
'Nee... Uwe Majesteit,' zei More. 'Ik wil geen kanselier worden.'
Henry's gezicht werd langzaam rood van woede. 'U zult doen wat ik u opdraag!'
Ze staarden elkaar aan; allebei niet van plan te wijken. Toen begon Henry opeens te lachen en hij sloeg een arm om Mores schouder. Hij trok hem vooruit om verder te wandelen. 'Luister,' zei hij. 'Ik weet dat u bedenkingen hebt wat betreft de Grote Kwestie. Dus ik zweer u dat die alleen behandeld zal worden door degenen die zich dat voor hun geweten kunnen veroorloven.'
Hij wierp More een snelle blik toe. More keek gepijnigd en weerspannig. Ze wandelden verder.
'Ik beloof dat ik u voor andere zaken zal gebruiken en nooit zal toestaan dat die Kwestie uw geweten zal belasten,' vervolgde Henry. Hij keek More doordringend aan. 'Tom, ik zeg u dit. Ik wil dat u – nee, ik beveel dat u! – in alle dingen die u doet eerst naar God kijkt en pas dan naar mij.' Hij wachtte op Mores antwoord.
Na een lange stilte zei More, die wist dat hij wat dit betreft weinig keuze had: 'Goed dan. Ik aanvaard het, Uwe Majesteit.'

Hoofdstuk 20

'Mijne Excellenties en raadsleden, er staat ons veel te doen,' sprak Henry de raadsvergadering toe. 'In het verleden hebben degenen die de teugels van de regering in handen hadden' – hij keek even naar Wolseys lege stoel – 'mij bedrogen. Veel is zonder mijn medeweten of mijn goedkeuring geschied. Maar dergelijke procedures zal in de toekomst een halt toegeroepen worden.' Hij keek rond naar hen allen, naar zijn nieuwe kanselier Sir Thomas More, naar de Hertog van Norfolk, naar Brandon, Derby en de andere edelen van het koninkrijk.

Zijn blik bleef rusten op Norfolk en hij zei: 'Uwe Excellentie wordt hierbij benoemd tot voorzitter van de raad...'

Tevreden glimlachend boog Norfolk zijn hoofd, tot Henry eraan toevoegde: 'Gezamenlijk met de Hertog van Suffolk.' Norfolk kon een zweem van ergernis niet verbloemen. Brandon grinnikte.

Henry vervolgde: 'Wij zullen op korte termijn weer samenkomen om de zaken die ons dierbaar blijven te bespreken.' Hij stond op en vertrok.

In kleine, ongeorganiseerde groepjes liepen de raadsleden terug naar het hof, terwijl ze met zachte stem de gebeurtenissen bespraken. Norfolk onderschepte Brandon door een hand op diens arm te leggen. Hij wachtte tot de andere raadsleden vertrokken waren en zei toen: 'Hoewel het me zeer veel deugd doet dat Wolsey niet langer onder ons is, veroorzaakt hij bij mij zelfs in zijn afwezigheid ongerustheid.'

Brandon lachte een beetje. 'Waarom?'

'Lach niet! Hij is nooit voor verraad ter dood veroordeeld. Dus hij leeft nog. En zolang hij leeft, blijft hij een gevaar voor ons beiden en voor dit koninkrijk.'

Brandon fronste. 'Maar... hij is ver weg, in York. Hij is in ongenade gevallen. Ik denk dat u het gevaar overdrijft.'

'En ik denk dat u het niet begrijpt!' Norfolk tuurde de kamer rond om te kijken of er geen luistervinken waren en vervolgde: 'De koning kan makkelijk van gedachten veranderen. En als hij dat doet, en als Wolsey ooit terugkomt aan het hof... dan hebben wij beiden meer dan genoeg redenen om zijn wraak te vrezen.'

Henry beende op en neer in zijn privévertrekken, terwijl hij op opgewonden toon hardop voorlas uit het kleine boekje dat Anne hem had gegeven. '"Die overtuiging... dat de paus en de clerus een aparte macht en autoriteit bezitten, is tegengesteld aan de Schrift. De koning is de vertegenwoordiger van God op aarde en zijn wet is Gods wet! De heerser is alleen aan God rekenschap verschuldigd en de gehoorzaamheid van zijn onderdanen is een gehoorzaamheid vereist door God!"'
Hij stond stil en grijnsde naar Anne. Met kalme overtuiging las hij het laatste stuk. '"Want dat de Kerk en de paus heersen over de vorsten van Europa is niet alleen een zonde die boven alle zonden verheven is – maar ook een omkering van de goddelijke orde. Eén koning en één wet in Gods naam in elk koninkrijk."' Hij sloeg het boek voldaan dicht. 'Dit boek is een boek voor mij en voor alle koningen.'
Anne glimlachte; ze was verrukt over zijn voldoening en denkrichting. 'En er zijn vergelijkbare andere boeken,' gaf ze hem te kennen. 'Boeken waarin het machtsmisbruik, de privileges en de hebzucht van de clerus in Uwe Majesteits koninkrijk tot in de details worden beschreven. Boeken die Wolsey opzettelijk voor u verborgen heeft gehouden.'
'Ja,' zei Henry, 'hij zou die als ketters hebben betiteld.'
'Sinds wanneer is de waarheid ketters?' zei Anne.
Hij keek haar bedachtzaam aan en knikte toen. 'Ik zou ze graag willen lezen, maar ik zou niet graag willen dat gewone mensen ze te pakken kunnen krijgen. Ik betwijfel of zij het zouden begrijpen.'
Hij zweeg korte tijd, in gedachten verzonken. Anne wachtte; ze zei niets terwijl hij door de kamer ijsbeerde. Even later ging Henry verder. 'Wolsey heeft mijn koninkrijk achtergelaten in wanorde. Ik had geen idee. Maar nu heb ik de macht in eigen handen genomen en zal ik zo nodig dag en nacht werken om dingen op te lossen.' Hij draaide zich om en keek haar aan. 'Waaronder mijn nietigverklaring. Wolsey was niet sterk genoeg om dat voor elkaar te krijgen. Hij dreigde met maatregelen tegen Rome – maar het was nooit zijn bedoeling die ook te treffen! Ik zweer u dat nu alles anders zal worden.'
Zijn ogen hielden die van Anne vast. Ze haalde halfslachtig haar schouders op ter bevestiging van zijn woorden, maar keek de andere kant op. Het was duidelijk dat zij niet langer geloofde dat het zou gebeuren.
Henry vond het verschrikkelijk om die blik in haar ogen te zien. 'Wilt u mij kussen?'
Ze aarzelde, maar leunde toen naar hem toe en kuste hem vluchtig op zijn wang. Dat was niet de kus van een geliefde. Het was een plichtsgetrouwe kus. Henry's wanhoop groeide. Als hij niet snel met haar trouwde, zou hij haar verliezen!

In Wolseys oude vertrekken in het paleis bezegelde Thomas More een document met het speciale kanselierszegel. Thomas Cromwell keek toe. De kamer oogde een stuk minder kostbaar en weelderig dan in Wolseys tijd. Het was er nu sober, ascetisch zelfs.

Thomas Cromwell zei: 'Ik zie dat u zichzelf geen enkele van de versierselen die bij uw ambt horen toestaat, Sir Thomas.'

More haalde zijn schouders op. 'Ik zal die ambtsketen alleen tijdens officiële gelegenheden dragen. Ik ben niet ijdel genoeg om met de macht ervan te koop te lopen, Mijnheer Cromwell. Maar ik ben wel van plan die te gebruiken.'

'Mag ik vragen met welk doel?' vroeg Cromwell terloops. Het was hem niet eenvoudigweg te doen om een beleefde conversatie. Als lezer en verspreider van door Luther geïnspireerde teksten maakte Cromwell zich zorgen. Sir Thomas More stond alom bekend om zijn opvattingen over ketterij. In het verleden had hij een fel beleid van boekverbrandingen gevoerd, en nu bekleedde hij een positie waarin hij veel meer macht had. Boeken waren wellicht niet meer het enige wat hij verbrandde...

More pakte een papier van zijn bureau. 'Hier is een verslag van een preek die onlangs gegeven is in Cambridge door een zekere Hugh Latimer – een vooraanstaand lid van die universiteit.'

Hij las uit het papier voor: '"Mijnheer Latimer zei dat de Heilige Schrift in de Engelse taal van alle christenen gelezen zou moeten worden, of zij nu priesters of leken zijn"!' More schudde woedend zijn hoofd. 'Hij is ook tekeergegaan tegen het verfraaien van beelden, het maken van bedevaarttochten en bijgelovige devotie! Hij zei dat alle mensen priesters zijn – en dat wij op aarde geen behoefte hebben aan priesters of pausen!'

Hij liet het verslag vol afschuw vallen. 'De tijden zijn veranderd, Mijnheer Cromwell. Ooit was het zonder twijfel goed om religieus extremisme te tolereren, klerikaal misbruik te erkennen en de theologisch naïeven aan te moedigen. Maar nu zie ik duidelijk welke risico's en gevaren er verbonden zijn aan een tolerant beleid ten aanzien van die nieuwe, gevaarlijk dwalende sektes. Wolsey was veel te mild voor hen. Ik ben van plan dat niet te zijn.'

'U zult alle hervormers als ketters veroordelen?'

'Ik zal al diegenen beschermen die niet opzettelijk de waarheid in de steek laten... maar verleid zijn door de bekoringen van slimme kerels.'

'En die slimme kerels?' vroeg Cromwell. 'Gaat u hen verbranden?'

More stak zijn hand uit naar een ander document. De vraag bleef onbeantwoord in de lucht hangen.

De ijzige regen van Yorkshire kletterde gestaag neer. In het parochiehuis dat aan de verbannen Wolsey was toegewezen lekte het regenwater door het dak en druppelde in de talloze pannetjes die Wolseys maîtresse Joan strategisch door het huis had geplaatst. De kille wind rammelde aan het oude huis en kwam door scheuren en onder deuren door naar binnen.
Vergeleken met de weelde van Wolseys voormalige woningen was dit huis uiterst erbarmelijk – koud, kleurloos en vochtig. Ontdaan van zijn pracht en praal zat Wolsey ineengedoken aan een tafel bij het vuur een brief te schrijven.
'Dit is onverdraaglijk.' Joan zette weer een pan neer om de druppels uit een nieuw lek op te vangen. 'We moeten het dak laten repareren.'
'Waarmee?' vroeg Wolsey haar. 'En door wie? We hebben geen geld en de meesten van onze bedienden zijn vertrokken.'
Joan wierp hem een wanhopige blik toe. 'Het kon toch zeker niet de bedoeling van de koning zijn dat u in zulke armoedige omstandigheden leeft? U bent tenslotte nog steeds de aartsbisschop van York!'
'Misschien is het niet de schuld van de koning,' zei hij. Hij keek op van zijn brief. 'Ik heb redenen gehad om me een oude profetie te herinneren: wanneer de koe de stier berijde, dan, priester, kijk uit voor uw schedel.'
'U doelt op die koe, Anne Boleyn?'
Wolsey glimlachte. 'Inderdaad... en daarom schrijf ik haar deze brief.'
'Wat?' Joan was ontzet. 'Maar zij is de oorzaak van al uw ellende.'
'Dat weet ik. Maar omdat zij de oorzaak is, kan zij ook de remedie zijn. Als ik haar er alleen maar van zou kunnen overtuigen dat ik niet haar vijand maar haar vriend ben.' Hij klopte op een in leer gebonden documentenmap. 'Ik heb nog steeds de brief waarin ze belooft mij te belonen voor al mijn inspanningen om harentwille, voor als zij gekroond zou worden.'
Joan zei wrang: 'Ik kan me herinneren dat u haar beloften indertijd nogal amusant vond.'
'Dat zou kunnen,' gaf Wolsey toe. 'Maar inmiddels ben ik mijn gevoel voor humor kwijtgeraakt.' Hij wijdde zich weer aan de brief.

'De koning!' kondigde de kamerheer van het paleis met luide stem aan.
Henry betrad het hof, gevolgd door Cromwell, die zijn armen vol papieren had. Hovelingen bogen en maakten reverences toen de koning voorbijkwam.
Henry was op weg naar zijn privévertrekken toen hij Chapuys, de keizerlijke ambassadeur, opmerkte, die onderling beraad hield met de Graven van Derby en Arundel. Het zag er bijna samenzweerderig uit.
Henry wenkte Chapuys. 'Ambassadeur Chapuys, wij hebben niet veel met

elkaar gesproken sinds uw benoeming. Spijtig. Ik hoor dat u een zeer kundig en intelligent diplomaat bent.'
Chapuys boog zijn hoofd voor dit compliment.
Henry vervolgde: 'Net als ik bent u ongetwijfeld op de hoogte van alle nieuwe religieuze controverses.'
Behoedzaam antwoordde Chapuys: 'Ik weet van enkele nieuwe dwaalleren die hier en daar opgekomen zijn, zeker.'
Plagend zei Henry: 'Als de paus en zijn kardinalen nu maar gewoon dat verwaande prachtvertoon aan de kant konden zetten en volgens de voorschriften van het Evangelie en de aartsvaderen gingen leven. Op die manier hadden ze een groot deel van de schandalen, tweedracht en ketterij kunnen vermijden. Vindt u ook niet?'
Chapuys probeerde diplomatiek te zijn. 'Ik ben mij er terdege van bewust dat Uwe Majesteit zich midden in een twist met Zijne Heiligheid bevindt.'
Henry haalde zijn schouders op. 'O, ik heb het niet over mijzelf.' Hij keek Chapuys onderzoekend aan. 'Ziet u, Excellentie, toen Luther de onvolkomenheden en corruptie van de clerus aanviel, had hij gelijk. En als hij het daarbij had gehouden en niet verder was gegaan met het vernietigen van de sacramenten enzovoort, dan had ik gaarne de pen opgepakt om hem te verdedigen in plaats van hem aan te vallen.'
Chapuys keek onzeker. 'Ik...'
'Het is waar, Luthers boeken bevatten een grote hoeveelheid ketterij.'
'Zeker!' beaamde Chapuys.
'Maar aan de andere kant,' zei Henry, 'zou dat niet de vele waarheden die hij aan het licht heeft gebracht mogen overschaduwen. De noodzaak om de Kerk te hervormen is manifest. De keizer heeft de plicht dat te bevorderen. En ik dien hetzelfde te doen in mijn eigen rijk.'
Chapuys staarde de koning aan; hij wist niet hoe hij moest antwoorden of reageren.
Henry glimlachte. Hij was zich maar al te bewust van het dilemma van de ambassadeur. 'Het verheugt me dat we even de gelegenheid hebben gehad om meningen uit te wisselen,' zei hij.
Chapuys boog toen Henry verder liep naar zijn privévertrekken.
Even later betrad Anne Boleyn in een prachtige purperkleurige robe het hof. Van schrik hield iedereen de adem in en daarna gonsde het van de speculaties.
'Wat is er aan de hand?' vroeg Chapuys aan iemand die naast hem stond. 'Wat heeft ze gedaan?'
'Ze draagt purper. Purper is de kleur die exclusief is voorbehouden aan leden van het koninklijk huis!'

Het hele hof keek toe hoe Anne zich koninklijk voortbewoog door het hof. Ze liep langs twee van Koningin Katherines Spaanse hofdames, die buiten de privévertrekken van de koningin stonden. De mensen drongen zich naar voren en gingen op hun tenen staan, omdat ze de confrontatie niet wilden missen.
Ze werden niet teleurgesteld. De dames spraken – duidelijk geringschattend over Anne – in het Spaans en weigerden haar een teken van erkenning te geven.
Anne stopte toen ze voor hen stond en wierp hun een verachtelijke blik toe. Met heldere stem zei ze tegen haar metgezel: 'Weet u, soms wens ik dat alle Spanjaarden op de wereld de verdrinkingsdood konden sterven in zee!'
De monden van Katherines adellijke dames vielen open van ontzetting en woede over een dergelijke grove en onbeschaamde aanval.
'Vrouwe Boleyn,' zei een van hen. 'U zou de eer van de koningin niet met zulke woorden mogen bezoedelen.'
Anne tilde minachtend een wenkbrauw op. 'Ik geef niets om Katherine. Sterker nog: ik zou haar liever zien hangen dan dat ik haar als mijn meesteres zou erkennen!'
Er ging een golf van afschuw door de menigte. Anne had een onuitgesproken grens overschreden. De koningin was tenslotte nog steeds de koningin. En hoewel Anne dan overwegende invloed mocht hebben, verdiende Katherine nog steeds respect.
Anne liep met opgeheven hoofd weg, maar haar hart ging als een razende tekeer. Ze was vastbesloten een eind aan deze eindeloze impasse te maken. Ze was de uitdaging aangegaan.
Chapuys, die met de koningin te doen had, verzocht om een audiëntie bij haar. Hij hoopte dat haar niet verteld was wat Anne Boleyn had gezegd; hoopte dat haar dames voor haar bestwil hun discretie hadden bewaard om haar verdere ellende te besparen.
Toen hij bij haar werd toegelaten, schrok hij van de veranderingen in haar verschijning. Ze zag er ouder uit. Bleek en onwel. Ze had een flets en pafferig gelaat en onder haar ogen zaten diepe, donkere wallen.
Chapuys boog om haar hand te kussen. 'Lieve madame, hoe maakt u het?'
Vermoeid probeerde Katherine een glimlach op haar gezicht te toveren. 'U moet het mij vergeven dat ik u niet vaker zie. Ik ben ziek geweest en erg zwak. Ik heb koortsaanvallen gehad en de artsen hebben mij te vaak bloed afgetapt.'
Chapuys bekeek haar met tederheid en bezorgdheid. 'Maar zeg me, zeg me alstublieft dat u de hoop niet verliest.'
Er viel een lange stilte en toen zei Katherine: 'Het is waar. Ik... ik heb al-

tijd gedacht dat de koning, nadat hij zich enige tijd voor zijn zaak had ingezet, zou omslaan, zou zwichten voor zijn geweten.' Ze wierp Chapuys een hulpeloze blik toe. 'Dat heeft hij hiervoor al zo vaak gedaan, ziet u. Hij is... hij is niet zo standvastig in zijn... voorkeuren. Ik was er met heel mijn hart van overtuigd dat hij weer bij zinnen zou komen. Maar nu...' Haar stem brak en ze keerde haar gezicht van hem af om haar verdriet te verbergen.
'Madame, ik smeek u, geef het niet op.'
Ze haalde diep adem. 'Nee, Excellentie,' zei ze met vastere stem. 'Ik zal het *nooit* opgeven. Ik zal hun nooit toestaan om van mijn geliefde dochter een bastaard te maken!' Ze keek hem met een stalen blik aan. Haar dunne, aristocratische neusvleugels trilden toen ze eraan toevoegde: 'En ik zal nooit wijken voor *die vrouw*!'

Henry leunde achterover achter zijn bureau en kermde. Het was al laat en hij was het grootste deel van de dag bezig geweest met staatszaken. Sinds Wolsey uit de gratie was, leek het werk zich verdubbeld te hebben. Verdrievoudigd. Hij wreef in zijn vermoeide ogen, zuchtte en pakte het volgende document. Vermoeid las hij het door en ondertekende het toen.
Zijn secretaris, Cromwell, pakte het document op. Hij aarzelde, opende zijn mond en deed die toen weer dicht.
Henry had het gemerkt. 'Zit u ergens mee, Mijnheer Cromwell?'
Cromwell keek opgelaten. 'Uwe Majesteit, ik... ik...'
'Gooi het eruit, Mijnheer Cromwell!'
'Ik had onlangs reden, tijdens een bezoek aan Waltham Abbey, om te praten met een geleerde vriend daar, Thomas Cranmer,' vertelde Cromwell hem. 'We spraken... over de Grote Kwestie van Uwe Majesteit.' Cromwell wierp de koning een blik toe, alsof hij een reprimande verwachtte. Maar Henry keek geïnteresseerd en boog zich alleen een stukje dichter naar hem toe.
Cromwell vervolgde: 'We... we kwamen tot de conclusie dat de raadslieden van Uwe Majesteit de Kwestie... wellicht... niet op de meest geschikte manier benaderd hebben om hem op te lossen.'
Geïntrigeerd zei Henry: 'U bedoelt via een rechtszaak?'
'Ja. We weten allemaal hoe rechtszaken verlopen – al die langdradige processen en het voortdurende uitstel! En uiteindelijk ontbreekt vaak een beslissing.'
Henry knikte. 'Dat is waar. Maar als de Kwestie niet volgens de wet geregeld wordt...'
'Wat is de wet?' zei Cromwell. 'Zoals Uwe Majesteit ongetwijfeld weet, zijn

koningen boven de wet geplaatst. Ze zijn alleen verantwoording schuldig aan God, die hen gezalfd heeft.'
Hij wierp een blik op het gezicht van de koning en ging toen, aangemoedigd door diens uitdrukking, verder. 'Dus het lijkt ons dat de kwestie geen wettelijke is – en ook nooit is geweest – maar een *theologische*.'
Henry was zeer getroffen door dit argument. 'Wie zou er in dat geval een vonnis over moeten vellen?'
Cromwell maakte een wijds armgebaar. 'Wij zouden voorstellen dat Uwe Majesteit de meningen peilt van theologen op universiteiten in heel Europa. Zij zouden al snel uitspraak doen en die zou met weinig inspanningen in de praktijk gebracht kunnen worden. Maar ik ga ervan uit dat door die eenvoudige werkwijze het getroebleerde geweten van Uwe Majesteit wel tot rust zou kunnen komen.'
'Kunt u deze argumenten voor mij op papier zetten?'
Cromwell boog. 'Als Uwe Majesteit mij dat toevertrouwt.'
'Nee, ik *beveel* u dat te doen,' zei Henry met hernieuwde energie. 'En vervolgens beveel ik dat u als koninklijk gezant naar Europa gaat. Een bezoek brengt aan de universiteiten. Ik zou de mening van hun theologische faculteiten graag zo snel mogelijk hebben!'

Aangemoedigd door deze nieuwe golf van hoop gaf Henry een buitensporig feest met muziek, eten, drinken en dansen. De koningin was er niet bij. De Norfolks, Brandon, More, Chapuys en anderen keken toe hoe Henry Anne naar de hoge tafel begeleidde en haar uitnodigde op de lege stoel van de koningin plaats te nemen. Anne glinsterde van de juwelen en zag er stralend uit. De musici speelde een van de liederen die Henry voor Anne had geschreven.
Thomas Boleyn was uitgenodigd om aan de andere zijde van de koning plaats te nemen. De tafelschikking was voor verschillende mensen reden tot afgunst: zowel Boleyn als diens dochter was boven alle andere verheven – boven de Hertog van Norfolk, die het hoofd van hun familiegeslacht was, boven diens echtgenote en boven de zwager en goede vriend van de koning, Brandon.
Henry kuste Annes hand. Tegen Boleyn zei hij: 'Ik heb u iets te vertellen. Ik heb besloten om u en uw familie in de adelstand te verheffen. U wordt benoemd tot Graaf van Wiltshire en Ormonde, en ik benoem u tevens tot Lord Zegelbewaarder. George wordt Lord Rochford en zal deel gaan uitmaken van de raad.'
Boleyn slaagde erin verbaasd te kijken. 'Uwe Majesteit. Ik heb hier geen woorden voor. Uw vrijgevigheid is onophoudelijk.'

Henry glimlachte en zei stilletjes: 'Wij verwachten veel van Mijnheer Cromwell.'
'Dat doet me zeer veel deugd,' zei Boleyn. 'Hij is een vriend van de familie.'
'U kent zijn thesis,' zei Henry. 'Ik wil dat u de keizer en de paus in Bologna bezoekt en hun onze nieuwe zaak voorlegt.'
Boleyn boog gehoorzaam zijn hoofd. Henry, die van nog meer hoop vervuld was, wendde zich tot Anne en vergat de rest van het gezelschap totaal. Ze staarden in elkaars ogen.
'Wel, wel, ik zie dat de geruchten kloppen,' zei de Hertogin van Norfolk, die nieuw aan het hof was, tegen haar man. 'Zij is de hoer van de koning en de vader van dat kreng is boven iedereen verheven!'
'Laat hen maar feesten en zichzelf volvreten,' zei Norfolk op bittere toon tegen haar. 'Want op een dag krijgen ze wat ze verdienen.' Hij zag Boleyns kruiperige gedrag tegenover de koning. De Boleyns waren niet langer obscure verwanten die afhankelijk waren van Norfolks welwillendheid – en dat stak.
Brandon nam Norfolk met een glimlach even apart. 'Alles lijkt zich in uw voordeel te ontwikkelen, Uwe Excellentie,' mompelde hij ironisch.
Norfolk wierp hem een kille blik toe. 'Ik heb slecht nieuws. Ik weet toevallig dat de koning Wolsey een gegraveerd portret van zichzelf heeft gestuurd.'
Brandon zei even niets en haalde toen zijn schouders op. 'Dus?'
Norfolk rolde met zijn ogen. 'Het is een teken van welwillendheid,' legde hij uit. 'Het kan een voorbode zijn van verzoening.'
Brandon wuifde dit weg. 'Een klein geschenk om het geweten van de koning te sussen is nu niet direct een teken dat de Bisschop van York in zijn vroegere eer hersteld zal worden. U moet het zo zien: is satan, nadat hij uit de hemel was gevallen, daar ooit weer uitgenodigd?'
'Van satan weet ik het niet,' zei Norfolk, 'maar van u wel.'
Brandon keek hem scherp aan, lachte toen als een boer die kiespijn heeft en liep weg.
Chapuys en More, die dicht bij elkaar zaten, keken ook toe hoe de koning en Anne Boleyn iets deden wat neerkwam op publiekelijk de liefde bedrijven.
'Alles draait nu om Lady Anne!' merkte Chapuys op. 'Doet u dit niet denken aan een huwelijksfeest, Sir Thomas? Het lijkt me dat het enige wat nog ontbreekt de priester is die de trouwringen overhandigt en de zegen uitspreekt.'
'God verhoede dat het ooit zover zal komen,' zei More. 'Maar ik heb er niets mee te maken. Mijn taak als kanselier is het uitroeien van de nieuwe

valse sektes. Ik zal mijn uiterste best doen om te strijden voor de belangen van het christendom.'
Chapuys keek naar Henry aan de overkant, vervolgens naar Boleyn en toen weer naar More. 'Misschien heeft Zijne Majesteit de Koning meer met de hervormers dan u denkt.'
'Dat denk ik niet. Ik ken hem beter dan u, Excellentie,' zei Thomas More op zijn gemak. 'De koning bezit een diepgewortelde neiging tot traditie en trouw. Hij mag dan *dreigen* met Rome te breken, maar ik kan niet geloven dat hij dat ooit zal doen.'
Chapuys fronste; hij was niet overtuigd. 'Ik hoop het. Ik hoop het werkelijk,' mompelde hij. 'De gevolgen zouden... onvoorstelbaar zijn.'
Aan de hoge tafel voerde Henry Anne teder stukjes vlees. 'Dank u voor wat u voor mijn vader hebt gedaan – voor mijn hele familie,' zei ze tegen hem.
'Er is meer, mijn lief. Ik heb opdracht gegeven om veranderingen aan te brengen in Wolseys oude paleis in York Place.' Henry zag tot zijn vreugde dat ze verbaasd was en legde uit: 'U vertelde me immers hoe mooi u het vond, dus ik schenk het u.'
Anne was verrukt, maar sloeg toen overweldigd haar ogen neer. Henry legde een hand op de hare. 'Wat is er, mijn lief? Heb ik u ongelukkig gemaakt?'
Ze tilde haar hoofd op en keek hem liefdevol aan. 'Nee. Ik zou alleen ongelukkig zijn als u niet meer van mij hield.'
'Dan zou Londen eerst moeten smelten in de Theems,' zei hij tegen haar. En voor de ogen van alle hovelingen boog hij zich voorover en kuste haar op de lippen.
Aan een tafel die een stuk verder weg stond, zaten Tallis en zijn vriend, de dichter Thomas Wyatt, het tafereel gade te slaan. 'Ik heb gehoord dat u het patronaat van Mijnheer Cromwell hebt geaccepteerd, Mijnheer Wyatt.'
'Hoe uiterst doorzichtig is de wereld toch!' Wyatt lachte wrang. 'Maar heb ik daar verkeerd aan gedaan, Mijnheer Tallis?'
'Ik... ik denk het wel, ja,' zei Tallis ernstig. 'U zou op eigen benen moeten staan.'
Wyatt snoof. 'Doe niet zo dwaas, Tallis. Zonder de steun van een machtig man overleeft men niet zo lang in deze onbetrouwbare wereld.'
Tallis trok zijn wenkbrauwen op. 'Vindt u Mijnheer Cromwell een machtig man?'
Wyatt knipoogde en zei op vertrouwelijke toon: 'Ik vind hem een veelbelovend man! Let op mijn woorden.'
Tallis rimpelde zijn voorhoofd. 'Toen ik net aan het hof was, gaf iemand mij een advies dat ik zeer wijs vond.'

‘Is dat zo? En hoe luidde dat dan?’
‘Hij zei tegen me: “Wij arme mensen moeten op zoek naar de uitstraling van grote mannen, zoals de mot op zoek gaat naar de vlam.”’
‘Ja, en daarom...’
‘Ik ben nog niet klaar,’ onderbrak Tallis hem. ‘Vervolgens zei hij: “Maar let goed op de mot, want als we te dicht bij de vlam komen, lopen we het risico onze vleugels te verbranden.”’
Wyatt haalde zijn schouders op. ‘Ik ben geen mot.’ Ze keken allebei weer naar Henry en Anne, die elkaar in het openbaar liefkoosden. Wyatt boog zich dichter naar Tallis toe en fluisterde in zijn oor: ‘En voor wat het waard is, ik heb haar inderdaad geneukt!’
Tallis wierp hem een waarschuwende blik toe. ‘Dat zou ik maar voor me houden als ik u was.’

Sir Thomas More vervulde zijn plicht als de kanselier van de koning naar eer en geweten: hij bestreed de verspreiding van de dwaalleer die hij zo verafschuwde en die dreigde de fundamenten van de samenleving te vernielen; hij probeerde de onschuldige slachtoffers van de ‘slimme kerels’ te scheiden.
Hij ondervroeg een magere, gewoontjes uitziende voormalige raadsheer van middelbare leeftijd met de naam Simon Fysh. Fysh zat aan een eenvoudige houten tafel. Voor hem lagen verschillende radicale traktaten en boeken.
‘U bent in ballingschap geweest, Mijnheer Fysh?’
‘Ja, sir. Het heeft Kardinaal Wolsey behaagd mij in Holland te houden, uit angst dat ik misschien de waarheid zou verkondigen.’
More trok een wenkbrauw op. ‘Maar waarom bent u dan teruggekeerd?’
‘Ik dacht, sir, dat nu de kardinaal uit zijn ambt ontheven en weggestuurd is, de omstandigheden in dit land wellicht verbeterd zouden zijn.’ Hij keek More met heldere ogen aan. ‘Ik had verwacht dat de mensen in Engeland toleranter zouden zijn. Ik heb uw boek *Utopia* gelezen.’
More reageerde niet. ‘Hebt u vrienden in dit land, Mijnheer Fysh?’
Fysh fronste. ‘Natuurlijk, sir, ik ben een Engelsman.’
‘Aan het hof?’
Fysh zei niets.
More herhaalde: ‘Hebt u vrienden aan het hof?’
Fysh keek een andere kant op – hij weigerde te antwoorden.
Even later pakte More een pamflet van de tafel. ‘Ontkent u dat u de schrijver bent van dit werk: *A Supplication for the Beggars*?’
‘Nee, sir, dat ontken ik niet. Het is een oproep aan Zijne Majesteit om een

groot deel van de verschrikkelijke en schandalige misstanden in de Kerk te herstellen.'
More sloeg het pamflet open. 'U noemt de leiders van de Kerk dieven! Ze zijn "roofzuchtig, wreed en onverzadigbaar" – vanwege het verzamelen van de tienden die hun toekomen!' Hij keek de zwijgende Fysh aan.
More vervolgde: 'U veronderstelt dat de Kerk in feite uit is op het grijpen van de macht, de heerschappij van de lords, de gehoorzaamheid aan en de waardigheid van de koning. U gaat zelfs nog verder en beweert dat de Kerk ongehoorzaamheid en rebellie tegen de koning aanmoedigt!' Hij boog zich voorover en zei recht in het gezicht van Mijnheer Fysh: 'Dat is toch zo, Mijnheer Fysh?'
Nog steeds deed Fysh er het zwijgen toe.
More begon, kijkend in het pamflet, langzaam rondjes om de tafel te lopen. 'En hier, Mijnheer Fysh... als ik zo vrij mag zijn, zegt u dat de vorderingen die het volk worden afgenomen niet gegeven worden aan een vriendelijke, tijdelijke vorst, maar aan "een wrede, duivelse bloedzuiger; dronken van het bloed van de heiligen en martelaren van Christus".'
Hij ging met zijn vinger langs de bladzijden van het pamflet. 'U moest zich schamen, Mijnheer Fysh! En wie zijn die wrede, duivelse bloedzuigers anders dan de gezalfde priesters van onze Heilige Kerk, die ons de weg naar de hemel wijzen!'
Fysh reageerde niet.
More ging dichter bij hem staan. 'Maar ja, dat gelooft u ook niet, is het wel, Mijnheer Fysh?' Hij drukte zijn gezicht tegen dat van Fysh aan en vroeg: 'Wie bent u, Mijnheer Fysh?'
Eindelijk tilde Fysh zijn hoofd op. 'Het antwoord op die vraag luidt: ik ben een christen, het kind van altijddurende vreugde, dankzij de verdiensten van het bittere martelaarschap van Christus. Dat is het vreugdevolle antwoord.'
Er viel een korte stilte en toen zei More op kille toon: 'Het is ook ketterij.'

Thomas More besloot om van de terechtstelling van Simon Fysh geen openbaar spektakel te maken. In het verleden hadden dergelijke voorvallen te vaak ordinaire massa's getrokken, alsof het verbranden van een ketter een soort publiekelijk vermaak was.
Omdat de ceremonie van vandaag plechtig en officieel was, stemde hij erin toe alle versierselen te dragen die bij zijn ambt hoorden en niet zijn gebruikelijk eenvoudige robe aan te trekken. Bisschop Fisher en begeleidende geestelijken waren allen in vol ornaat aanwezig.
De beulen bonden Simon Fysh vast aan de paal. Hij stond er bleek maar

kalm bij toen ze sprokkelhout rond zijn voeten opstapelden. Een brandend komfoor stond vlakbij.
More keek vol medeleven naar Fysh, die slechts een eenvoudig jak droeg. 'Er is nog steeds tijd om uw dwaling openlijk te erkennen, Mijnheer Fysh. U hoeft slechts te erkennen dat uw standpunten misplaatst en duivels zijn en tegen Gods wet indruisen... dan zullen u de verschrikkelijke pijnen die u anders zou moeten verduren bespaard blijven.'
Fysh draaide zijn hoofd om en keek More aan. Hij zei echter niets.
Een van de beulen pakte een brandend stuk hout op en hield dat dicht bij de stapels sprokkelhout.
'Ik smeek u, Mijnheer Fysh,' zei More. 'Erken uw zonden, dan zal God u weer bij Zijn kudde verwelkomen. Erken uw dwaling! U hebt nog steeds tijd.'
Hij wachtte. Fysh staarde hem aan en begon toen Psalm 23 op te zeggen – opzettelijk in de verboden Engelse vertaling. '"De Heer is mijn herder, mij ontbreekt niets. Hij doet mij nederliggen in grazige weiden, en voert mij naar rustige wateren..."'
Bisschop Fisher probeerde Fysh' ketterse daad te overstemmen door luidkeels in het Latijn te bidden. More gaf een teken en het sprokkelhout vatte vlam.
Rond Fysh' voeten begon het vuur te knetteren. Fysh ging harder praten. '"Zelfs al ga ik door een dal van diepe duisternis, ik vrees geen kwaad, want Gij zijt bij mij."'
Toen de vlammen ineens omhoogschoten, kon More het niet meer aanzien. Hij draaide zich af van het tafereel en wenste dat hij het afschuwelijke geluid van de brullende vlammen en de brandende man die zijn ketterse gebed uitschreeuwde kon overstemmen.
'"Ja, heil en goedertierenheid zullen mij volgen al de dagen van mijn leven, ik zal in het huis des Heren verblijven tot in lengte van dagen!"' Het laatste woord eindigde in een afschuwelijke schreeuw toen Fysh' aderen met een knappend geluid openbarstten. Het vuur brulde.
Ten slotte draaide More zich weer om en dwong zichzelf te kijken. Wat ooit Fysh was geweest, was nu slechts een vormeloze gestalte die als een geblakerde pop danste en kronkelde in de vlammen.

Hoofdstuk 21

Henry was in een slecht humeur. De bijeengekomen leden van zijn raad zaten ongemakkelijk heen en weer te schuiven en wachtten tot hij ging spreken.

'Mijne Excellenties, elke dag moet ik opnieuw verslagen lezen over onvrede, wanorde en belemmeringen in mijn koninkrijk. Ik hoor dat mijn schatkist leeg is en dat we geld lenen tegen woekerrente!'

Hij keek Brandon en Norfolk boos aan. 'Uwe Excellenties zijn de voorzitters van deze raad. Toch hoor ik niets van u over deze zaken – noch over enige andere zaak.'

Brandon schraapte zijn keel. 'Uwe Majesteit moet mij vergeven. Ik...'

Henry onderbrak hem. 'Ik weet het! Ik moet u *altijd* vergeven, Uwe Excellentie!' zei hij sarcastisch. 'Maar ik ben het beu. Ik heb u alles gegeven – zelfs het recht om uzelf vorst te noemen!' Hij keek Brandon bars aan. 'Maar wat krijg ik ervoor terug?'

Brandon sloeg zijn ogen neer.

Henry ging verder. 'Ik vond Kardinaal Wolsey altijd een ijdel, hebzuchtig iemand die handelde uit eigenbelang – precies zoals u mij allen hebt verteld! Nu begrijp ik welke last hij moest dragen. Zonder te klagen!'

Brandon en Norfolk wisselden een blik van verstandhouding. Norfolk haastte zich te zeggen: 'Uwe Majesteit moet niet vergeten dat hij ook van u gestolen heeft – en de belangen van de Fransen beter diende dan die van Engeland.'

Henry keek naar Sir Thomas More. 'Denkt u er ook zo over, Thomas?'

More koos zijn woorden zorgvuldig. 'Het is waar dat de kardinaal mateloos verwaand was. En dat was een zeer grote zonde. Het heeft hem geschaad en het heeft hem ertoe gebracht de vele grote gaven die hij van God heeft gekregen te misbruiken.'

Veel raadsleden knikten. Henry zei lange tijd niets. Toen sloeg hij opeens met zijn vuist op tafel en schreeuwde: 'En toch was hij beter in het regelen van de zaken van dit koninkrijk dan eenieder van u!' Hij stormde de kamer uit.

De raadsleden keken elkaar vol verwarring aan. Het was alom bekend dat de koning de laatste tijd slecht gehumeurd was – dat kreeg een man nu eenmaal van langdurige seksuele onthouding – maar dit was ernstig! Uiteenvallend in serieus discussiërende groepjes verlieten ze de kamer.
Norfolk ontdekte Brandon. 'Ik heb u toch gewaarschuwd! Ik zal met de koning praten.'
'Ja, ja, dat moet u doen!' beaamde Brandon toen Norfolk vertrok. De persoonlijke aanval van de koning had hem zeer aangegrepen.

Wolsey kon de slaap niet vatten. Nadat hij een tijdje had liggen woelen, ging hij rechtop in bed zitten. Dat stoorde zijn maîtresse Joan, die ook probeerde te slapen.
Ze draaide zich om en keek naar hem. 'Wat is er, Thomas? Is het die brief die u hebt ontvangen?'
Wolsey zuchtte. 'Ja, ze heeft mijn brief beantwoord.'
'Vrouwe Boleyn? Wat schreef ze?'
'Dat ze niet wilde beloven een goed woordje voor mij bij de koning te doen.'
Even was het stil. 'Dan... is onze hoop vervlogen,' zei Joan. Ze leunde zwijgend en troost zoekend tegen hem aan.
Wolsey keek op haar neer en zijn blik werd milder. 'Nee,' zei hij peinzend. 'Dat hoeft niet. Er is nog iemand anders die ik kan schrijven; een dame die in elk opzicht veel hoogstaander is dan die bedrieglijke hoer – en eerder geneigd is vriendelijk te zijn...'

'Ik heb een brief voor Uwe Majesteit.' Ambassadeur Chapuys haalde een brief uit de plooien van zijn kleding tevoorschijn. Opnieuw had Katherine ervoor gekozen hem in de beslotenheid van haar vertrek te ontvangen.
Katherines ogen lichtten op. 'Van de keizer?'
Chapuys keek verontschuldigend. 'Nee. Van Kardinaal Wolsey.'
'Van Kardinaal Wolsey?' herhaalde ze verbijsterd. Ze opende de brief en las hem snel door. 'Dit is... wel zeer vreemd,' riep ze uit toen ze klaar was met lezen. 'Weet u wat erin staat?'
Chapuys boog zijn hoofd. 'De kardinaal biedt aan een verzoening te regelen tussen u en hem, de keizer en Rome. De machtsgreep zou aangekondigd worden met de komst van een pauselijk edict waarin Henry het bevel krijgt Anne Boleyn te verlaten en terug te keren naar zijn huwelijk. De keizer zou zijn financiële en morele steun aanbieden en erop staan dat Wolsey weer wordt geïnstalleerd als kanselier.'
Het was even stil. Toen zei Katherine: 'Denkt u dat het zou lukken?'

'De kardinaal is in ieder geval uitermate vindingrijk,' zei Chapuys neutraal. 'En ik hoor overal geruchten dat de koning hoe dan ook van plan is hem in ere te herstellen.'
'O, mijn hart gaat zo tekeer,' riep Katherine in het Spaans uit. 'Kunnen we samen bidden, Excellentie?'
Samen knielden ze voor haar eigen altaar en richtten hun gebeden tot de Maagd.

'Ik wil dat je een nieuw parlement bijeenroept,' instrueerde Henry Sir Thomas More. Hij had More laten komen voor een wandeling in zijn privétuinen. 'Er moeten belangrijke dingen gedaan worden. Zo is mijn schatkist leeg, om maar iets te noemen.'
More knikte. 'Ik zal doen wat Uwe Majesteit mij opdraagt. Maar ik moet u waarschuwen dat u het nieuwe parlement wellicht niet zo... inschikkelijk vindt als de vorige.'
Henry fronste. 'Hoe bedoelt u?'
'Welnu, hoewel ik moet bekennen dat ik tot degenen behoorde die ooit riepen om meer tolerantie en vrije meningsuiting, vrees ik dat de vrijheid die door Uwe Majesteits goedheid is toegekend nu openlijk wordt misbruikt. Er klinken vele andersdenkende stemmen in Uwe Majesteits koninkrijk – vooral wat betreft religieuze kwesties.' Hij wierp een vluchtige blik op de koning. 'Er wordt alom geroepen om reformatie.'
Henry wandelde knikkend verder, maar stond toen ineens stil. 'Hoeveel hebt u er verbrand, Thomas?'
'Zes. Het was wettig, noodzakelijk en is goed gedaan.'
Henry staarde hem aan. 'Goed gedaan?'
More beantwoordde zijn blik. 'Ja, Uwe Majesteit.'

Anne Boleyn liep door een gang toen ze een van de persoonlijke kamerheren van de koning in de richting van de privévertrekken van de koningin zag gaan. Hij droeg verschillende gevouwen lappen stof – het leek wel nieuw wit linnen.
'Wacht even!' riep ze naar de dienaar. Ze bekeek het linnen. Het was van een eersteklas kwaliteit.
'Waar brengt u dit heen?' vroeg ze aan de kamerheer.
'Naar Hare Majesteit de Koningin, Lady Anne.'
'Met welk doel?'
'De koningin maakt er hemden voor Zijne Majesteit van, my lady,' zei hij. 'Zij heeft die altijd gemaakt, my lady,' voegde hij er ongevraagd aan toe.
Anne staarde hem met open mond aan.

De kamerheer wierp haar een vragende blik toe. 'Lady Anne?'
Ze wuifde hem ongeduldig weg en zag dat hij werd toegelaten tot de privévertrekken van de koningin. Anne draaide zich plotseling om en ging op zoek naar Henry.
'Maakt zij nog steeds uw hemden?' vroeg ze woest.
Henry knipperde met zijn ogen. 'Ja. Ja, ze maakt nog steeds mijn hemden.' Hij was van zijn stuk gebracht door haar schijnbare woede.
'Ik kan het niet geloven!'
Henry keek haar onderzoekend aan om te achterhalen waar die woede vandaan kwam. 'Wat kunt u niet geloven?'
Anne keek hem boos aan. 'U hebt me verteld – u hebt me verteld dat er niets intiems meer tussen u en haar was!'
Henry probeerde dichter bij haar te komen. 'Lieveling, het zijn gewoon hemden.'
Kwaad sloeg Anne zijn handen van haar weg. 'Nee, het zijn niet gewoon hemden! Ze zijn *u en ik*! Ze zijn *u en zij*!'
'Ik...'
'Heeft niemand u verteld dat ik ook een goede naaister ben?' Ze beet op haar lip; ze stond op het punt in tranen uit te barsten. Lange tijd staarden ze elkaar aan.
Henry maakte een hulpeloos gebaar. 'Het spijt me. Het was onnadenkend van me.'
Die woorden brachten Anne aan het huilen. 'Nee, nee, nee, nee... het spijt mij. Het spijt me echt,' mompelde ze, terwijl ze haar ogen voor hem verborg. 'Het spijt me. Het spijt me.'
'Lieveling.' Hij trok haar in zijn armen, tilde toen haar met tranen doorlopen gezicht op en kuste haar. 'Ik houd van u.'

'Het zal Uwe Majesteit deugd doen te horen dat de universiteit van Parijs – de grootste – zich in uw voordeel heeft uitgesproken.' Cromwell en Boleyn waren teruggekeerd van hun rondreis langs de grote universiteiten van Europa, waar ze opinies over de theologische basis van Henry's echtscheiding hadden verzameld. Henry had hen in het paleis ontvangen en luisterde in zijn privévertrekken naar hun verslag.
'En Italië?' vroeg Henry.
'Ik moet bekennen dat de universiteiten daar verdeeld zijn,' zei Cromwell, 'maar Padua, Florence en Venetië hebben zich allemaal voor Uwe Majesteit uitgesproken.'
'En Spanje?'
'Spanje is tegen,' deelde Cromwell hem mee.

Henry glimlachte wrang. 'Wat een verrassing!' Hij wendde zich tot Boleyn. 'En u, Mijne Excellentie, hebt u de keizer en de paus ontmoet? Hoe maakten zij het?'
Boleyn schoof ongemakkelijk heen en weer. Hij had tot nu toe weinig aan de conversatie bijgedragen. Hij slikte en gaf toe: 'De keizer heeft geweigerd me te ontvangen, Uwe Majesteit.'
Henry fronste. 'En Zijne Heiligheid?'
Boleyn slikte opnieuw. 'De paus heeft me slechts dit edict voor Uwe Majesteit meegegeven.' Hij haalde een rol perkament met het pauselijke zegel tevoorschijn en overhandigde dat na enige aarzeling aan Cromwell.
'Wat staat erin?' wilde Henry weten.
Cromwell verbrak het zegel en opende de rol. Hij begon de inhoud snel door te lezen, stopte toen en keek boos van Henry naar Boleyn en toen weer naar Henry. Het was duidelijk geen goed nieuws.
'Vertel het me!' eiste Henry ongeduldig.
'Het edict draagt Uwe Majesteit op Anne Boleyn te bevelen uw hof te verlaten,' vertelde Cromwell hem. 'Het – het weigert Uwe Majesteit toe te staan te hertrouwen zolang de curie Uwe Majesteits zaak nog in beraad heeft.'
Er viel een lange stilte. Henry zag er bars, furieus en zeer zorgelijk uit. Zonder een woord te zeggen, stormde hij de kamer uit.
Boleyn en Cromwell liepen achter hem de kamer uit en zagen hem door de gangen naar de uitgang benen. Ze keken elkaar aan. 'Ik zal Anne gaan vertellen wat er gebeurd is,' zei Boleyn zacht, en hij liep in de richting van zijn dochters vertrekken.
Toen hij een hoek om sloeg, werd hij plots onderschept door Ambassadeur Chapuys, die voor hem boog.
'Uwe Excellentie,' zei Boleyn, terwijl hij zijn ongeduld probeerde te onderdrukken. 'Wat kan ik voor u doen?'
'Ik zou u om een zeer grote gunst willen vragen, my lord.' Chapuys keek Boleyn bezorgd aan. 'We leven in een kommervolle tijd. Het is mij gebleken dat hier in bepaalde streken een openlijke en onbeschaamde vijandigheid tegen onze Heilige Kerk bestaat. En zoals we in Duitsland hebben ontdekt, heeft dit...'
Bruusk onderbrak Boleyn hem. 'Wat verwacht u dat ik eraan kan doen?'
'U bent een hoogstaand man, een man met veel invloed in Engeland,' vertelde Chapuys hem. 'Ik smeek u om de grote invloed die u hier aan het hof hebt aan te wenden om Engeland van de rand van de afgrond te trekken – uit naam van de liefde die wij Christus en Zijn apostelen allen toedragen.'
Boleyn bekeek Chapuys met een vage minachting voor diens naïviteit. Hij

perste zijn lippen op elkaar. 'Welke apostelen?' zei Boleyn toen hardvochtig. 'Ik dacht niet dat Christus apostelen had – zelfs Sint-Petrus niet! Die mannen waren leugenaars en charlatans die pretendeerden Christus te volgen en in Zijn naam te spreken. En ze hebben op hun leugens een kerk gebouwd!'
Hij liep weg; achter hem sloeg Chapuys ontzet en verbijsterd een kruis.
Boleyn was niet de enige die na de audiëntie bij Henry werd belaagd. Cromwell had nog geen vijftig passen gezet toen de dichter Thomas Wyatt hem de weg versperde en boog.
Ongeduldig zei Cromwell: 'Nu niet, Mijnheer Wyatt. Ik heb het druk.'
'Er is iemand die u volgens mij graag zou zien,' zei Wyatt op een lage, samenzweerderige toon.
'Ik zei: nu niet, Mijnheer Wyatt!' Cromwell liep door.
'Het gaat om de kardinaal,' deelde Wyatt hem mee.
Cromwell bleef abrupt staan en draaide zich om. 'Goed dan.'
'Deze kant op,' zei Wyatt. Hij leidde Cromwell naar een uithoek van het paleis.
Wyatt bracht Cromwell naar een kamer waar een kalende, zenuwachtige man van middelbare leeftijd stond te wachten. Toen Cromwell binnenkwam, sprong de man overeind en boog een paar keer diep. 'Edelachtbare, Edelachtbare... zo dankbaar...'
Hij was nou niet bepaald een inspirerend creatuur. Cromwell keek vragend naar Wyatt.
Wyatt zei: 'Sir, dit is Augustine de Agostini. Ik ken hem uit de tijd dat hij arts was van de familie Boleyn.' Op zijige toon ging hij verder: 'Doctor Agostini is kortgeleden opgetreden als privéarts van Thomas Wolsey, de aartsbisschop van York.'
Cromwell was opeens een en al oor en wendde zich weer tot Agostini. 'Wat weet u van Wolsey?'
Agostini stotterde: 'Sir, ik w-w-weet dat W-Wolsey de h-h-hulp heeft ingeroepen van de keizer en de p-p-p...'
'De paus?' zei Cromwell.
Agostini knikte heftig. 'Ja, Edelachtbare. Zijne H-H-Heiligheid. De p-paus. T-t-tegen Zijne M-Ma-Majesteit.'
Cromwell boog zich voorover. 'Hebben ze contact gehad?'
'J-ja.'
'En met wie heeft Wolsey nog meer contact gehad?'
'W-Wolsey s-s-s-spande s-s-s-samen met Koningin K-K-Katherine, sir... omdat hij zei d-d-dat dat de enige m-m-manier...'
'Het was de enige manier waarop hij de macht terug zou kunnen krijgen.' Cromwell maakte de zin ongeduldig af.

Agostini knikte opnieuw. 'Zij gaven d-d-de t-t-toon aan en hij z-z-zong.'
'We moeten het de koning vertellen,' besloot Cromwell.
Toen Cromwell vertrok, gluurde Agostini angstig naar Wyatt, die hem een goedkeurend knikje gaf.

De soldaten van de koninklijke garde ramden de deur van Church House in York in. Een stel jonge bedienden schreeuwde.
'Halt! U daarbinnen! Stop in naam van de koning!' schreeuwde een soldaat. Ze waren bewapend en verwachtten verzet.
Wolsey stond in het midden van de kamer te wachten. Met uitzondering van zijn maîtresse Joan was hij helemaal alleen. Toen de soldaten zwaaiend met hun wapens binnenstormden, rende ze naar hem toe en sloeg haar armen beschermend om hem heen.
De soldaten herkenden Wolsey bijna niet. Hij was nu een oude man, ongeschoren en gekleed in vale en tot op de draad versleten kleren. Hij was verschrikkelijk afgevallen en zag er met zijn asgrauwe huid en zijn dunne, ongekamde haar verwilderd uit.
De renaissancevorst van de Kerk was nog slechts een vage herinnering. Alleen zijn heldere, intelligente ogen herinnerden aan de oude Wolsey.
Brandon betrad de kamer na de soldaten. Hij bekeek Wolsey uiterst voldaan. 'Thomas Wolsey, u wordt op bevel van de koning gearresteerd op beschuldiging van hoogverraad. U wordt van hier naar Londen gebracht, waar u berecht zult worden.'
Joan barstte in tranen uit en klampte zich aan Wolsey vast.
'Kom, kom, Joan,' zei Wolsey vriendelijk tegen haar. 'Geen tranen om mij, bid ik u.' Met een glimlach maakte hij behoedzaam haar armen los. Hij legde teder een hand om haar wang en zei: 'Vergeef me dat u niet veel hebt om mij te herinneren.'
'Nee,' zei ze, terwijl de tranen over haar gezicht stroomden. 'Ik heb een leven en alles wat daarbij hoort dat me aan u herinnert.' Ze negeerde de soldaten en kuste hem.
Toen duwde Wolsey haar waardig aan de kant en liep naar Brandon toe. 'Als ik God net zo ijverig had gediend als de koning, had Hij me niet met grijze haren overgeleverd,' zei hij.
'Breng hem naar buiten,' zei Brandon bars.
Buiten stond een vieze boerenkar te wachten; het soort dat gebruikt werd om vee te vervoeren. Brandon keek licht ongemakkelijk toe hoe de soldaten Wolsey er ruw in duwden. De kar was niet eens schoongeveegd; het was een opzettelijke vernedering.
Wolsey deed alsof hij het niet merkte. Joan stond huilend op de stoep toe

te kijken hoe Brandon en de bewapende escorte hun paarden bestegen en de kar langzaam wegreed.
Toen Wolsey achteromkeek om – dat wist hij – voor het laatst vaarwel te zeggen, zakte Joan opeens in elkaar.
'Joan! Joan!' riep hij naar haar. Hij zag een bediende naar haar toe rennen, maar de kar rolde meedogenloos verder. Hij kon niets doen.

Het gezelschap dat Wolsey voor zijn rechtszaak naar Londen begeleidde bereikte tegen de avond Leicester en bleef daar overnachten in een klooster. Een monnik leidde Wolsey en Brandon bij het licht van een kandelaar naar een kloostercel.
'U zult hier vannacht verblijven,' zei Brandon tegen Wolsey. 'Er zal voortdurend een soldaat voor de deur staan.' Hij wuifde in de richting van een tafel waar eten en water waren neergezet. 'Er staat daar eten voor u. Het is ongetwijfeld eenvoudiger dan u gewend bent, maar er is tenminste vlees – en brood. Wees dankbaar dat u gevoed wordt.'
Wolsey wierp een blik op de maaltijd en knikte langzaam. De monnik zette de kandelaar neer en zonder verdere plichtplegingen trokken hij en Brandon zich terug. De deur werd achter hen gesloten; Wolsey hoorde het geluid van een grendel die werd verschoven.
Hij keek rond in zijn kleine koninkrijk. Afgezien van de ruwhouten tafel en een stoel stonden er een ijzeren bed en, op een stenen plank, een groot houten kruisbeeld. Wolsey knielde en keek op naar het beeld van de lijdende Christus.
'Wij hebben nooit zo lang of zo vaak met elkaar gesproken, Heer, als had gemoeten,' zei hij zacht. 'Ik ben vaak bezig geweest met andere zaken. Als ik vergiffenis wilde, zou ik erom moeten vragen... maar voor alles wat ik gedaan heb, en nog ga doen, bestaat geen vergiffenis.' Er liep een rilling over zijn gezicht en hij moest moeite doen om zich te beheersen.
'En toch ben ik – denk ik – geen slecht mens, want slechte mensen bidden luider en doen boete en wanen zichzelf altijd dichter bij de hemel dan ik. Ik zal de poorten ervan niet zien, noch Uw zoete woorden van verlossing en vreugde horen, Heer. Ik zweer dat ik de eeuwigheid heb gezien, doch slechts in een droom, en in de morgen was het allemaal verdwenen.'
Hij zweeg een tijdje. 'Ik ken mezelf voor wie ik ben. Ik lever mijn arme ziel over aan Uw genade – en toch weet ik dat ik uit Uw liefhebbende handen niets verdien te ontvangen, o Heer.'
Hij maakte een kruisteken en stond toen langzaam op. Hij liep naar de tafel. Hij keek naar het kleine bord, waarop een stuk gekookt vlees lag. Een homp droog brood en een beker wijn completeerden de maaltijd, maar

Wolsey had slechts oog voor één ding – iets wat hij had gezien op het moment dat hij de cel was binnengekomen: een klein, goed geslepen mes dat ze voor hem hadden neergelegd om zijn vlees te snijden.
De onschuldige, wereldvreemde monniken zouden nooit op het idee komen een mes ergens anders voor te gebruiken. Noch kon een priester een dergelijke goddeloze daad plegen.
Wolsey pakte het mes op, stak het lemmet in zijn keel en trok het de andere kant op…

Een monnik die een kom havermoutpap naar de gevangene kwam brengen was de volgende morgen degene die het lijk ontdekte. Er ging een golf van consternatie en ontsteltenis door het klooster.
Brandon baande zich duwend een weg door het kleine groepje monniken en soldaten. Hij keek omlaag naar de gestalte die dood onder het kruisbeeld lag, in een grote plas geronnen bloed.
Woedend omdat zijn triomf verijdeld was, gaf hij het lichaam een verachtelijke trap. 'Verdoeme! Verdoemd bent u, Wolsey!'

Het nieuws bereikte Henry toen deze op de schietbaan bij het paleis aan het oefenen was met pijl en boog. Hij en Knivert schoten om beurten. Cromwell kwam naderbij.
'Mijnheer Cromwell? Wat is er?' zei Henry ongeduldig.
Cromwell boog. 'Uwe Majesteit, Kardinaal Wolsey is dood.'
'Het spijt me dat te horen,' zei Henry na een ogenblik. 'Ik wens dat hij nog geleefd had.' Hij keek weg in de richting van de schietschijf. 'Hoe is hij gestorven?'
Cromwell keek ongemakkelijk. 'Hij…' Cromwell boog naar Henry toe en fluisterde in zijn oor.
Henry staarde hem ontzet aan. 'Niemand mag dat *ooit* weten,' beval hij op kalme, krachtige toon. 'Begrijpt u? Niemand. Ooit!' Zelfmoord was een doodzonde. Iemand die zelfmoord had gepleegd moest in ongewijde grond begraven worden.
Cromwell knikte en toen zei Henry: 'Ik maak mijn wedstrijd af en dan zal ik met u praten.'
Cromwell boog en liep weg. Knivert stopte een pijl in zijn boog en bereidde zich voor om te schieten. 'Ga!' zei Henry onverwacht tegen hem. 'Laat me alleen!'
Knivert boog en vertrok. Vechtend om zijn zelfbeheersing niet te verliezen liep Henry langzaam naar de schietschijf, tot hij uit het zicht van de soldaten en hovelingen was.

In afzondering huilde hij toen in stilte om Wolsey; bittere, oprechte tranen van genegenheid en wroeging – en van verlies. Want Henry wist dat hij niet alleen om Wolsey huilde, maar ook om zichzelf en zijn toekomst…

'Hebt u het gehoord?' Bisschop Fisher stormde opgewonden de kamer van Sir Thomas More binnen. De kamer was donker en More had in gedachten verzonken bij het raam gestaan.
'Ik heb het net zelf gehoord!' zei Fisher. 'Op bevel van Zijne Majesteit zijn vijftien vooraanstaande geestelijken gearresteerd vanwege het aanvaarden van Wolseys autoriteit als pauselijk legaat!'
More bleef nog even uit het raam staren en draaide zich toen om. 'Ik weet het.' Zijn gezicht was vertrokken van verdriet en woede. 'Er is ook een decreet uitgevaardigd dat erkent dat de koning in alle zaken, seculier en spiritueel, boven de wet staat en alleen aan God rekenschap verschuldigd is!'
Fishers mond viel open. Hij kon de omvang ervan niet bevatten.
More sloeg met zijn vuist tegen de lambrisering.
'Wat kunnen we eraan doen?' riep Fisher uit.
Lang was het stil. More, die zijn best deed zijn kalmte de bewaren, schudde zijn hoofd. 'Ik herinner me dat Kardinaal Wolsey eens tegen me heeft gezegd dat ik de koning altijd moet vertellen wat hij zou moeten doen, niet wat hij zou mogen doen. Hij zei: "Want als de Leeuw ooit zijn ware kracht ontdekt, zal niemand in staat zijn hem in toom te houden."' Hij staarde Fisher even aan, draaide zich toen van hem af en keek bars naar een beeld van de Heilige Maagd.
'Ik vrees dat Wolseys voorspelling is uitgekomen,' zei hij rustig. 'Ik denk dat wij aan de rand van de afgrond staan… en God mag weten wat er van ons zal worden!'

In het paleis waren de hervormers in groten getale aanwezig om een speciaal vervaardigde uitvoering te bekijken. Norfolk, Brandon, Thomas en George Boleyn, Cromwell, Cranmer, Gardiner, Foxe en anderen zaten drinkend en lachend toe te kijken hoe, op de galerij boven hen, een uitgesproken zwaarlijvige en belachelijk uitziende acteur die Kardinaal Wolsey speelde kwijlend het kruis kuste, geld in zijn zakken propte en lonkte naar halfnaakte vrouwen.
Met een opgewonden gebrul sprong de gevleugelde figuur van de dood op het podium en sneed met een dramatisch gebaar zijn keel door met een zeis. Nepbloed in de vorm van linten spoot uit zijn keel en met veel misbaar stierf de kardinaal.
Twee gehoornde duivels grepen Wolsey en begonnen hem in de richting

van de trap te trekken. Wolsey probeerde hen tevergeefs van zich af te slaan. Het verrukte publiek jouwde, juichte en klapte toen de gordijnen opzijgingen en onder de trap een wereld vol met vuur en bijtende rook onthulden. De naakte lichamen van de vervloekten kronkelden in een eeuwigdurende marteling. Duivels martelden de vervloekten op alle demonische manieren: met vuur, sikkels en messen. Een doodsbange Wolsey deinsde terug en vocht kwijlend van angst om aan zijn lot te ontsnappen. Het publiek was laaiend enthousiast, het jouwde hem uit en schreeuwde aanmoedigingskreten naar de duivels. Toen Wolsey zich ten slotte, in een ijdele poging aan zijn lot te ontsnappen, tot het gebed wendde, waren de lachsalvo's en het applaus van de toeschouwers – Norfolk, Brandon, Cromwell, de Boleyns en de rest – niet van de lucht. Ze brulden goedkeurend toen Wolsey brandde.

Twee leden van het hof waren er niet om het schouwspel te bekijken: Henry en Anne waren in de zwoele warmte van de zomeravond gaan paardrijden.
Ze reden langzaam tussen de bomen door. Henry kon zijn ogen niet van Anne afhouden. Hij brandde vanbinnen. Ze staarde naar hem terug, wetende dat ze op het punt stonden...
Zonder iets te zeggen, hield Henry plotseling zijn paard in en steeg af. Hij liep rusteloos tussen de bomen door zonder zijn ogen van haar af te halen; gespannen als een veer en bijna gek van verlangen.
De tijd was gekomen; ze wist het, voelde het ook, een onweerstaanbare kracht. Ze gleed van haar paard en liep langzaam naar hem toe.
'Ik wil u,' zei hij. 'En ik duld geen weigering.'
'Ik zal u niets weigeren, mijn lief,' zei zij. Zijn mond perste zich op de hare en hun passie, die zo lang vervloekt was geweest, barstte naar buiten.
Henry's handen rukten uitzinnig aan Annes kleren; hij knoopte, scheurde en trok ze scheef en uit elkaar om bij haar, zijn Anne, te komen. Al even vurig trok Anne aan zijn wambuis, hemd en broekklep; ze klauwde aan veters en knopen en strikken om zijn huid voor haar te ontbloten. En bij de eerste aanraking, het eerste proeven, de eerste blik van blote huid, vielen ze op elkaar, want hun behoefte was te groot om te wachten.
Half naakt rolden ze over de bladeren van de zachte bosgrond; eindelijk voelen, kussen, mond-op-mond en huid-op-huid, zoekende en strelende, ontdekkende en wetende handen, de liefde bedrijven als geliefden door de eeuwen heen.
Het regende zacht en bladeren plakten aan hun natte, glimmende huid, maar Henry en Anne kleefden en rolden en kronkelden en kromden ter-

wijl ze de liefde bedreven, zich niet bewust van de regen boven, of de grond onder hen, bronstig als beesten, zwevend als engelen. Het was een vleselijke liefde... maar ook prachtig, met een overweldigende hartstocht. Al even wreed als teder. Wereldlijk en geestelijk. Vlees en bloed verheerlijkt. En bij het naderen van het hoogtepunt schreeuwden ze luidkeels tot de goden der liefde en werden de twee eindelijk een. En hun wereld veranderde voor altijd.